인체의 경락경혈

Meridian System of Human Body

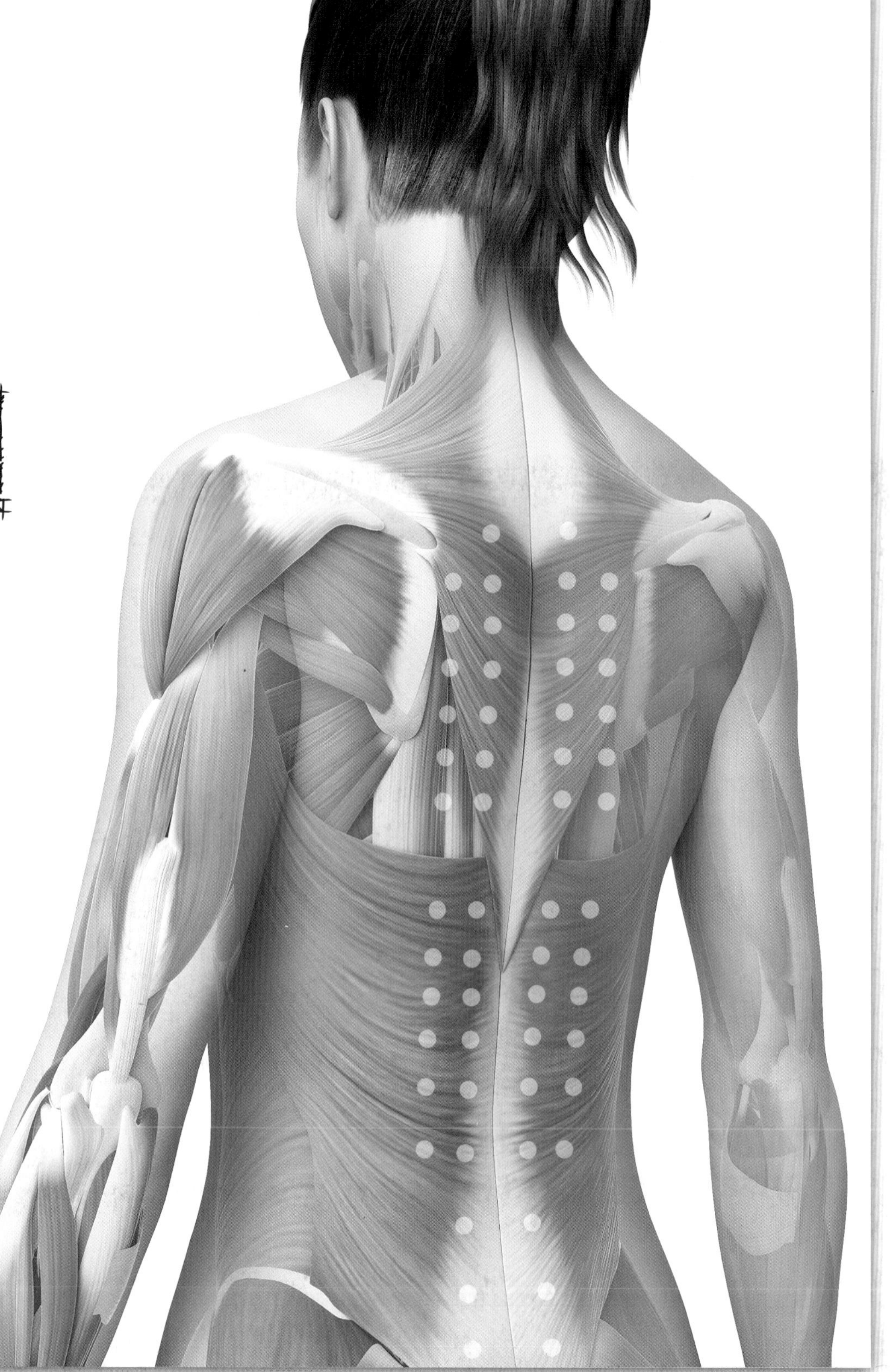

신원범·홍지유 감수

dkb
대경북스

피부의 구성요소
Components of Integumentary System

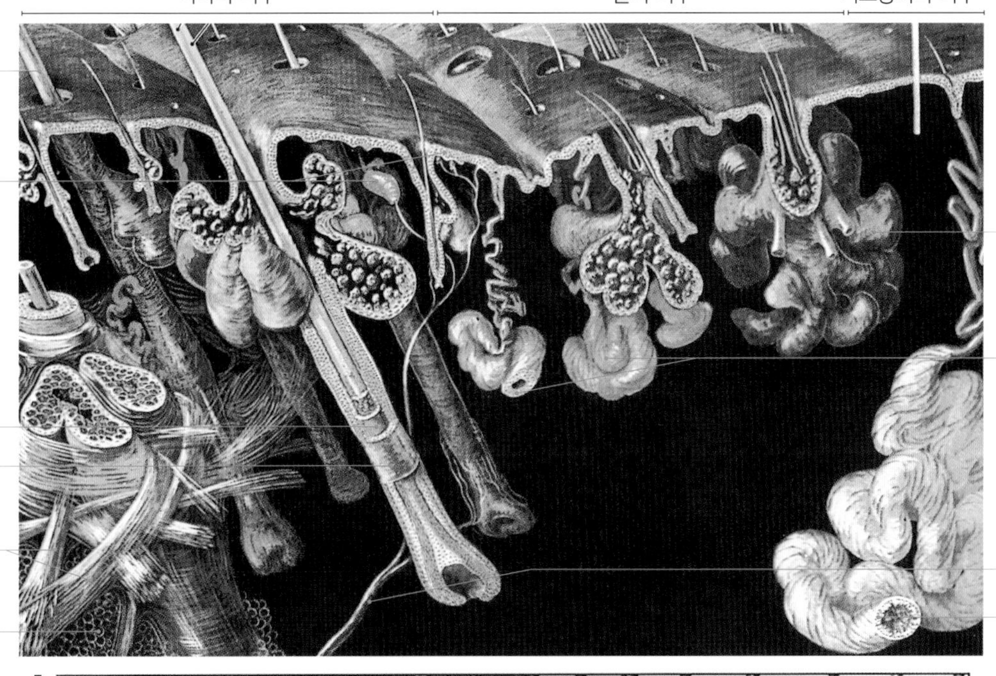

Skin of scalp
머리의 피부
Skin of cheek
볼의 피부
Skin of axilla
겨드랑이의 피부
수명이 다 된 체모는 빠지고 새로운 체모로 교체된다.
Meissner's corpuscle
촉각소체
Internal root sheath
속털뿌리집(내모근초)
External root sheath
바깥털뿌리집(외모근초)
Bundles of collagen fibers in dermis
진피층의 콜라겐 섬유다발
Subcutaneous fat
피하지방
Sebaceous gland
기름샘(피지선)
Merocrine sweat gland
부분분비선
Sensory nerve
감각신경
Apocrine sweat gland
아포크린 땀샘

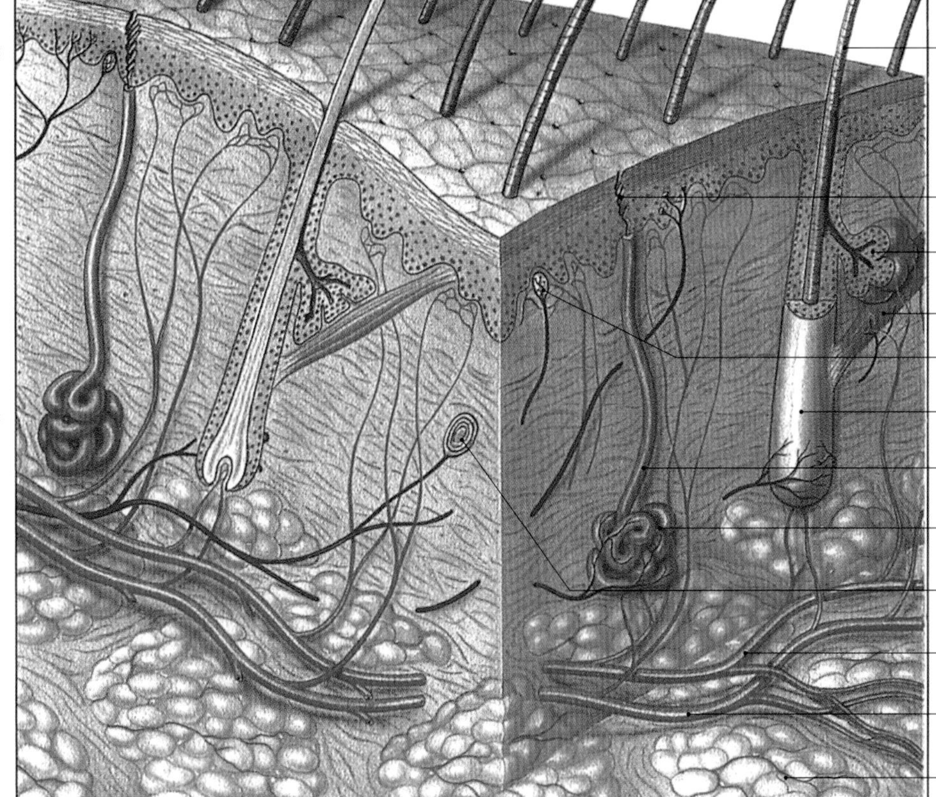

Epidermis
표피
Dermis
진피
Hypodermis tissue
피부밑조직(피하조직)
Hair shaft
털줄기(모간)
Pore of sweat gland
땀구멍
Sebaceous gland
기름샘(피지선)
Arrector pili muscle
털세움근(입모근)
Meissner's corpuscle
촉각 소체
Hair follicle
털주머니(모낭)
Sweat gland duct
땀샘관
Merocrine sweat gland
샘분비샘(부분분비선)
Pacinian corpuscle
파치니소체
Artery
동맥
Vein
정맥
Fat
지방

경락 · 경혈 I·N·D·E·X

수태음폐경 手太陰肺經, Lung Meridian : LU ············ B-6

국제표준 경혈기호	한글 경혈이름	한문 경혈표기	한국표준 영문표기	국제표준 경혈기호	한글 경혈이름	한문 경혈표기	한국표준 영문표기
LU 1	중부	中府	Jungbu	LU 7	열결	列缺	Yeolgyeol
LU 2	운문	雲門	Unmun	LU 8	경거	經渠	Gyeonggeo
LU 3	천부	天府	Cheonbu	LU 9	태연	太淵	Taeyeon
LU 4	협백	俠白	Hyeopbaek	LU 10	어제	魚際	Eoje
LU 5	척택	尺澤	Cheoktaek	LU 11	소상	少商	Sosang
LU 6	공최	孔最	Gongchoe				

수양명대장경 手陽明大腸經, Large Intestine Meridian : LI ············ B-7

국제표준 경혈기호	한글 경혈이름	한문 경혈표기	한국표준 영문표기	국제표준 경혈기호	한글 경혈이름	한문 경혈표기	한국표준 영문표기
LI 1	상양	商陽	Sangyang	LI 11	곡지	曲池	Gokji
LI 2	이간	二間	Igan	LI 12	주료	肘髎	Juryo
LI 3	삼간	三間	Samgan	LI 13	수오리	手五里	Suori
LI 4	합곡	合谷	Hapgok	LI 14	비노	臂臑	Bino
LI 5	양계	陽谿	Yanggye	LI 15	견우	肩髃	Gyeonu
LI 6	편력	偏歷	Pyeollyeok	LI 16	거골	巨骨	Geogol
LI 7	온류	溫溜	Ollyu	LI 17	천정	天鼎	Cheonjeong
LI 8	하렴	下廉	Haryeom	LI 18	부돌	扶突	Budol
LI 9	상렴	上廉	Sangnyeom	LI 19	화료	禾髎	Hwaryo
LI 10	수삼리	手三里	Susamni	LI 20	영향	迎香	Yeonghyang

족양명위경 足陽明胃經, Stomach Meridian : ST ············ B-9

국제표준 경혈기호	한글 경혈이름	한문 경혈표기	한국표준 영문표기	국제표준 경혈기호	한글 경혈이름	한문 경혈표기	한국표준 영문표기
ST 1	승읍	承泣	Seungeup	ST 24	활육문	滑肉門	Hwaryungmun
ST 2	사백	四白	Sabaek	ST 25	천추	天樞	Cheonchu
ST 3	거료	巨髎	Georyo	ST 26	외릉	外陵	Oereung
ST 4	지창	地倉	Jichang	ST 27	대거	大巨	Daegeo
ST 5	대영	大迎	Daeyeong	ST 28	수도	水道	Sudo
ST 6	협거	頰車	Hyeopgeo	ST 29	귀래	歸來	Gwirae
ST 7	하관	下關	Hagwan	ST 30	기충	氣衝	Gichung
ST 8	두유	頭維	Duyu	ST 31	비관	髀關	Bigwan
ST 9	인영	人迎	Inyeong	ST 32	복토	伏兎	Bokto
ST 10	수돌	水突	Sudol	ST 33	음시	陰市	Eumsi
ST 11	기사	氣舍	Gisa	ST 34	양구	梁丘	Yanggu
ST 12	결분	缺盆	Gyeolbun	ST 35	독비	犢鼻	Dokbi
ST 13	기호	氣戶	Giho	ST 36	족삼리	足三里	Joksamni
ST 14	고방	庫房	Gobang	ST 37	상거허	上巨虛	Sanggeoheo
ST 15	옥예	屋翳	Ogye	ST 38	조구	條口	Jogu
ST 16	응창	膺窓	Eungchang	ST 39	하거허	下巨虛	Hageoheo
ST 17	유중	乳中	Yujung	ST 40	풍륭	豊隆	Pungnyung
ST 18	유근	乳根	Yugeun	ST 41	해계	解谿	Haegye
ST 19	불용	不容	Buryong	ST 42	충양	衝陽	Chungyang
ST 20	승만	承滿	Seungman	ST 43	함곡	陷谷	Hamgok
ST 21	양문	梁門	Yangmun	ST 44	내정	內庭	Naejeong
ST 22	관문	關門	Gwanmun	ST 45	여태	厲兌	Yeotae
ST 23	태을	太乙	Taeeul				

족태음비경 足太陰脾經, Spleen Meridian : SP ············ B-14

국제표준 경혈기호	한글 경혈이름	한문 경혈표기	한국표준 영문표기	국제표준 경혈기호	한글 경혈이름	한문 경혈표기	한국표준 영문표기
SP 1	은백	隱白	Eunbaek	SP 12	충문	衝門	Chungmun
SP 2	대도	大都	Daedo	SP 13	부사	府舍	Busa
SP 3	태백	太白	Taebaek	SP 14	복결	腹結	Bokgyeol
SP 4	공손	公孫	Gongson	SP 15	대횡	大橫	Daehoeng
SP 5	상구	商丘	Sanggu	SP 16	복애	腹哀	Bogae
SP 6	삼음교	三陰交	Sameumgyo	SP 17	식두	食竇	Sikdu
SP 7	누곡	漏谷	Nugok	SP 18	천계	天谿	Chengye
SP 8	지기	地機	Jigi	SP 19	흉향	胸鄕	Hyunghyang
SP 9	음릉천	陰陵泉	Eumneungcheon	SP 20	주영	周榮	Juyeong
SP 10	혈해	血海	Hyeolhae	SP 21	대포	大包	Daepo
SP 11	기문	箕門	Gimun				

전신의 림프계통
Lymph Nodes and Lymphatic Ducts of Body

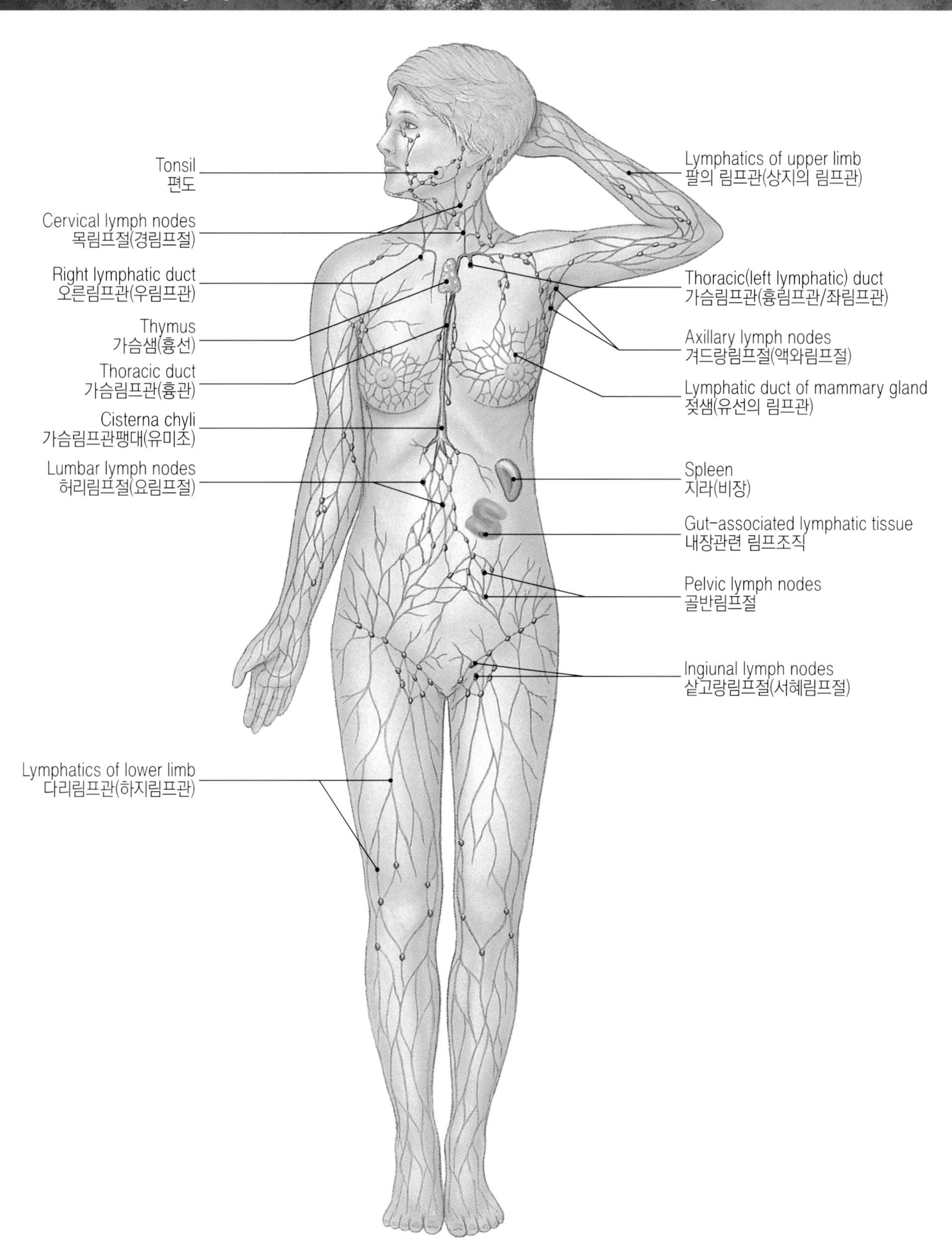
Tonsil
편도
Cervical lymph nodes
목림프절(경림프절)
Right lymphatic duct
오른림프관(우림프관)
Thymus
가슴샘(흉선)
Thoracic duct
가슴림프관(흉관)
Cisterna chyli
가슴림프관팽대(유미조)
Lumbar lymph nodes
허리림프절(요림프절)
Lymphatics of lower limb
다리림프관(하지림프관)
Lymphatics of upper limb
팔의 림프관(상지의 림프관)
Thoracic(left lymphatic) duct
가슴림프관(흉림프관/좌림프관)
Axillary lymph nodes
겨드랑림프절(액와림프절)
Lymphatic duct of mammary gland
젖샘(유선의 림프관)
Spleen
지라(비장)
Gut-associated lymphatic tissue
내장관련 림프조직
Pelvic lymph nodes
골반림프절
Ingiunal lymph nodes
샅고랑림프절(서혜림프절)

경락 · 경혈 I·N·D·E·X

수소음심경 手少陰心經, Heart Meridian : HI ······························ B-16

국제표준 경혈기호	한글 경혈이름	한문 경혈표기	한국표준 영문표기	국제표준 경혈기호	한글 경혈이름	한문 경혈표기	한국표준 영문표기
HT 1	극천	極泉	Geukcheon	HT 6	음극	陰郄	Eumgeuk
HT 2	청령	靑靈	Cheongnyeong	HT 7	신문	神門	Sinmun
HT 3	소해	少海	Sohae	HT 8	소부	少府	Sobu
HT 4	영도	靈道	Yeongdo	HT 9	소충	少衝	Sochung
HT 5	통리	通里	Tong-ri				

수태양소장경 手太陽小腸經, Small Intestine Meridian : SI ··················· B-18

국제표준 경혈기호	한글 경혈이름	한문 경혈표기	한국표준 영문표기	국제표준 경혈기호	한글 경혈이름	한문 경혈표기	한국표준 영문표기
SI 1	소택	少澤	Sotaek	SI 11	천종	天宗	Cheonjeong
SI 2	전곡	前谷	Jeongok	SI 12	병풍	秉風	Byeongpung
SI 3	후계	後谿	Hugye	SI 13	곡원	曲垣	Gogwon
SI 4	완골	腕骨	Wangol	SI 14	견외수	肩外腧	Gyeonoesu
SI 5	양곡	陽谷	Yanggok	SI 15	견중수	肩中腧	Gyeonjungsu
SI 6	양로	養老	Yangno	SI 16	천창	天窓	Cheonyong
SI 7	지정	支正	Jijeong	SI 17	천용	天容	Cheonyong
SI 8	소해	小海	Sohae	SI 18	관료	顴髎	Gwollyo
SI 9	견정	肩貞	Gyeonjeong	SI 19	청궁	聽宮	Cheonggung
SI 10	노수	臑腧	Nosu				

족태양방광경 足太陽膀胱經, Bladder Meridian : BL ··························· B-21

국제표준 경혈기호	한글 경혈이름	한문 경혈표기	한국표준 영문표기	국제표준 경혈기호	한글 경혈이름	한문 경혈표기	한국표준 영문표기
BL 1	정명	睛明	Jeongmyeong	BL 35	회양	會陽	Hoeyang
BL 2	찬죽	攢竹	Chanjuk	BL 36	승부	承扶	Seungbu
BL 3	미충	眉衝	Michung	BL 37	은문	殷門	Eunmun
BL 4	곡차	曲差	Gokcha	BL 38	부극	浮郄	Bugeuk
BL 5	오처	五處	Ocheo	BL 39	위양	委陽	Wiyang
BL 6	승광	承光	Seunggwang	BL 40	위중	委中	Wijung
BL 7	통천	通天	Tongcheon	BL 41	부분	附分	Bubun
BL 8	낙각	絡却	Nakgak	BL 42	백호	魄戶	Baekho
BL 9	옥침	玉枕	Okchim	BL 43	고황	膏肓	Gohwang
BL 10	천주	天柱	Cheonju	BL 44	신당	神堂	Sindang
BL 11	대저	大杼	Daejeo	BL 45	의희	譩譆	Uihui
BL 12	풍문	風門	Pungmun	BL 46	격관	膈關	Gyeokgwan
BL 13	폐수	肺腧	Pyesu	BL 47	혼문	魂門	Honmun
BL 14	궐음수	厥陰腧	Gworeumsu	BL 48	양강	陽綱	Yanggang
BL 15	심수	心腧	Simsu	BL 49	의사	意舍	Uisa
BL 16	독수	督腧	Doksu	BL 50	위창	胃倉	Wichang
BL 17	격수	膈腧	Gyeoksu	BL 51	황문	肓門	Hwangmun
BL 18	간수	肝腧	Gansu	BL 52	지실	志室	Jisil
BL 19	담수	膽腧	Damsu	BL 53	포황	胞肓	Pohwang
BL 20	비수	脾腧	Bisu	BL 54	질변	秩邊	Jilbyeon
BL 21	위수	胃腧	Wisu	BL 55	합양	合陽	Habyang
BL 22	삼초수	三焦腧	Samchosu	BL 56	승근	承筋	Seunggeun
BL 23	신수	腎腧	Sinsu	BL 57	승산	承山	Seungsan
BL 24	기해수	氣海腧	Gihaesu	BL 58	비양	飛揚	Biyang
BL 25	대장수	大腸腧	Daejangsu	BL 59	부양	跗陽	Buyang
BL 26	관원수	關元腧	Gwanwonsu	BL 60	곤륜	崑崙	Gollyun
BL 27	소장수	小腸腧	Sojangsu	BL 61	복삼	僕參	Boksam
BL 28	방광수	膀胱腧	Banggwangsu	BL 62	신맥	申脈	Sinmaek
BL 29	중려수	中膂腧	Jungnyeosu	BL 63	금문	金門	Geummun
BL 30	백환수	白環腧	Baekwansu	BL 64	경골	京骨	Gyeonggol
BL 31	상료	上髎	Sangnyo	BL 65	속골	束骨	Sokgol
BL 32	차료	次髎	Charyo	BL 66	족통곡	足通谷	Joktonggok
BL 33	중료	中髎	Jungnyo	BL 67	지음	至陰	Jieum
BL 34	하료	下髎	Haryo				

전신의 정맥계통

Overview of Systemic Venous System

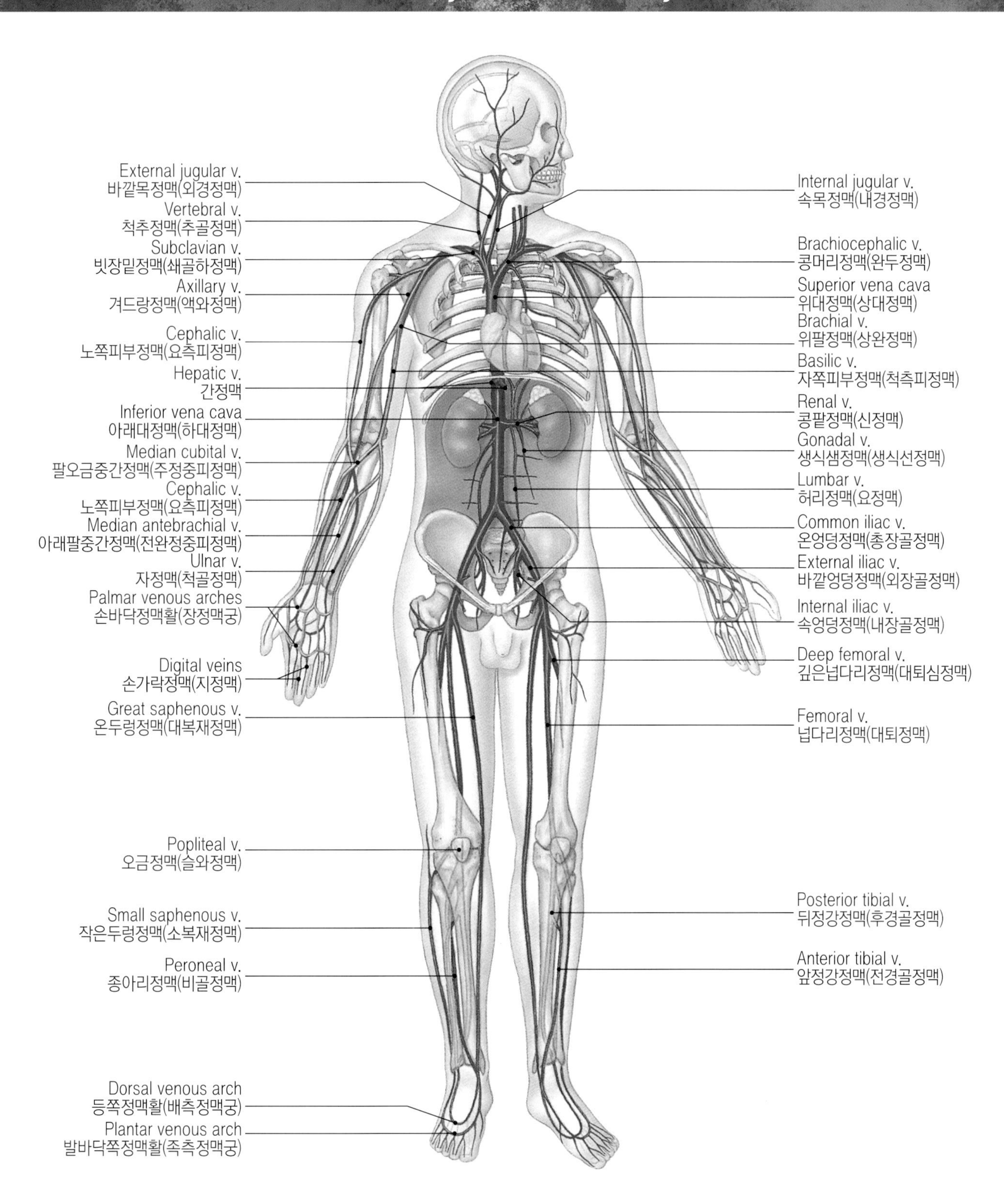
External jugular v.
바깥목정맥(외경정맥)
Vertebral v.
척추정맥(추골정맥)
Subclavian v.
빗장밑정맥(쇄골하정맥)
Axillary v.
겨드랑정맥(액와정맥)
Cephalic v.
노쪽피부정맥(요측피정맥)
Hepatic v.
간정맥
Inferior vena cava
아래대정맥(하대정맥)
Median cubital v.
팔오금중간정맥(주정중피정맥)
Cephalic v.
노쪽피부정맥(요측피정맥)
Median antebrachial v.
아래팔중간정맥(전완정중피정맥)
Ulnar v.
자정맥(척골정맥)
Palmar venous arches
손바닥정맥활(장정맥궁)
Digital veins
손가락정맥(지정맥)
Great saphenous v.
온두렁정맥(대복재정맥)
Popliteal v.
오금정맥(슬와정맥)
Small saphenous v.
작은두렁정맥(소복재정맥)
Peroneal v.
종아리정맥(비골정맥)
Dorsal venous arch
등쪽정맥활(배측정맥궁)
Plantar venous arch
발바닥쪽정맥활(족측정맥궁)
Internal jugular v.
속목정맥(내경정맥)
Brachiocephalic v.
콩머리정맥(완두정맥)
Superior vena cava
위대정맥(상대정맥)
Brachial v.
위팔정맥(상완정맥)
Basilic v.
자쪽피부정맥(척측피정맥)
Renal v.
콩팥정맥(신정맥)
Gonadal v.
생식샘정맥(생식선정맥)
Lumbar v.
허리정맥(요정맥)
Common iliac v.
온엉덩정맥(총장골정맥)
External iliac v.
바깥엉덩정맥(외장골정맥)
Internal iliac v.
속엉덩정맥(내장골정맥)
Deep femoral v.
깊은넙다리정맥(대퇴심정맥)
Femoral v.
넙다리정맥(대퇴정맥)
Posterior tibial v.
뒤정강정맥(후경골정맥)
Anterior tibial v.
앞정강정맥(전경골정맥)

족소음신경 足少陰腎經, Kidney Meridian : KI ······························ B-29

국제표준 경혈기호	한글 경혈이름	한문 경혈표기	한국표준 영문표기	국제표준 경혈기호	한글 경혈이름	한문 경혈표기	한국표준 영문표기
KI 1	용천	湧泉	Yongcheon	KI 15	중주	中注	Jungju
KI 2	연곡	然谷	Yeongok	KI 16	황수	肓腧	Hwangsu
KI 3	태계	太谿	Taegye	KI 17	상곡	商曲	Sanggok
KI 4	태(대)종	太(大)鐘	Taejong	KI 18	석관	石關	Seokgwan
KI 5	수천	水泉	Sucheon	KI 19	음도	陰都	Eumdo
KI 6	조해	照海	Johae	KI 20	복통곡	腹通谷	Boktonggok
KI 7	복류	復溜	Bokryu	KI 21	유문	幽門	Yumun
KI 8	교신	交信	Gyosin	KI 22	보랑	步廊	Borang
KI 9	축빈	築賓	Chukin	KI 23	신봉	神封	Sinbong
KI 10	음곡	陰谷	Eumgok	KI 24	영허	靈墟	Yeongheo
KI 11	횡골	橫骨	Hoenggol	KI 25	신장	神藏	Sinjang
KI 12	대혁	大赫	Daehyeok	KI 26	욱중	彧中	Ukjung
KI 13	기혈	氣穴	Gihyeol	KI 27	수부	腧府	Subu
KI 14	사만	四滿	Saman				

수궐음심포경 手厥陰心包經, Pericardium Meridian : PC ························ B-32

국제표준 경혈기호	한글 경혈이름	한문 경혈표기	한국표준 영문표기	국제표준 경혈기호	한글 경혈이름	한문 경혈표기	한국표준 영문표기
PC 1	천지	天池	Cheonji	PC 6	내관	內關	Naegwan
PC 2	천천	天泉	Cheoncheon	PC 7	태(대)릉	太(大)陵	Taereung
PC 3	곡택	曲澤	Goktaek	PC 8	노궁	勞宮	Nogung
PC 4	극문	郄門	Geungmun	PC 9	중충	中衝	Jungchung
PC 5	간사	間使	Gansa				

수소양삼초경 手少陽三焦經, Triple Energizer Meridian : TE ········ B-33

국제표준 경혈기호	한글 경혈이름	한문 경혈표기	한국표준 영문표기	국제표준 경혈기호	한글 경혈이름	한문 경혈표기	한국표준 영문표기
TE 1	관충	關衝	Gwanchung	TE 13	노회	臑會	Nohoe
TE 2	액문	液門	Aengmun	TE 14	견료	肩髎	Gyeollyo
TE 3	중저	中渚	Jungjeo	TE 15	천료	天髎	Cheonllyo
TE 4	양지	陽池	Yangji	TE 16	천유	天牖	Cheonyu
TE 5	외관	外關	Oegwan	TE 17	예풍	翳風	Yepung
TE 6	지구	支溝	Jigu	TE 18	계맥	瘈脈	Gyemaek
TE 7	회종	會宗	Hoejong	TE 19	노식	顱息	Nosik
TE 8	삼양락	三陽絡	Samyangnak	TE 20	각손	角孫	Gakson
TE 9	사독	四瀆	Sadok	TE 21	이문	耳門	Imun
TE 10	천정	天井	Cheonjeong	TE 22	화료	禾髎	Hwaryo
TE 11	청랭연	淸冷淵	Cheongnaengyeon	TE 23	사죽공	絲竹空	Sajukgong
TE 12	소락	消濼	Sorak				

족소양담경 足少陽膽經, Gallbladder Meridian : GB ······························ B-36

국제표준 경혈기호	한글 경혈이름	한문 경혈표기	한국표준 영문표기	국제표준 경혈기호	한글 경혈이름	한문 경혈표기	한국표준 영문표기
GB 1	동자료	瞳子髎	Dongjaryo	GB 23	첩근	輒筋	Cheopgeun
GB 2	청회	聽會	Cheonghoe	GB 24	일월	日月	Irwol
GB 3	상관	上關	Sanggwan	GB 25	경문	京門	Gyeongmun
GB 4	함염	頷厭	Hamyeom	GB 26	대맥	帶脈	Daemaek
GB 5	현로	懸顱	Hyeollo	GB 27	오추	五樞	Ochu
GB 6	현리	懸釐	Hyeon-Ri	GB 28	유도	維道	Yudo
GB 7	곡빈	曲鬢	Gokbin	GB 29	거료	居髎	Georyo
GB 8	솔곡	率谷	Solgok	GB 30	환도	環跳	Hwando
GB 9	천충	天衝	Cheonchung	GB 31	풍시	風市	Pungsi
GB 10	부백	浮白	Bubaek	GB 32	중독	中瀆	Jungdok
GB 11	두규음	頭竅陰	Dugyueum	GB 33	슬양관	膝陽關	Seuryanggwan
GB 12	완골	完骨	Wangol	GB 34	양릉천	陽陵泉	Yangneungcheon
GB 13	본신	本神	Bonsin	GB 35	양교	陽交	Yanggyo
GB 14	양백	陽白	Yangbaek	GB 36	외구	外丘	Oegu
GB 15	두임읍	頭臨泣	Duimeup	GB 37	광명	光明	Gwangmyeong
GB 16	목창	目窓	Mokchang	GB 38	양보	陽輔	Yangbo
GB 17	정영	正營	Jeongyeong	GB 39	현종	懸鍾	Hyeonjong
GB 18	승령	承靈	Seungnyeong	GB 40	구허	丘墟	Guheo
GB 19	뇌공	腦空	Noegong	GB 41	족임읍	足臨泣	Jogimeup
GB 20	풍지	風池	Pungji	GB 42	지오회	地五會	Jiohoe
GB 21	견정	肩井	Gyeonjeong	GB 43	협계	俠谿	Hyepgye
GB 22	연액	淵腋	Yeonaek	GB 44	족규음	足竅陰	Jokgyueum

전신의 동맥계통
Overview of Systemic Arterial System

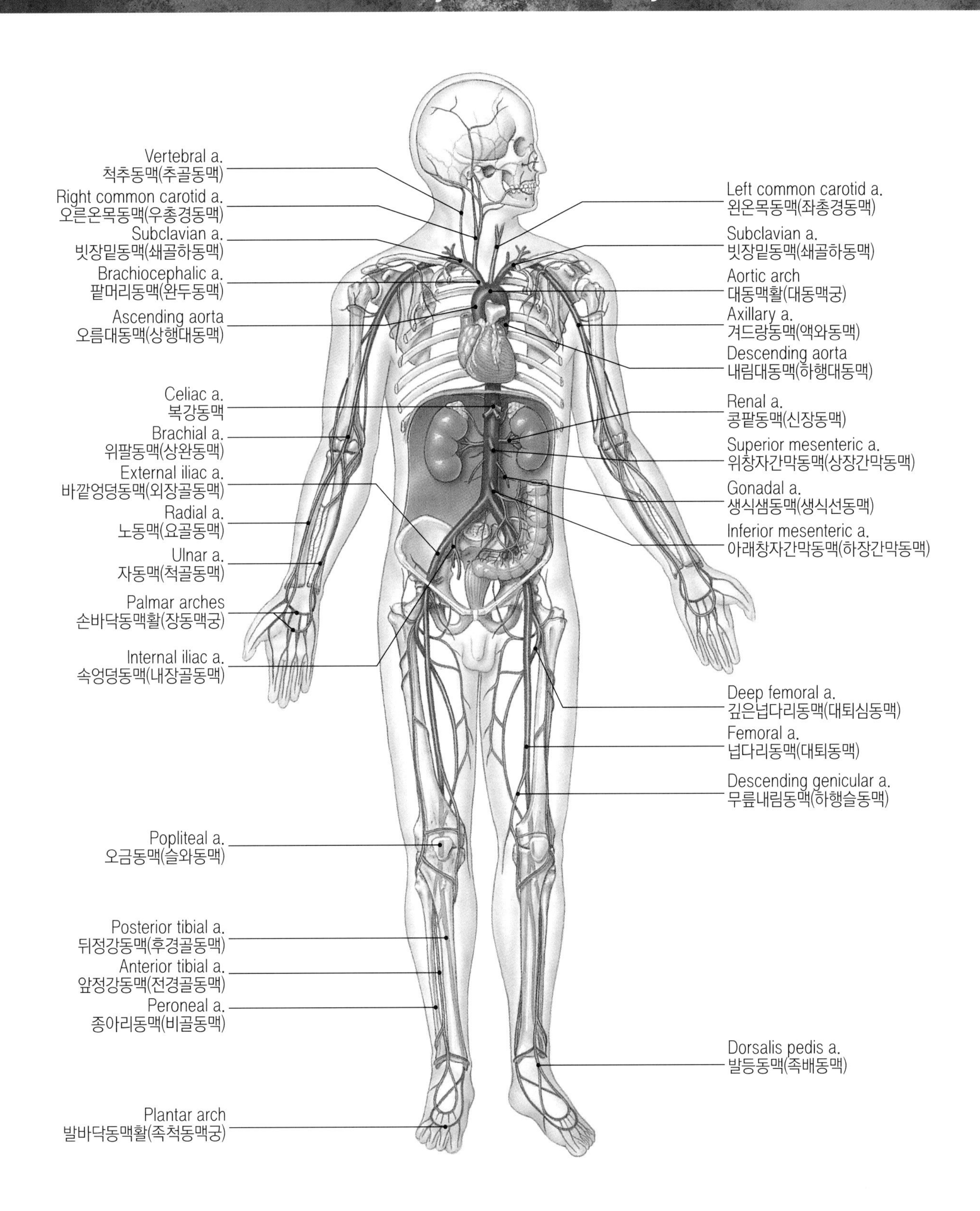

Vertebral a.
척추동맥(추골동맥)
Right common carotid a.
오른온목동맥(우총경동맥)
Subclavian a.
빗장밑동맥(쇄골하동맥)
Brachiocephalic a.
팔머리동맥(완두동맥)
Ascending aorta
오름대동맥(상행대동맥)
Celiac a.
복강동맥
Brachial a.
위팔동맥(상완동맥)
External iliac a.
바깥엉덩동맥(외장골동맥)
Radial a.
노동맥(요골동맥)
Ulnar a.
자동맥(척골동맥)
Palmar arches
손바닥동맥활(장동맥궁)
Internal iliac a.
속엉덩동맥(내장골동맥)
Popliteal a.
오금동맥(슬와동맥)
Posterior tibial a.
뒤정강동맥(후경골동맥)
Anterior tibial a.
앞정강동맥(전경골동맥)
Peroneal a.
종아리동맥(비골동맥)
Plantar arch
발바닥동맥활(족척동맥궁)
Left common carotid a.
왼온목동맥(좌총경동맥)
Subclavian a.
빗장밑동맥(쇄골하동맥)
Aortic arch
대동맥활(대동맥궁)
Axillary a.
겨드랑동맥(액와동맥)
Descending aorta
내림대동맥(하행대동맥)
Renal a.
콩팥동맥(신장동맥)
Superior mesenteric a.
위창자간막동맥(상장간막동맥)
Gonadal a.
생식샘동맥(생식선동맥)
Inferior mesenteric a.
아래창자간막동맥(하장간막동맥)
Deep femoral a.
깊은넙다리동맥(대퇴심동맥)
Femoral a.
넙다리동맥(대퇴동맥)
Descending genicular a.
무릎내림동맥(하행슬동맥)
Dorsalis pedis a.
발등동맥(족배동맥)

경락 · 경혈 I·N·D·E·X

족궐음간경 足厥陰肝經, Liver Meridian : LR ······ B-41

국제표준 경혈기호	한글 경혈이름	한문 경혈표기	한국표준 영문표기	국제표준 경혈기호	한글 경혈이름	한문 경혈표기	한국표준 영문표기
LR 1	태(대)돈	太(大)敦	Taedon	LR 8	곡천	曲泉	Gokcheon
LR 2	행간	行間	Haenggan	LR 9	음포	陰包	Eumpo
LR 3	태충	太衝	Taechung	LR 10	족오리	足五里	Jogori
LR 4	중봉	中封	Jungbong	LR 11	음렴	陰廉	Eumnyeom
LR 5	여구	蠡溝	Yeogu	LR 12	급맥	急脈	Geummaek
LR 6	중도	中都	Jungdo	LR 13	장문	章門	Jangmun
LR 7	슬관	膝關	Seulgwan	LR 14	기문	期門	Gimun

독맥 督脈, Governor Vessel : GV ······ B-43

국제표준 경혈기호	한글 경혈이름	한문 경혈표기	한국표준 영문표기	국제표준 경혈기호	한글 경혈이름	한문 경혈표기	한국표준 영문표기
GV 1	장강	長强	Janggang	GV 15	아문	瘂門	Amun
GV 2	요수	腰腧	Yosu	GV 16	풍부	風府	Pungbu
GV 3	요양관	腰陽關	Yoyanggwan	GV 17	뇌호	腦戶	Noeho
GV 4	명문	命門	Myeongmun	GV 18	강간	强間	Ganggan
GV 5	현추	懸樞	Hyeonchu	GV 19	후정	後頂	Hujeong
GV 6	척중	脊中	Cheokjung	GV 20	백회	百會	Baekhoe
GV 7	중추	中樞	Jungchu	GV 21	전정	前頂	Jeonjeong
GV 8	근축	筋縮	Geunchuk	GV 22	신회	顖會	Sinhoe
GV 9	지양	至陽	Jiyang	GV 23	상성	上星	Sangseong
GV 10	영대	靈臺	Yeongdae	GV 24	신정	神庭	Sinjeong
GV 11	신도	神道	Sindo	GV 25	소료	素髎	Soryo
GV 12	신주	身柱	Sinju	GV 26	수구	水溝	Sugu
GV 13	도도	陶道	Dodo	GV 27	태단	兌端	Taedan
GV 14	대추	大椎	Daechu	GV 28	은교	齦交	Eungyo

임맥 任脈, Conception Vessel : CV ······ B-46

국제표준 경혈기호	한글 경혈이름	한문 경혈표기	한국표준 영문표기	국제표준 경혈기호	한글 경혈이름	한문 경혈표기	한국표준 영문표기
CV 1	회음	會陰	Hoeeum	CV 13	상완	上脘	Sangwan
CV 2	곡골	曲骨	Gokgol	CV 14	거궐	巨闕	Geogwol
CV 3	중극	中極	Junggeuk	CV 15	구미	鳩尾	Gumi
CV 4	관원	關元	Gwanwon	CV 16	중정	中庭	Jungjeong
CV 5	석문	石門	Seongmun	CV 17	단중	膻中	Danjung
CV 6	기해	氣海	Gihae	CV 18	옥당	玉堂	Okdang
CV 7	음교	陰交	Eumgyo	CV 19	자궁	紫宮	Jagung
CV 8	신궐	神闕	Singwol	CV 20	화개	華蓋	Hwagae
CV 9	수분	水分	Subun	CV 21	선기	璇璣	Seon-gi
CV 10	하완	下脘	Hawan	CV 22	천돌	天突	Cheondol
CV 11	건리	建里	Geolli	CV 23	염천	廉泉	Yeomcheon
CV 12	중완	中脘	Jungwan	CV 24	승장	承漿	Seungjang

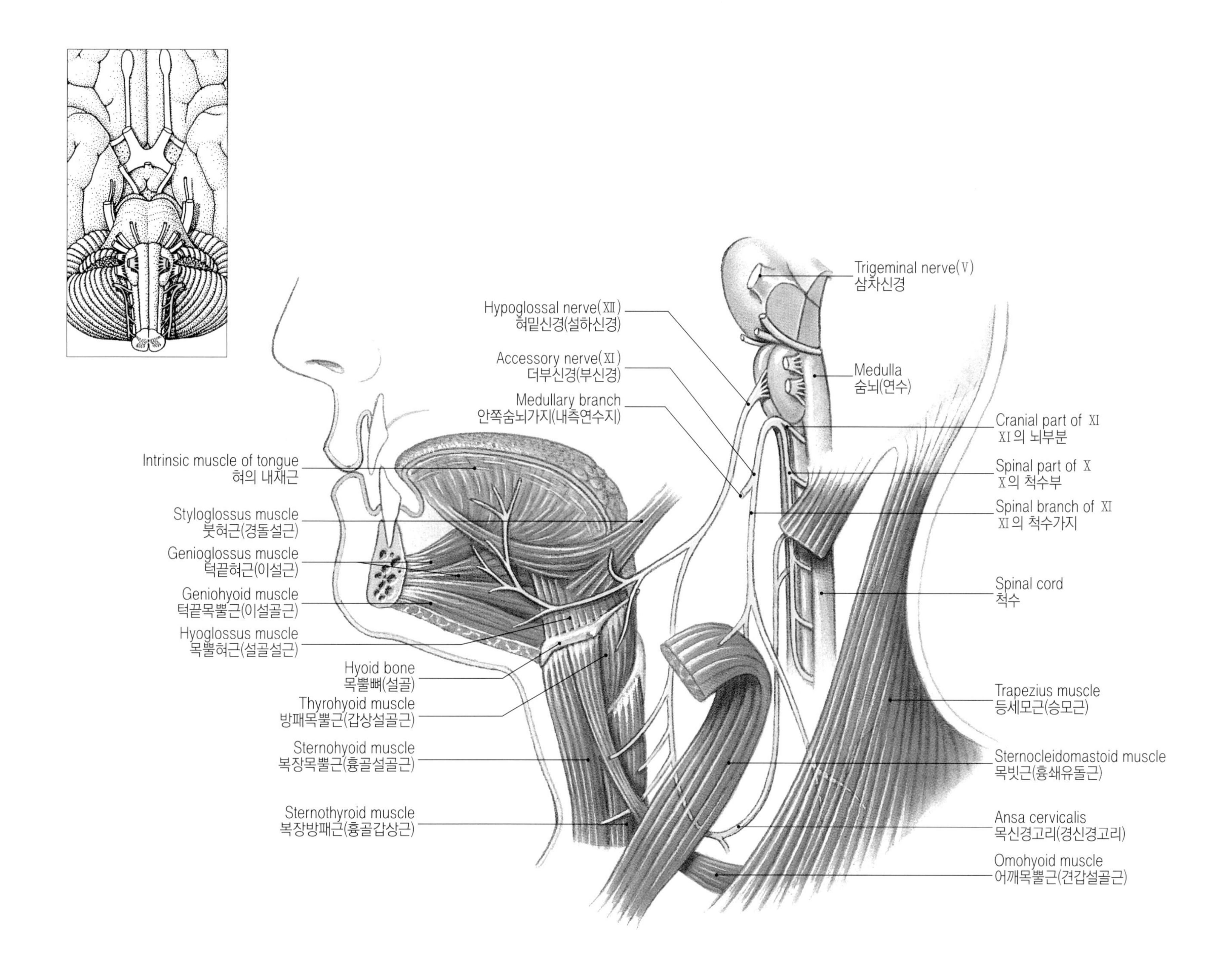

Trigeminal nerve(Ⅴ)
삼차신경
Hypoglossal nerve(Ⅻ)
혀밑신경(설하신경)
Accessory nerve(Ⅺ)
더부신경(부신경)
Medullary branch
안쪽숨뇌가지(내측연수지)
Medulla
숨뇌(연수)
Cranial part of Ⅺ
Ⅺ의 뇌부분
Spinal part of Ⅹ
Ⅹ의 척수부
Spinal branch of Ⅺ
Ⅺ의 척수가지
Intrinsic muscle of tongue
혀의 내재근
Styloglossus muscle
붓혀근(경돌설근)
Genioglossus muscle
턱끝혀근(이설근)
Geniohyoid muscle
턱끝목뿔근(이설골근)
Hyoglossus muscle
목뿔혀근(설골설근)
Hyoid bone
목뿔뼈(설골)
Thyrohyoid muscle
방패목뿔근(갑상설골근)
Sternohyoid muscle
복장목뿔근(흉골설골근)
Sternothyroid muscle
복장방패근(흉골갑상근)
Spinal cord
척수
Trapezius muscle
등세모근(승모근)
Sternocleidomastoid muscle
목빗근(흉쇄유돌근)
Ansa cervicalis
목신경고리(경신경고리)
Omohyoid muscle
어깨목뿔근(견갑설골근)

수태음폐경

(手太陰肺經, Lung Meridian : LU)

수태음폐경은 중초(中焦)에서 발생해서 아래로 내려가 대장에 낙(絡)한다. 다시 상행하여 위의 분문을 돌아 폐에 속한다. 기관·후두를 돌아 앞가슴으로 얕게 나와(중부혈, 운문혈) 위팔 앞가쪽 → 팔오금(척택혈) → 아래팔 가쪽옆으로 내려가 노동맥 박동부(태연혈)를 거쳐 엄지손가락 가쪽끝의 소상혈에서 끝난다.

아래팔 아래쪽의 열결혈에서 갈라져 나온 지맥(支脈)은 둘째손가락의 가쪽 끝에 도달한 다음 거기에서 수양명대장경과 연결된다.

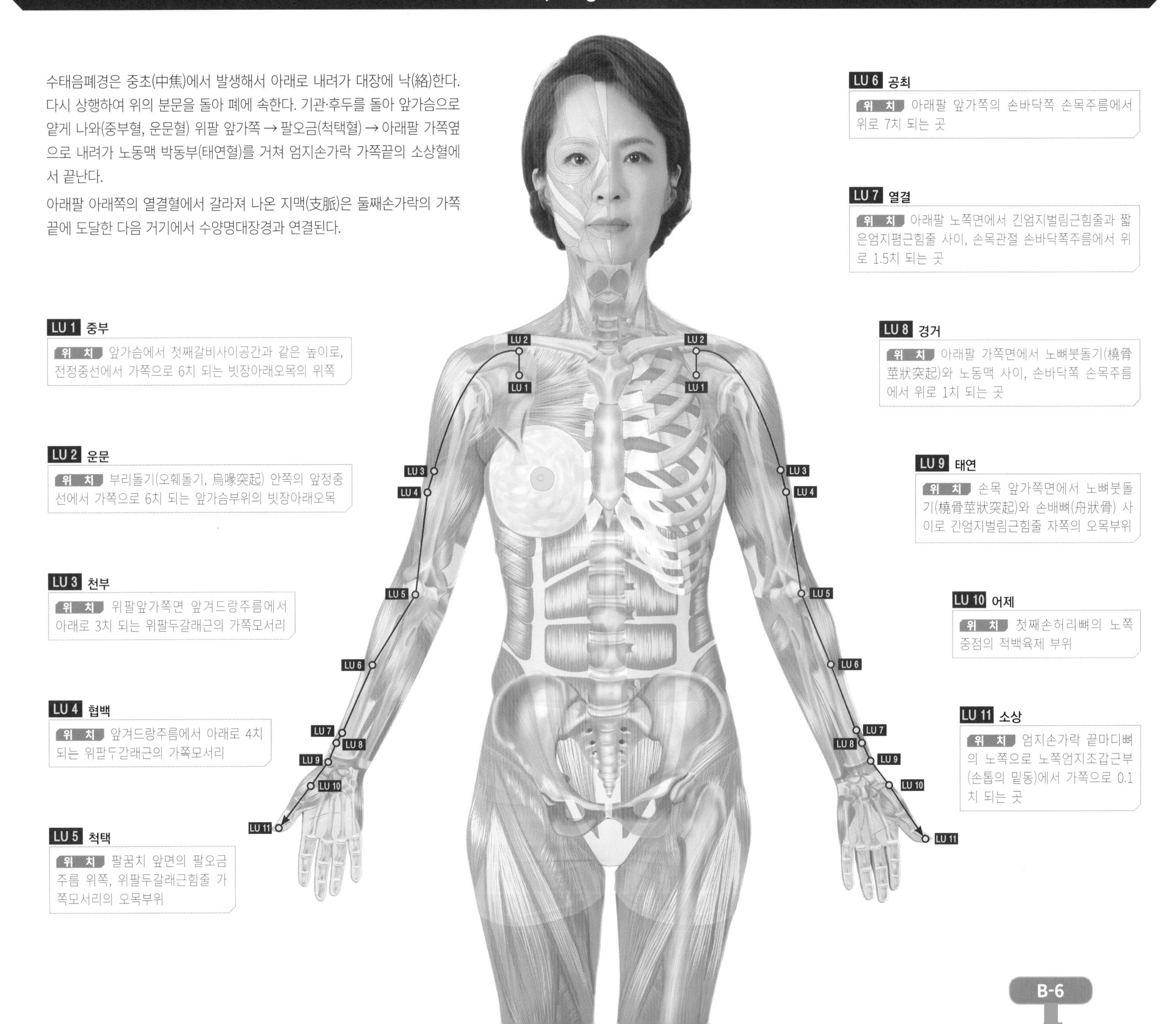
LU 1
LU 2
LU 3
LU 4
LU 5
LU 6
LU 7
LU 8
LU 9
LU 10
LU 11

LU 1 중부

위 치 앞가슴에서 첫째갈비사이공간과 같은 높이로, 전정중선에서 가쪽으로 6치 되는 빗장아래오목의 위쪽

LU 2 운문

위 치 부리돌기(오훼돌기, 烏喙突起) 안쪽의 앞정중선에서 가쪽으로 6치 되는 앞가슴부위의 빗장아래오목

LU 3 천부

위 치 위팔앞가쪽면 앞겨드랑주름에서 아래로 3치 되는 위팔두갈래근의 가쪽모서리

LU 4 협백

위 치 앞겨드랑주름에서 아래로 4치 되는 위팔두갈래근의 가쪽모서리

LU 5 척택

위 치 팔꿈치 앞면의 팔오금주름 위쪽, 위팔두갈래근힘줄 가쪽모서리의 오목부위

LU 6 공최

위 치 아래팔 앞가쪽의 손바닥쪽 손목주름에서 위로 7치 되는 곳

LU 7 열결

위 치 아래팔 노쪽면에서 긴엄지벌림근힘줄과 짧은엄지폄근힘줄 사이, 손목관절 손바닥쪽주름에서 위로 1.5치 되는 곳

LU 8 경거

위 치 아래팔 가쪽면에서 노뼈붓돌기(橈骨莖狀突起)와 노동맥 사이, 손바닥쪽 손목주름에서 위로 1치 되는 곳

LU 9 태연

위 치 손목 앞가쪽면에서 노뼈붓돌기(橈骨莖狀突起)와 손배뼈(舟狀骨) 사이로 긴엄지벌림근힘줄 자쪽의 오목부위

LU 10 어제

위 치 첫째손허리뼈의 노쪽 중점의 적백육제 부위

LU 11 소상

위 치 엄지손가락 끝마디뼈의 노쪽으로 노쪽엄지조갑근부(손톱의 밑동)에서 가쪽으로 0.1치 되는 곳

혀인두신경과 미주신경

Glossopharygeal and Vagus Nerve

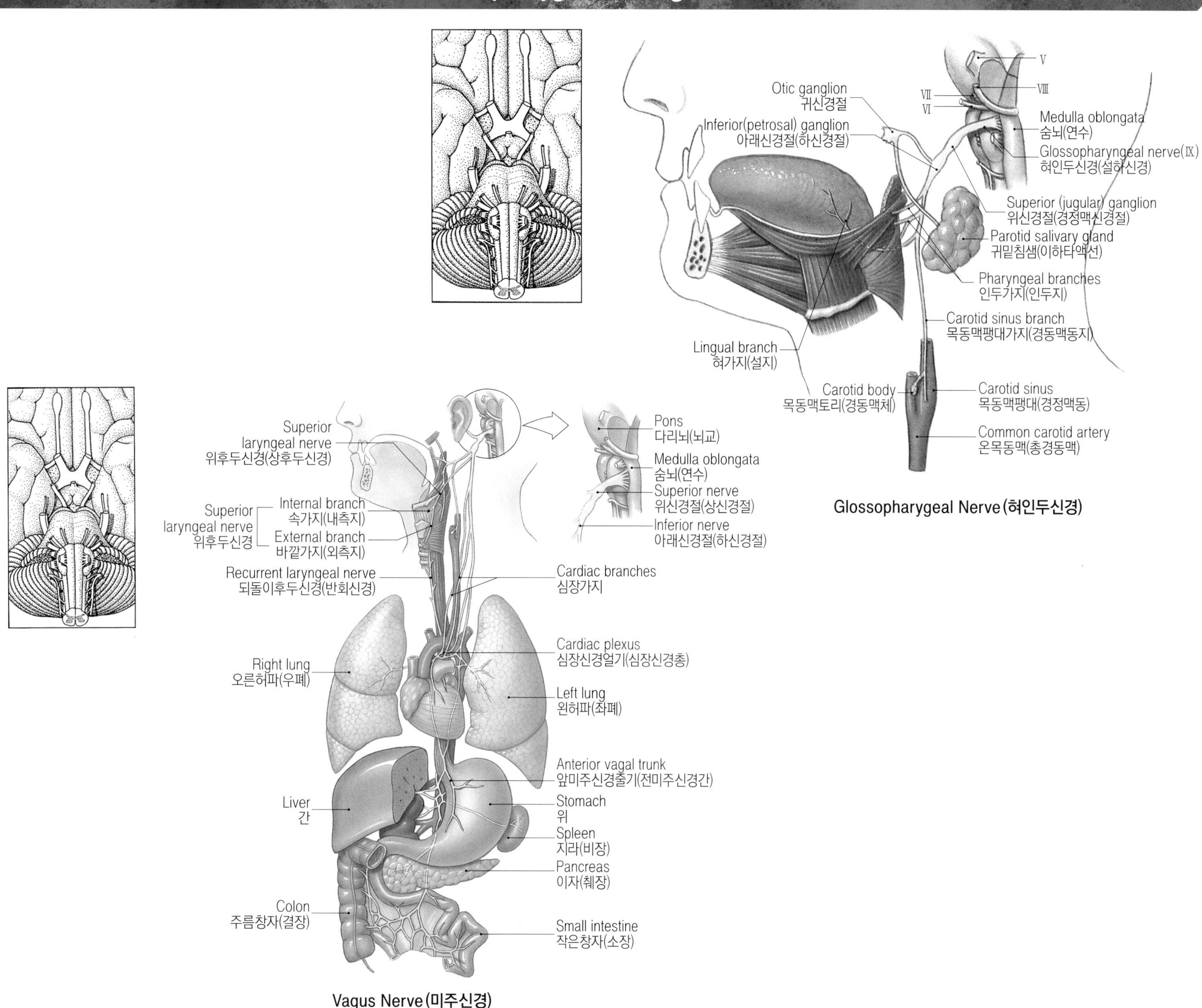

Otic ganglion
귀신경절
Inferior(petrosal) ganglion
아래신경절(하신경절)
V
VIII
VII
VI
Medulla oblongata
숨뇌(연수)
Glossopharyngeal nerve(IX)
혀인두신경(설하신경)
Superior (jugular) ganglion
위신경절(경정맥신경절)
Parotid salivary gland
귀밑침샘(이하타액선)
Pharyngeal branches
인두가지(인두지)
Carotid sinus branch
목동맥팽대가지(경동맥동지)
Lingual branch
혀가지(설지)
Carotid body
목동맥토리(경동맥체)
Carotid sinus
목동맥팽대(경정맥동)
Common carotid artery
온목동맥(총경동맥)
Superior
laryngeal nerve
위후두신경(상후두신경)
Superior
laryngeal nerve
위후두신경
Internal branch
속가지(내측지)
External branch
바깥가지(외측지)
Recurrent laryngeal nerve
되돌이후두신경(반회신경)
Pons
다리뇌(뇌교)
Medulla oblongata
숨뇌(연수)
Superior nerve
위신경절(상신경절)
Inferior nerve
아래신경절(하신경절)
Cardiac branches
심장가지
Right lung
오른허파(우폐)
Cardiac plexus
심장신경얼기(심장신경총)
Left lung
왼허파(좌폐)
Anterior vagal trunk
앞미주신경줄기(전미주신경간)
Liver
간
Stomach
위
Spleen
지라(비장)
Pancreas
이자(췌장)
Colon
주름창자(결장)
Small intestine
작은창자(소장)

Glossopharygeal Nerve (혀인두신경)

Vagus Nerve (미주신경)

수양명대장경 1

(手陽明大腸經, Large Intestine Meridian : LI)

수양명대장경은 둘째손가락의 가쪽끝(상양혈)에서 시작하여 둘째손가락 가쪽을 따라 위쪽의 첫째와 둘째손허리뼈 사이(합곡혈)로 나와 상행하여 긴엄지폄근힘줄과 짧은엄지폄근힘줄 사이(양계혈)로 들어간다. 노뼈를 따라 아래팔 뒤가쪽으로 올라가 팔오금주름 가쪽끝(곡지혈)에서 위팔 뒤가쪽→어깨로 올라가 대추혈(GV14)로 나온다. 대추혈에서 아래쪽의 빗장뼈 위쪽오목으로 들어가 폐에 낙(絡)하고, 가로막을 관통하여 대장에 속한다.

빗장뼈 위쪽오목에서 위로 향하는 지맥(支脈)이 나누어진다. 지맥은 목으로 올라가 볼을 관통하여 아래잇몸으로 들어가며, 되돌아 나와 입을 사이에 두고 인중혈에서 좌우의 맥이 교차한다. 콧구멍을 사이에 두고 콧방울(鼻翼) 가쪽(영향혈)에서 정지하여 족양명위경으로 이어진다.

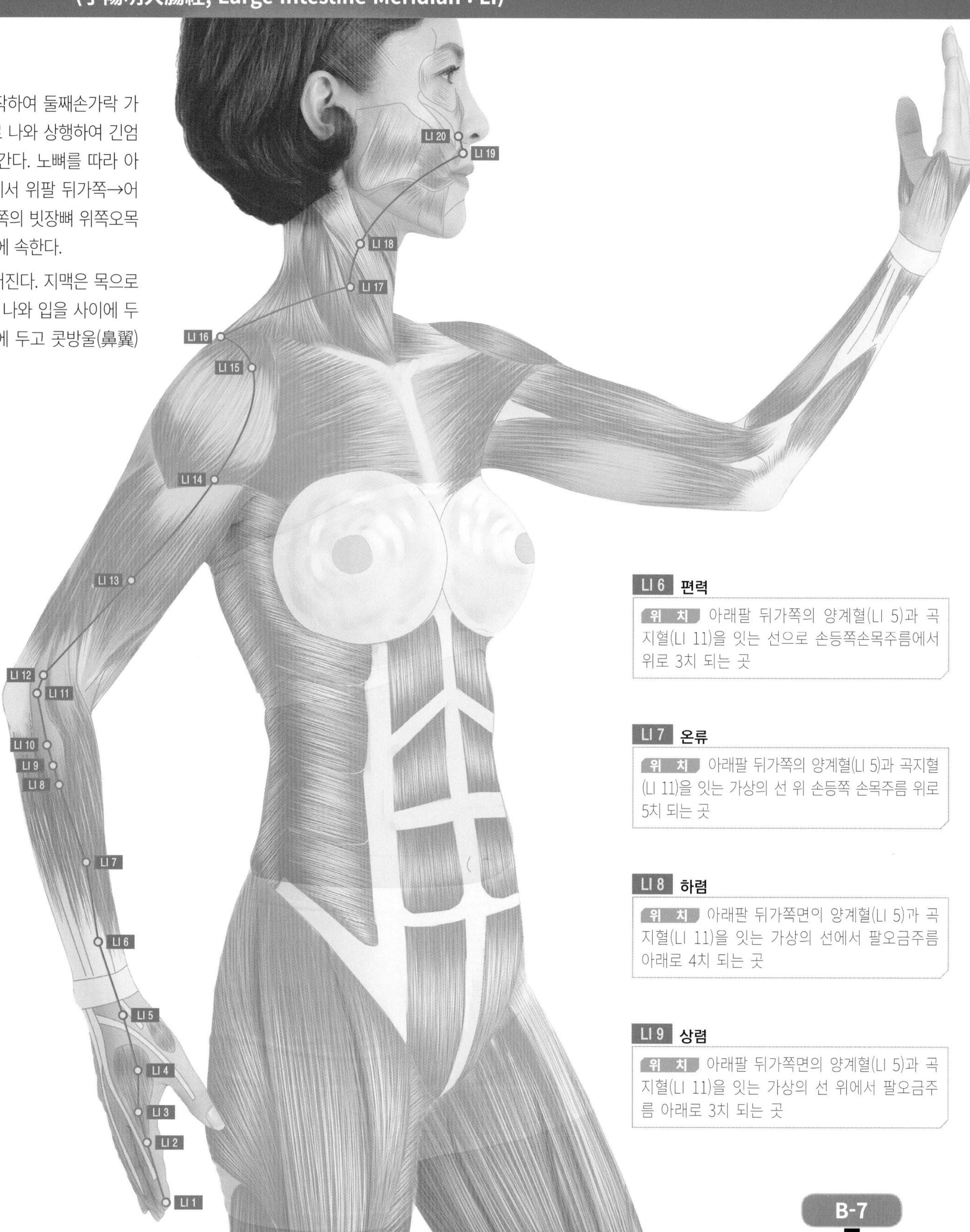

LI 20
LI 19
LI 18
LI 17
LI 16
LI 15
LI 14
LI 13
LI 12
LI 11
LI 10
LI 9
LI 8
LI 7
LI 6
LI 5
LI 4
LI 3
LI 2
LI 1

LI 1 상양

위 치 둘째손가락의 엄지쪽 손톱뿌리부위(조갑근부)에서 몸가쪽으로 0.1치 되는 곳

LI 2 이간

위 치 둘째손가락의 둘째손허리손가락관절 노쪽에서 먼쪽 오목부위(적백육제)

LI 3 삼간

위 치 손등에서 둘째손허리손가락관절(第2中手指節關節) 노쪽의 몸쪽 오목부위

LI 4 합곡

위 치 첫째와 둘째손허리뼈 사이의 오목부위로 둘째손허리뼈 노쪽의 중점

LI 5 양계

위 치 손등쪽 손목주름의 노쪽으로 노뼈붓돌기(橈骨莖狀突起)몸쪽의 해부학적 코담배갑의 오목부위

LI 6 편력

위 치 아래팔 뒤가쪽의 양계혈(LI 5)과 곡지혈(LI 11)을 잇는 선으로 손등쪽손목주름에서 위로 3치 되는 곳

LI 7 온류

위 치 아래팔 뒤가쪽의 양계혈(LI 5)과 곡지혈(LI 11)을 잇는 가상의 선 위 손등쪽 손목주름 위로 5치 되는 곳

LI 8 하렴

위 치 아래팔 뒤가쪽면의 양계혈(LI 5)과 곡지혈(LI 11)을 잇는 가상의 선에서 팔오금주름 아래로 4치 되는 곳

LI 9 상렴

위 치 아래팔 뒤가쪽면의 양계혈(LI 5)과 곡지혈(LI 11)을 잇는 가상의 선 위에서 팔오금주름 아래로 3치 되는 곳

얼굴신경과 속귀신경
Facial and Vestibulocochlear Nerve

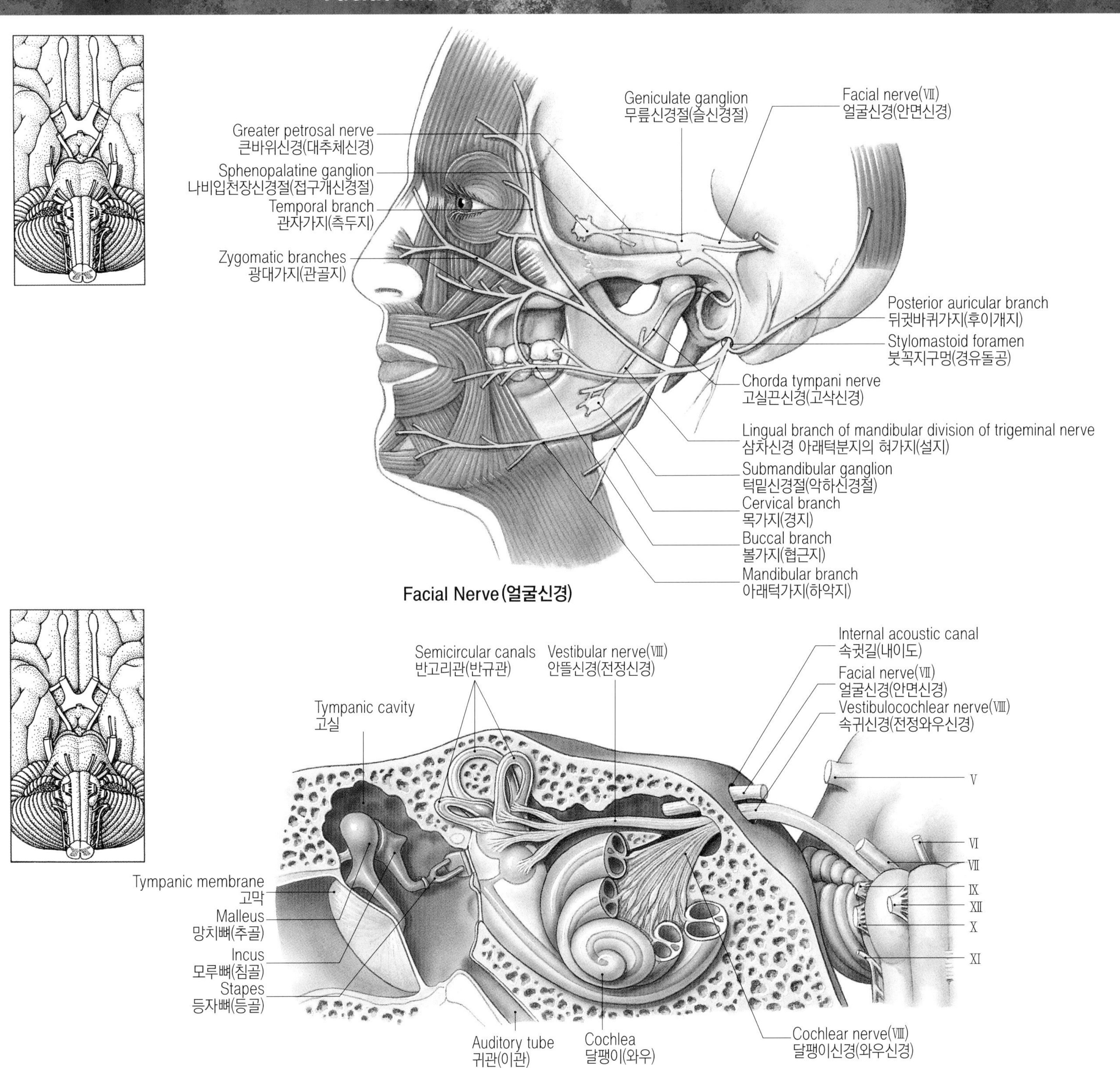
Geniculate ganglion
무릎신경절(슬신경절)
Facial nerve(Ⅶ)
얼굴신경(안면신경)
Greater petrosal nerve
큰바위신경(대추체신경)
Sphenopalatine ganglion
나비입천장신경절(접구개신경절)
Temporal branch
관자가지(측두지)
Zygomatic branches
광대가지(관골지)
Posterior auricular branch
뒤귓바퀴가지(후이개지)
Stylomastoid foramen
붓꼭지구멍(경유돌공)
Chorda tympani nerve
고실끈신경(고삭신경)
Lingual branch of mandibular division of trigeminal nerve
삼차신경 아래턱분지의 혀가지(설지)
Submandibular ganglion
턱밑신경절(악하신경절)
Cervical branch
목가지(경지)
Buccal branch
볼가지(협근지)
Mandibular branch
아래턱가지(하악지)
Internal acoustic canal
속귓길(내이도)
Semicircular canals
반고리관(반규관)
Vestibular nerve(Ⅷ)
안뜰신경(전정신경)
Facial nerve(Ⅶ)
얼굴신경(안면신경)
Vestibulocochlear nerve(Ⅷ)
속귀신경(전정와우신경)
Tympanic cavity
고실
Ⅴ
Ⅵ
Ⅶ
Ⅸ
Ⅻ
Ⅹ
Ⅺ
Tympanic membrane
고막
Malleus
망치뼈(추골)
Incus
모루뼈(침골)
Stapes
등자뼈(등골)
Auditory tube
귀관(이관)
Cochlea
달팽이(와우)
Cochlear nerve(Ⅷ)
달팽이신경(와우신경)

Facial Nerve(얼굴신경)

Vestibulocochlear Nerve(속귀신경)

수양명대장경 2

(手陽明大腸經, Large Intestine Meridian : LI)

LI 10 수삼리

위 치 아래팔 뒤가쪽면의 양계혈(LI 5)과 곡지혈(LI 11)을 잇는 가상의 선 위에서 팔오금 주름 아래로 3치 되는 곳

LI 11 곡지

위 치 팔꿈치 가쪽의 척택혈(LU 5)과 위팔뼈가쪽관절융기를 잇는 선의 중점

LI 12 주료

위 치 팔꿈치 뒤가쪽으로 위팔뼈가쪽위관절융기 위쪽의 가쪽관절융기 윗능선의 앞쪽

LI 13 수오리

위 치 위팔가쪽면에서 곡지혈(LI 11)과 견우혈(LI 15)을 잇는 선 위의 팔오금주름에서 위로 3치 되는 곳

LI 14 비노

위 치 위팔 가쪽면에서 어깨세모근 앞모서리 앞쪽으로 곡지혈(LI 11)에서 위로 7치, 견우혈에서 아래로 3치 되는 곳

LI 15 견우

위 치 돌림근띠(回轉筋蓋)에서 어깨뼈 봉우리 가쪽모서리 앞쪽끝과 위팔뼈큰결절 사이의 오목부위

LI 16 거골

위 치 어깨의 돌림근띠에서 빗장뼈 봉우리끝과 어깨뼈가시 사이의 오목부위

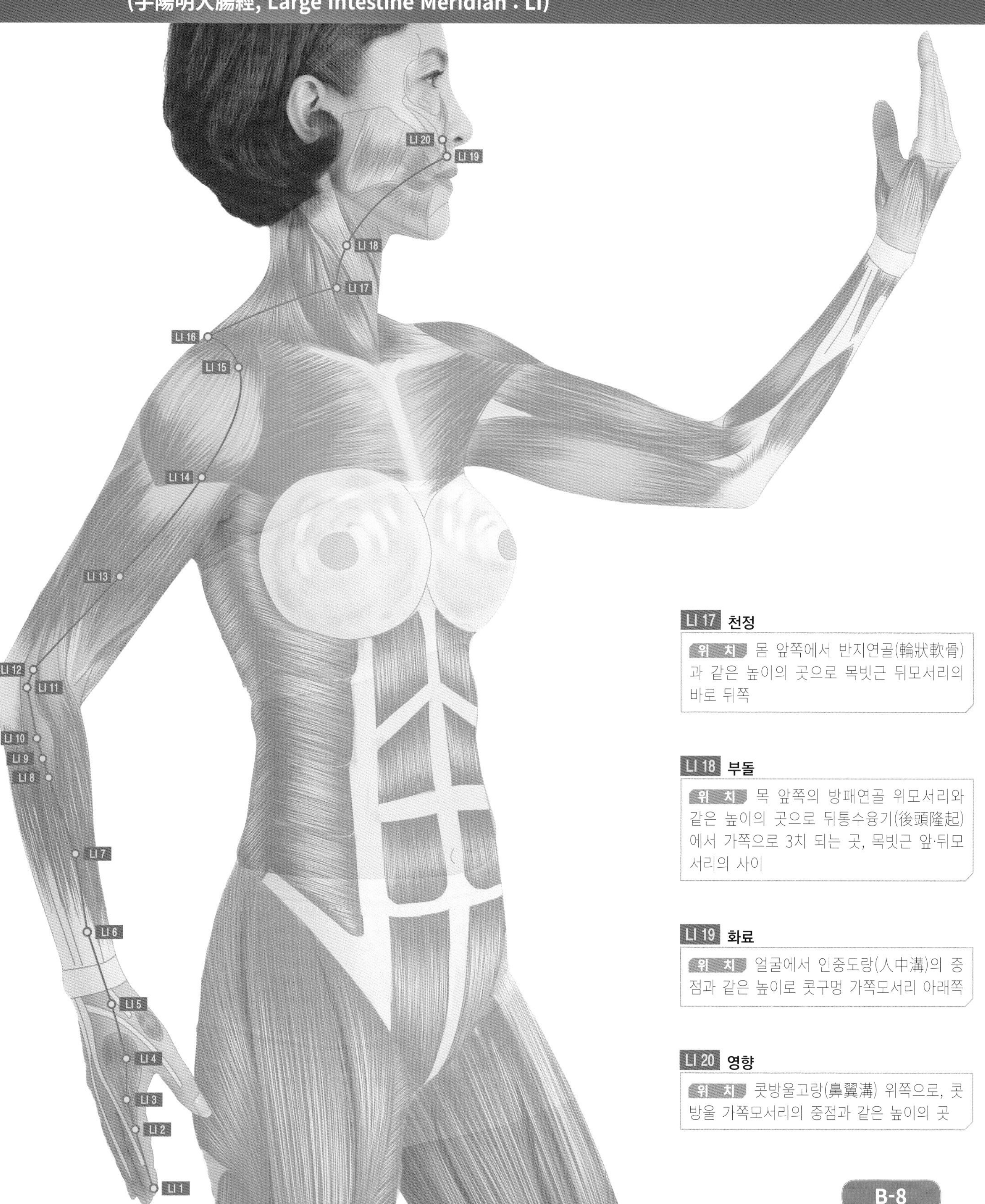

LI 20
LI 19
LI 18
LI 17
LI 16
LI 15
LI 14
LI 13
LI 12
LI 11
LI 10
LI 9
LI 8
LI 7
LI 6
LI 5
LI 4
LI 3
LI 2
LI 1

LI 17 천정

위 치 몸 앞쪽에서 반지연골(輪狀軟骨)과 같은 높이의 곳으로 목빗근 뒤모서리의 바로 뒤쪽

LI 18 부돌

위 치 목 앞쪽의 방패연골 위모서리와 같은 높이의 곳으로 뒤통수융기(後頭隆起)에서 가쪽으로 3치 되는 곳, 목빗근 앞·뒤모서리의 사이

LI 19 화료

위 치 얼굴에서 인중도랑(人中溝)의 중점과 같은 높이로 콧구멍 가쪽모서리 아래쪽

LI 20 영향

위 치 콧방울고랑(鼻翼溝) 위쪽으로, 콧방울 가쪽모서리의 중점과 같은 높이의 곳

눈돌림신경, 도르래신경, 갓돌림신경, 삼차신경
Oculomotor, Trochlear, Abducens and Trigeminal Nerve

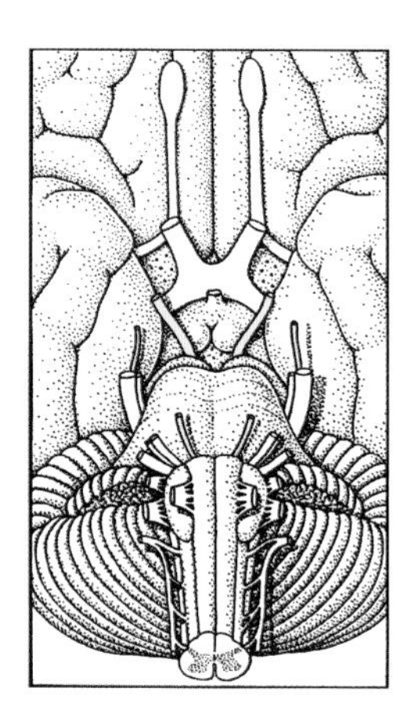

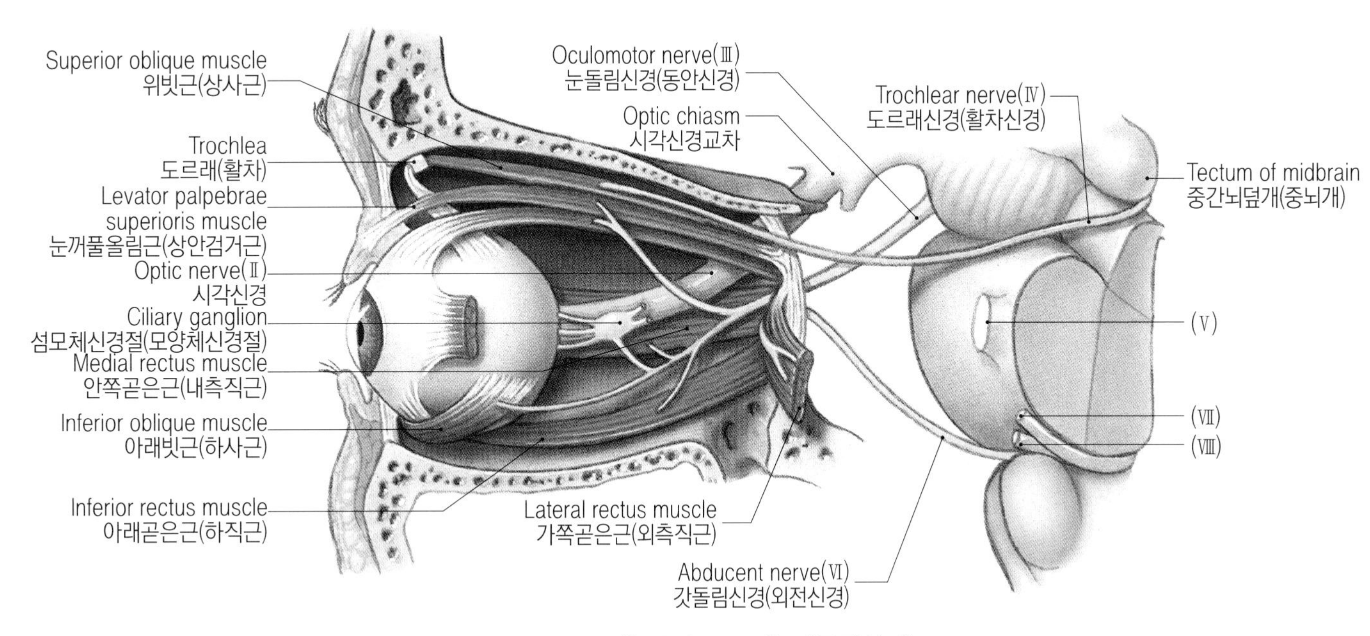

Superior oblique muscle
위빗근(상사근)
Trochlea
도르래(활차)
Levator palpebrae superioris muscle
눈꺼풀올림근(상안검거근)
Optic nerve(Ⅱ)
시각신경
Ciliary ganglion
섬모체신경절(모양체신경절)
Medial rectus muscle
안쪽곧은근(내측직근)
Inferior oblique muscle
아래빗근(하사근)
Inferior rectus muscle
아래곧은근(하직근)
Oculomotor nerve(Ⅲ)
눈돌림신경(동안신경)
Optic chiasm
시각신경교차
Trochlear nerve(Ⅳ)
도르래신경(활차신경)
Tectum of midbrain
중간뇌덮개(중뇌개)
(Ⅴ)
(Ⅶ)
(Ⅷ)
Lateral rectus muscle
가쪽곧은근(외측직근)
Abducent nerve(Ⅵ)
갓돌림신경(외전신경)

Oculomotor, Trochlear, Abducens Nerve(눈돌림, 도르래, 갓돌림신경)

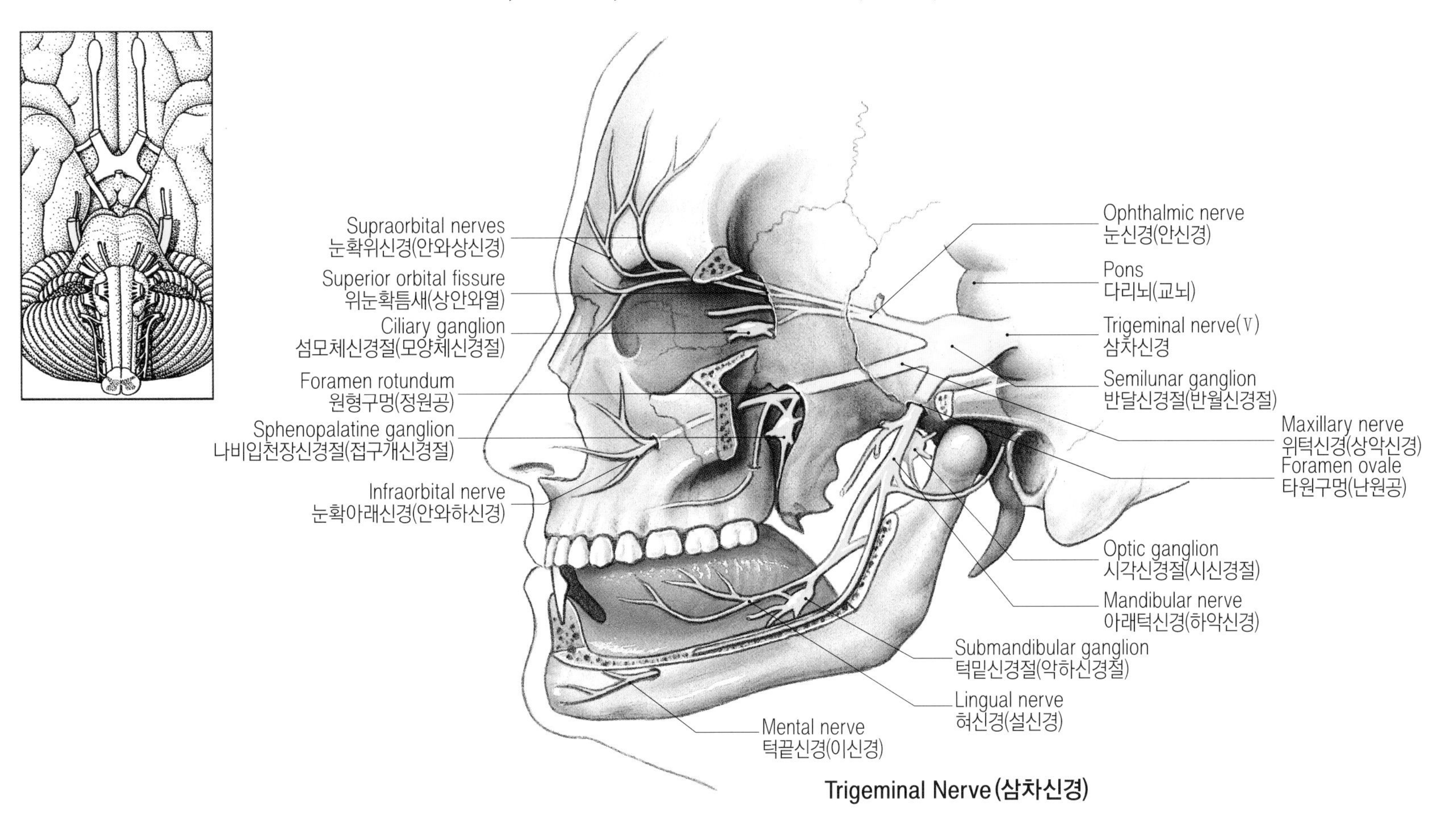

Supraorbital nerves
눈확위신경(안와상신경)
Superior orbital fissure
위눈확틈새(상안와열)
Ciliary ganglion
섬모체신경절(모양체신경절)
Foramen rotundum
원형구멍(정원공)
Sphenopalatine ganglion
나비입천장신경절(접구개신경절)
Infraorbital nerve
눈확아래신경(안와하신경)
Ophthalmic nerve
눈신경(안신경)
Pons
다리뇌(교뇌)
Trigeminal nerve(Ⅴ)
삼차신경
Semilunar ganglion
반달신경절(반월신경절)
Maxillary nerve
위턱신경(상악신경)
Foramen ovale
타원구멍(난원공)
Optic ganglion
시각신경절(시신경절)
Mandibular nerve
아래턱신경(하악신경)
Submandibular ganglion
턱밑신경절(악하신경절)
Lingual nerve
혀신경(설신경)
Mental nerve
턱끝신경(이신경)

Trigeminal Nerve(삼차신경)

족양명위경 1

(足陽明胃經, Stomach Meridian : ST)

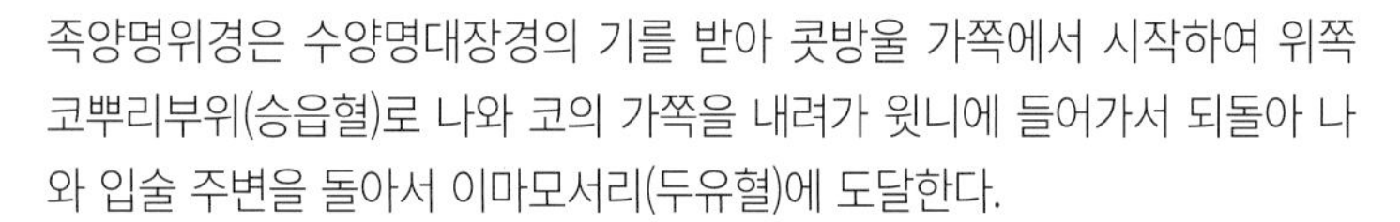

족양명위경은 수양명대장경의 기를 받아 콧방울 가쪽에서 시작하여 위쪽 코뿌리부위(승읍혈)로 나와 코의 가쪽을 내려가 윗니에 들어가서 되돌아 나와 입술 주변을 돌아서 이마모서리(두유혈)에 도달한다.

대영혈에서 나누어진 지맥(支脈)은 온목동맥(總頸動脈)맥박부(인영혈)를 내려가 목구멍을 돌아 빗장뼈 위쪽오목(결분혈)에서 체내로 들어가 가로막을 관통하여 위(胃)에 속하고, 비(脾)에 낙(絡)한다. 직행하는 것은 가슴→배를 내려가 위의 유문부에서 발생하는 지맥과 샅(鼠蹊部)의 넙다리동맥 박동부(기충혈)에서 합류하여 넙다리 앞가쪽→무릎뼈→종아리 앞면을 내려가 발등에서 둘째발가락 가쪽끝(여태혈)에서 끝난다. 충양혈에서 나누어진 지맥은 엄지발가락에 도달하여 족태음비경으로 이어진다.

ST 1 승읍

위 치 동공(눈동자)의 수직 아래쪽 안구(눈알)와 눈확모서리(眼窩緣) 사이

ST 2 사백

위 치 얼굴에서 수직 아래쪽으로 1치 되는 곳인 눈확아래구멍(眼窩下孔) 부위

ST 3 거료

위 치 동공의 수직 아래쪽으로 콧방울(鼻翼) 아래모서리와 같은 높이

ST 4 지창

위 치 얼굴의 입꼬리(口角, oral angle)에서 가쪽으로 0.4치 되는 곳

ST 5 대영

위 치 얼굴의 아래턱뼈각(下顎角) 앞쪽으로 깨물근(咬筋) 부착점 앞쪽의 오목부위로, 얼굴동맥이 뛰는 곳

ST 6 협거

위 치 아래턱뼈각(下顎骨角)에서 위앞쪽으로 1치 되는 곳

ST 7 하관

위 치 귀앞쪽 광대활(觀骨弓) 아래모서리의 중점과 턱뼈패임(下顎切痕) 사이의 오목부위

ST 8 두유

위 치 양쪽 이마모서리(額角) 앞의 발제에서 수직 위쪽으로 0.5치, 앞정중선에서 가쪽으로 4.5치 되는 곳

후각신경과 시각신경
Olfactory Nerve and Optic Nerve

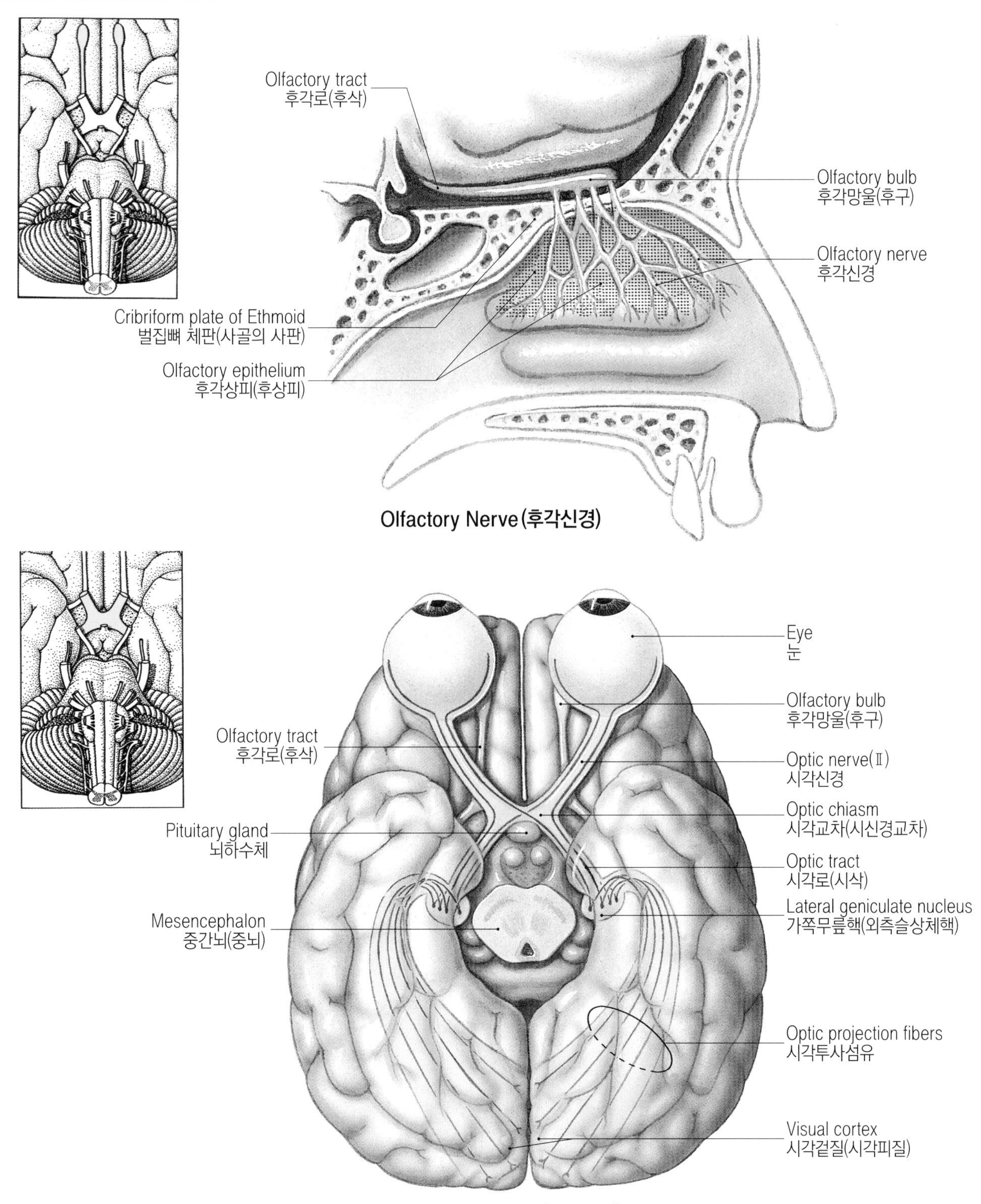

Olfactory tract
후각로(후삭)
Olfactory bulb
후각망울(후구)
Olfactory nerve
후각신경
Cribriform plate of Ethmoid
벌집뼈 체판(사골의 사판)
Olfactory epithelium
후각상피(후상피)
Eye
눈
Olfactory bulb
후각망울(후구)
Olfactory tract
후각로(후삭)
Optic nerve(Ⅱ)
시각신경
Optic chiasm
시각교차(시신경교차)
Pituitary gland
뇌하수체
Optic tract
시각로(시삭)
Lateral geniculate nucleus
가쪽무릎핵(외측슬상체핵)
Mesencephalon
중간뇌(중뇌)
Optic projection fibers
시각투사섬유
Visual cortex
시각겉질(시각피질)

Olfactory Nerve(후각신경)

Optic Nerve(시각신경)

족양명위경 2

(足陽明胃經, Stomach Meridian : ST)

ST 9 인영

위 치 방패연골(甲狀軟骨) 위모서리와 같은 높이의 앞쪽으로 온목동맥(總頸動脈) 위쪽, 후두융기에서 가쪽으로 1.5치 되는 곳

ST 10 수돌

위 치 목 앞쪽의 반지연골(輪狀軟骨)과 같은 높이에서 목빗근 앞모서리 바로 앞

ST 11 기사

위 치 목 앞쪽의 작은빗장위오목(小鎖骨上窩) 위쪽의 목빗근 빗장뼈갈래와 복장뼈갈래 사이의 오목부위

ST 12 결분

위 치 목 앞쪽에서 빗장뼈의 오목부위

ST 13 기호

위 치 앞가슴부위의 빗장뼈(鎖骨) 아래쪽 앞정중선에서 가쪽으로 4치 되는 곳

ST 14 고방

위 치 앞가슴부위의 앞정중선에서 가쪽으로 4치 되는 첫째갈비사이공간

ST 15 옥예

위 치 앞가슴부위로 앞정중선에서 가쪽으로 4치 되는 둘째갈비사이공간

ST 16 응창

위 치 앞가슴부위의 앞정중선에서 가쪽으로 4치 되는 셋째갈비사이공간

ST 17 유중

위 치 앞가슴부위의 젖꼭지 중심으로 앞정중선에서 가쪽으로 4치 되는 곳

ST 18 유근

위 치 앞가슴부위의 앞정중선에서 가쪽으로 4치 되는 다섯째갈비사이공간

말초신경계통 : 허리엉치신경얼기

Peripheral Nerve System : Lumbosacral Plexus

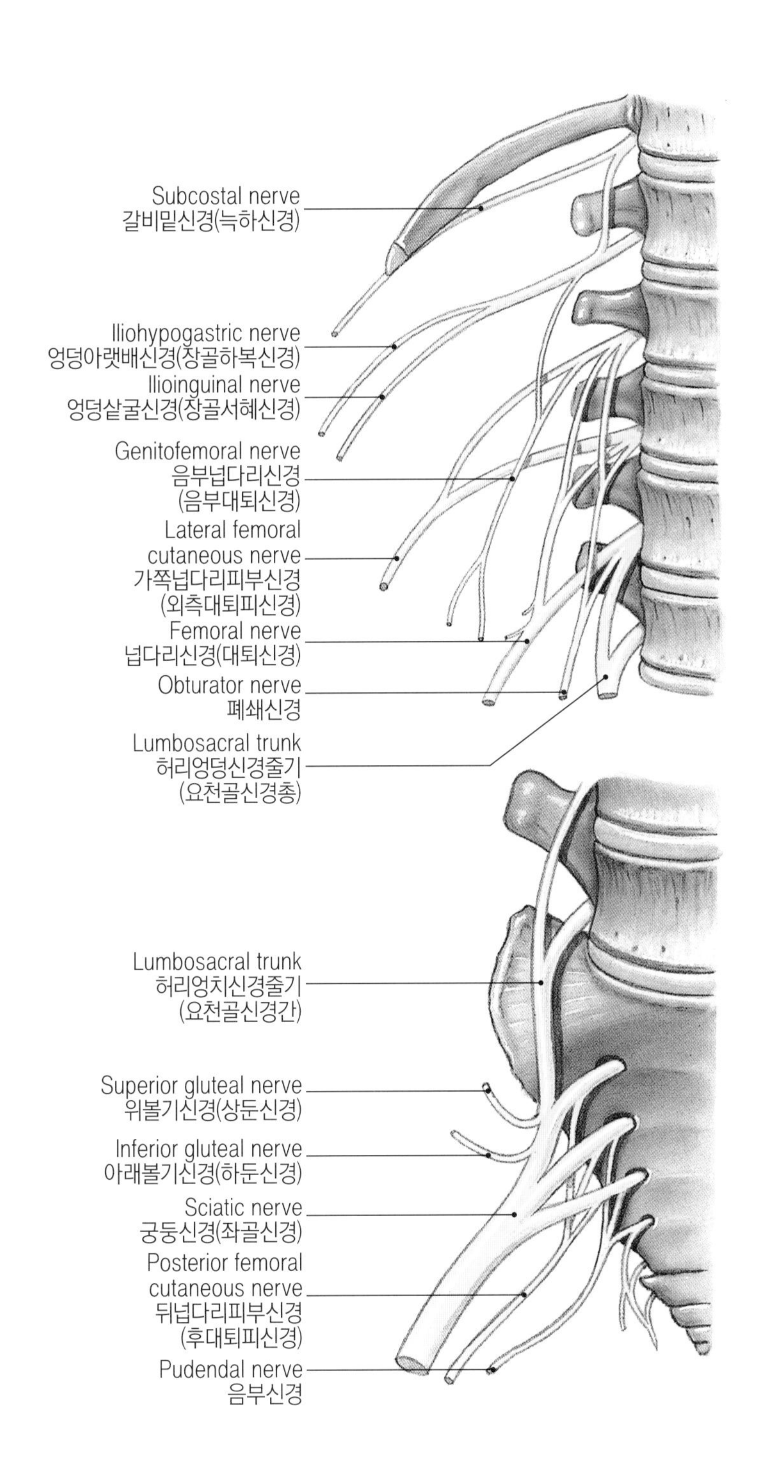

Subcostal nerve
갈비밑신경(늑하신경)
Iliohypogastric nerve
엉덩아랫배신경(장골하복신경)
Ilioinguinal nerve
엉덩샅굴신경(장골서혜신경)
Genitofemoral nerve
음부넙다리신경
(음부대퇴신경)
Lateral femoral
cutaneous nerve
가쪽넙다리피부신경
(외측대퇴피신경)
Femoral nerve
넙다리신경(대퇴신경)
Obturator nerve
폐쇄신경
Lumbosacral trunk
허리엉덩신경줄기
(요천골신경총)
Lumbosacral trunk
허리엉치신경줄기
(요천골신경간)
Superior gluteal nerve
위볼기신경(상둔신경)
Inferior gluteal nerve
아래볼기신경(하둔신경)
Sciatic nerve
궁둥신경(좌골신경)
Posterior femoral
cutaneous nerve
뒤넙다리피부신경
(후대퇴피신경)
Pudendal nerve
음부신경

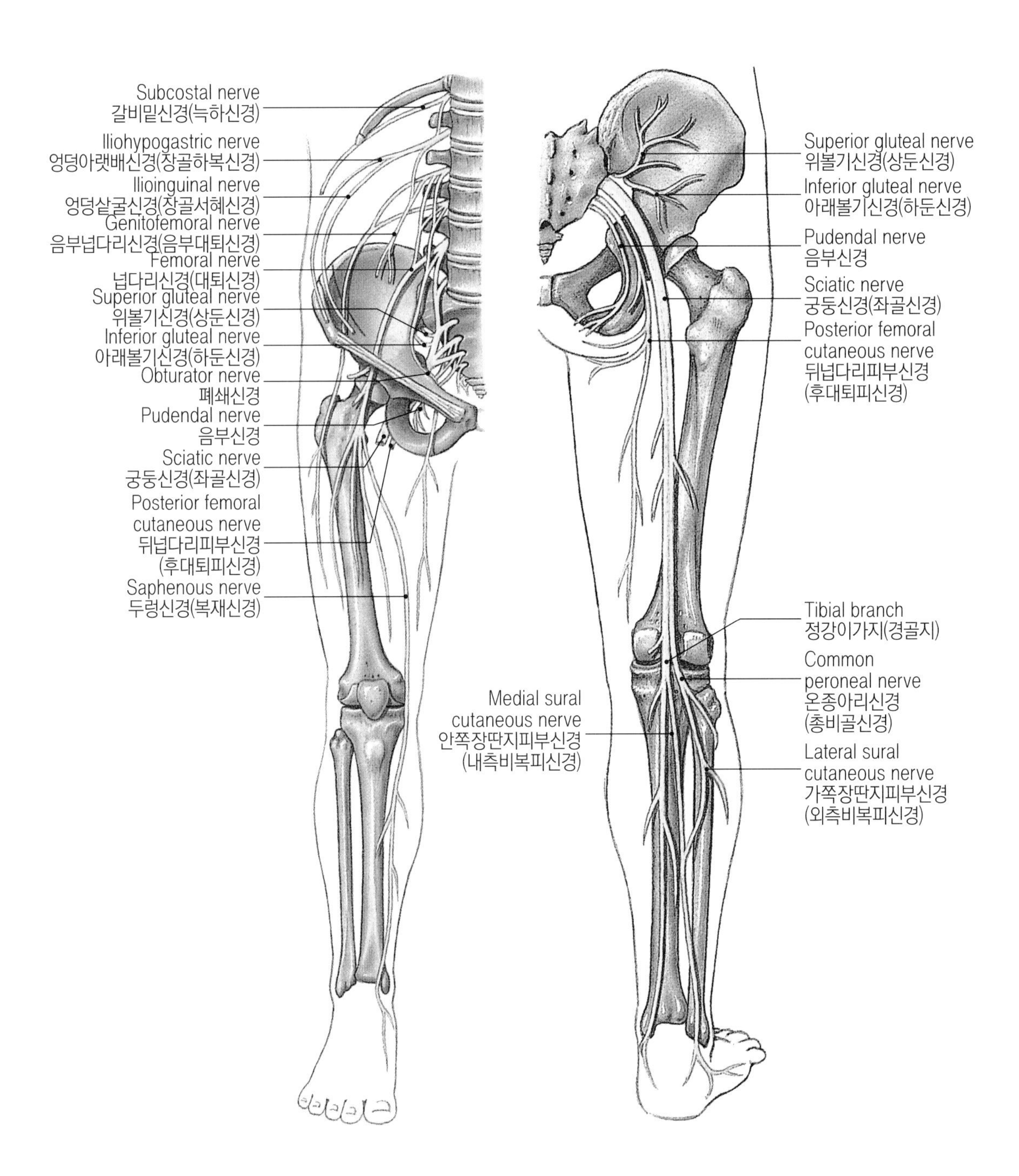

Subcostal nerve
갈비밑신경(늑하신경)
Iliohypogastric nerve
엉덩아랫배신경(장골하복신경)
Ilioinguinal nerve
엉덩샅굴신경(장골서혜신경)
Genitofemoral nerve
음부넙다리신경(음부대퇴신경)
Femoral nerve
넙다리신경(대퇴신경)
Superior gluteal nerve
위볼기신경(상둔신경)
Inferior gluteal nerve
아래볼기신경(하둔신경)
Obturator nerve
폐쇄신경
Pudendal nerve
음부신경
Sciatic nerve
궁둥신경(좌골신경)
Posterior femoral
cutaneous nerve
뒤넙다리피부신경
(후대퇴피신경)
Saphenous nerve
두렁신경(복재신경)
Superior gluteal nerve
위볼기신경(상둔신경)
Inferior gluteal nerve
아래볼기신경(하둔신경)
Pudendal nerve
음부신경
Sciatic nerve
궁둥신경(좌골신경)
Posterior femoral
cutaneous nerve
뒤넙다리피부신경
(후대퇴피신경)
Tibial branch
정강이가지(경골지)
Common
peroneal nerve
온종아리신경
(총비골신경)
Medial sural
cutaneous nerve
안쪽장딴지피부신경
(내측비복피신경)
Lateral sural
cutaneous nerve
가쪽장딴지피부신경
(외측비복피신경)

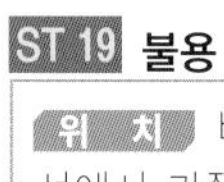

ST 19 불용

위 치 배꼽의 중심에서 위로 6치, 앞정중선에서 가쪽으로 2치 되는 곳

ST 20 승만

위 치 배꼽의 중심에서 위로 5치이고 앞정중선에서 가쪽으로 2치 되는 곳

ST 21 양문

위 치 배꼽의 중심에서 위로 4치이고 앞정중선에서 가쪽으로 2치 되는 곳

ST 22 관문

위 치 배꼽의 중심에서 위로 3치이고 앞정중선에서 가쪽으로 2치 되는 곳

ST 23 태을

위 치 배꼽의 중심에서 위로 2치이고 앞정중선에서 가쪽으로 2치 되는 곳

ST 24 활육문

위 치 배꼽의 중심에서 위로 1치이고 앞정중선에서 가쪽으로 2치 되는 곳

ST 25 천추

위 치 배꼽의 중심에서 가쪽으로 2치이고 앞정중선에서 가쪽으로 2치 되는 곳

ST 26 외릉

위 치 배꼽의 중심에서 아래로 1치이고 앞정중선에서 가쪽으로 2치 되는 곳

ST 27 대거

위 치 배꼽의 중심에서 아래로 2치이고 앞정중선에서 가쪽으로 2치 되는 곳

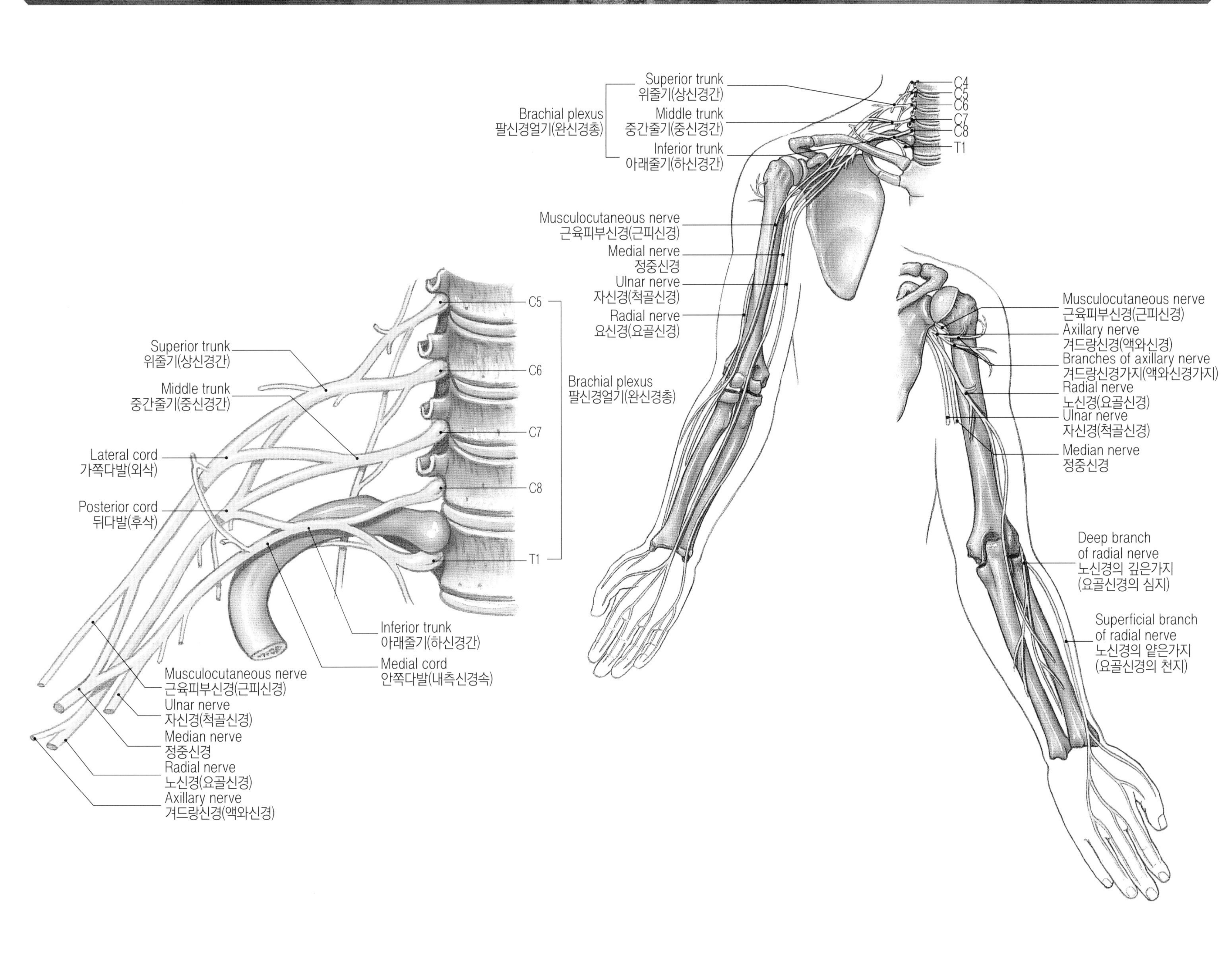

Superior trunk
위줄기(상신경간)
Middle trunk
중간줄기(중신경간)
Lateral cord
가쪽다발(외삭)
Posterior cord
뒤다발(후삭)
C5
C6
C7
C8
T1
Brachial plexus
팔신경얼기(완신경총)
Inferior trunk
아래줄기(하신경간)
Medial cord
안쪽다발(내측신경속)
Musculocutaneous nerve
근육피부신경(근피신경)
Ulnar nerve
자신경(척골신경)
Median nerve
정중신경
Radial nerve
노신경(요골신경)
Axillary nerve
겨드랑신경(액와신경)
Superior trunk
위줄기(상신경간)
Brachial plexus
팔신경얼기(완신경총)
Middle trunk
중간줄기(중신경간)
Inferior trunk
아래줄기(하신경간)
C4
C5
C6
C7
C8
T1
Musculocutaneous nerve
근육피부신경(근피신경)
Medial nerve
정중신경
Ulnar nerve
자신경(척골신경)
Radial nerve
요신경(요골신경)
Musculocutaneous nerve
근육피부신경(근피신경)
Axillary nerve
겨드랑신경(액와신경)
Branches of axillary nerve
겨드랑신경가지(액와신경가지)
Radial nerve
노신경(요골신경)
Ulnar nerve
자신경(척골신경)
Median nerve
정중신경
Deep branch
of radial nerve
노신경의 깊은가지
(요골신경의 심지)
Superficial branch
of radial nerve
노신경의 얕은가지
(요골신경의 천지)

족양명위경 4

(足陽明胃經, Stomach Meridian : ST)

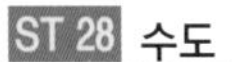

ST 28 수도

위 치 배꼽의 중심에서 아래로 3치이고 앞정중선에서 가쪽으로 2치 되는 곳

ST 29 귀래

위 치 배꼽의 중심에서 아래로 4치이고 앞정중선에서 가쪽으로 2치 되는 곳

ST 30 기충

위 치 샅굴부위의 두덩결합(恥骨結合) 위모서리와 같은 높이의 곳으로 앞정중선에서 가쪽으로 2치 되는 넙다리동맥(大腿動脈)이 뛰는 곳

ST 31 비관

위 치 넙다리 앞면의 넙다리곧은근 몸쪽끝, 넙다리빗근 및 넙다리근막긴장근 사이의 오목부위

ST 32 복토

위 치 넙다리 앞가쪽면의 위앞엉덩뼈가시와 무릎뼈바닥 가쪽끝을 잇는 가상의 선에서 무릎뼈바닥에서 위로 6치 되는 곳

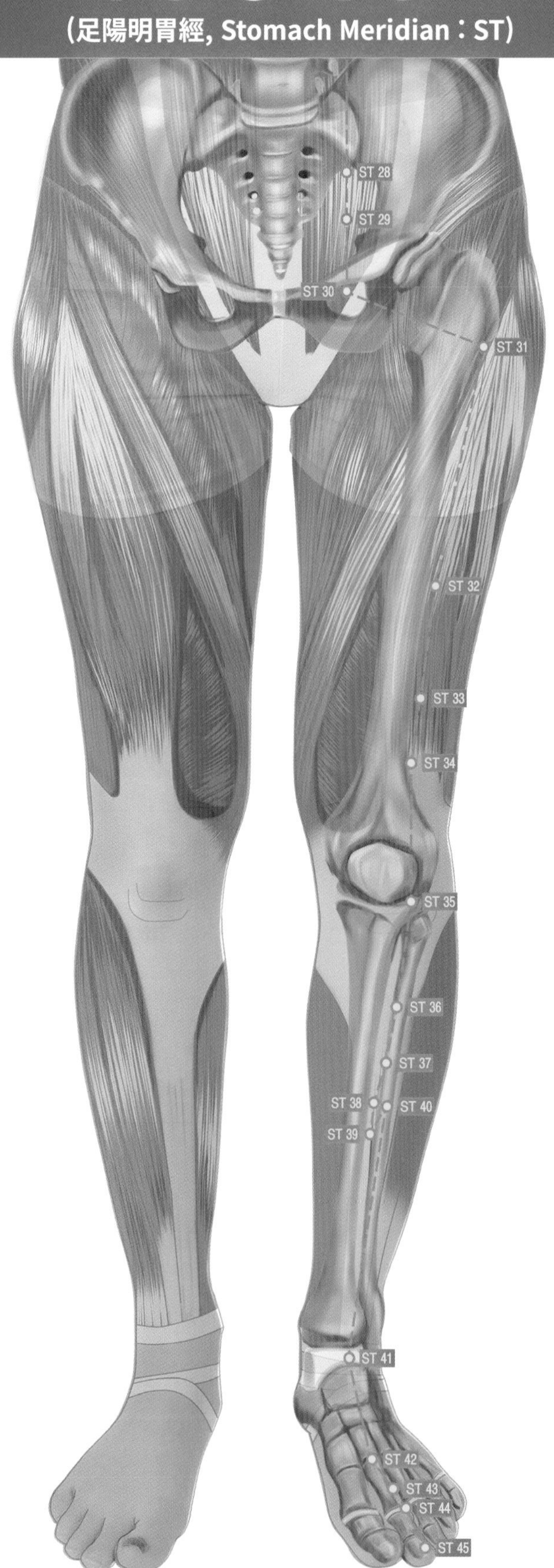

ST 28
ST 29
ST 30
ST 31
ST 32
ST 33
ST 34
ST 35
ST 36
ST 37
ST 38
ST 40
ST 39
ST 41
ST 42
ST 43
ST 44
ST 45

ST 33 음시

위 치 넙다리 앞가쪽면의 넙다리곧은근힘줄 가쪽모서리로 넙다리 앞가쪽면의 넙다리곧은근힘줄(大腿直筋腱) 가쪽모서리로, 위앞엉덩뼈가시와 무릎뼈바닥 가쪽끝을 잇는 선에서 무릎뼈 위로 3치 되는 곳

ST 34 양구

위 치 넙다리 앞가쪽면의 가쪽넓은근과 넙다리곧은근 가쪽모서리 사이로 무릎뼈바닥에서 위로 2치 되는 곳

ST 35 독비

위 치 무릎 앞쪽면의 무릎인대가쪽 오목부위

ST 36 족삼리

위 치 종아리 앞쪽에서 독비혈(ST 35)과 해계혈(ST 41)을 잇는 가상의 선 위로, 독비혈에서 아래로 3치 되는 곳

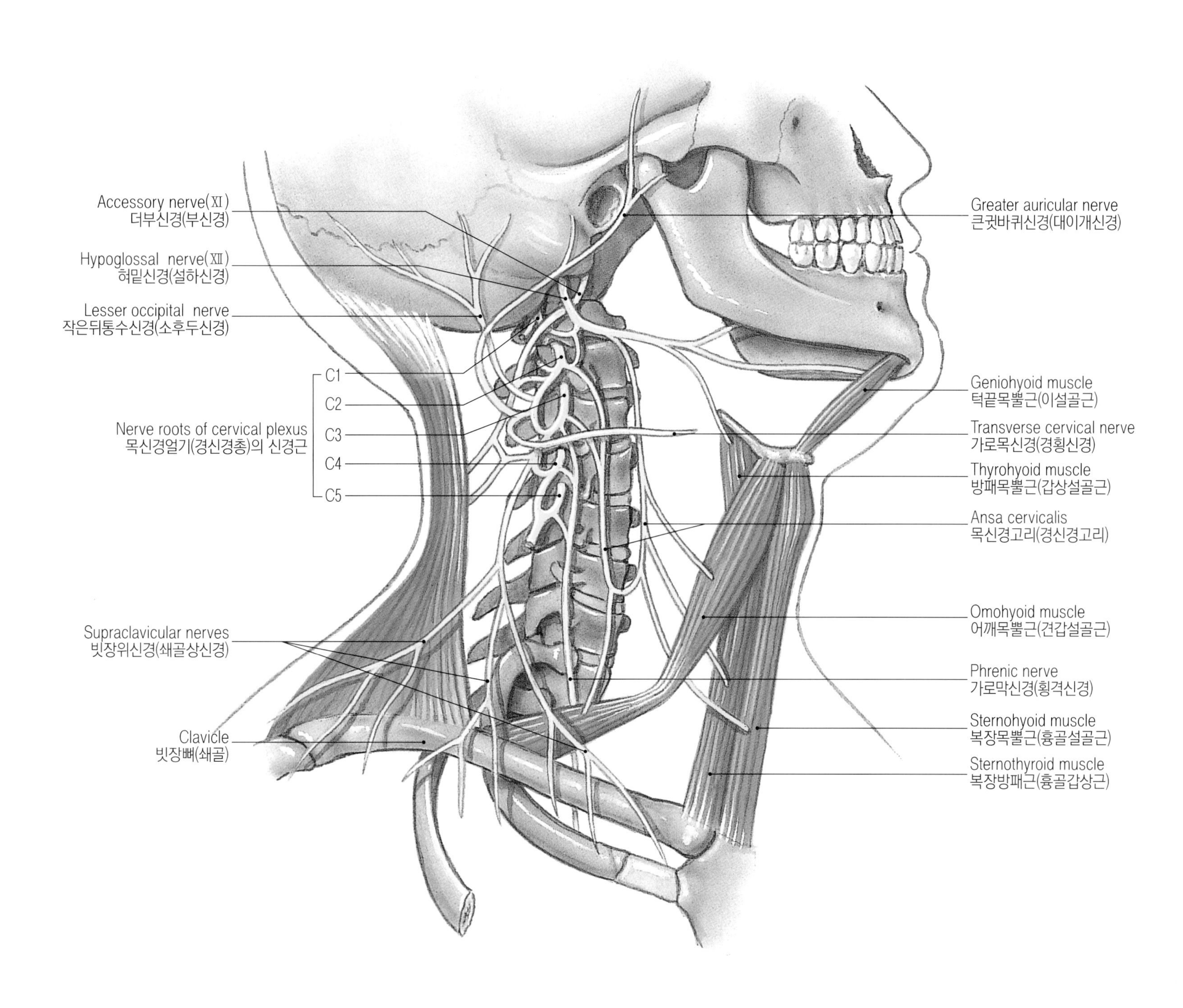

Accessory nerve(XI)
더부신경(부신경)
Hypoglossal nerve(XII)
혀밑신경(설하신경)
Lesser occipital nerve
작은뒤통수신경(소후두신경)
C1
C2
Nerve roots of cervical plexus
목신경얼기(경신경총)의 신경근
C3
C4
C5
Supraclavicular nerves
빗장위신경(쇄골상신경)
Clavicle
빗장뼈(쇄골)
Greater auricular nerve
큰귓바퀴신경(대이개신경)
Geniohyoid muscle
턱끝목뿔근(이설골근)
Transverse cervical nerve
가로목신경(경횡신경)
Thyrohyoid muscle
방패목뿔근(갑상설골근)
Ansa cervicalis
목신경고리(경신경고리)
Omohyoid muscle
어깨목뿔근(견갑설골근)
Phrenic nerve
가로막신경(횡격신경)
Sternohyoid muscle
복장목뿔근(흉골설골근)
Sternothyroid muscle
복장방패근(흉골갑상근)

족양명위경 5

(足陽明胃經, Stomach Meridian : ST)

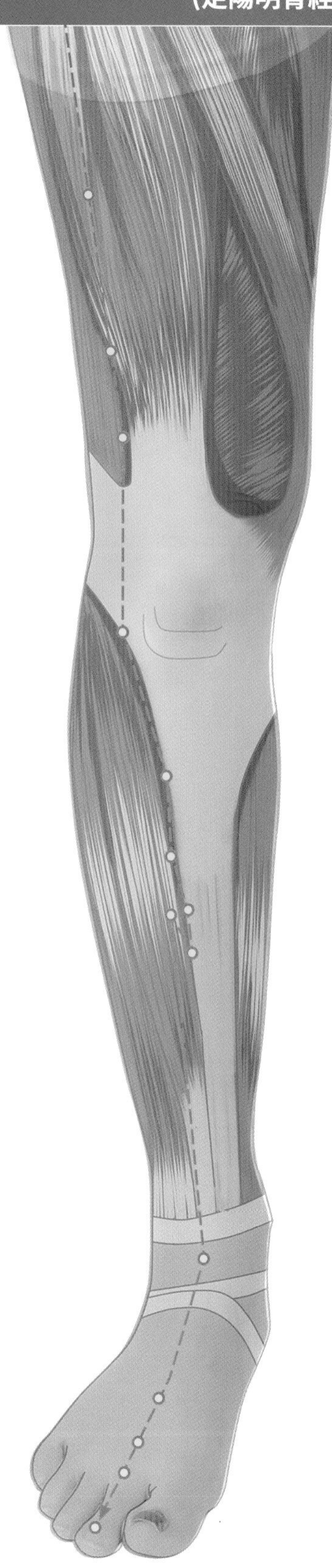

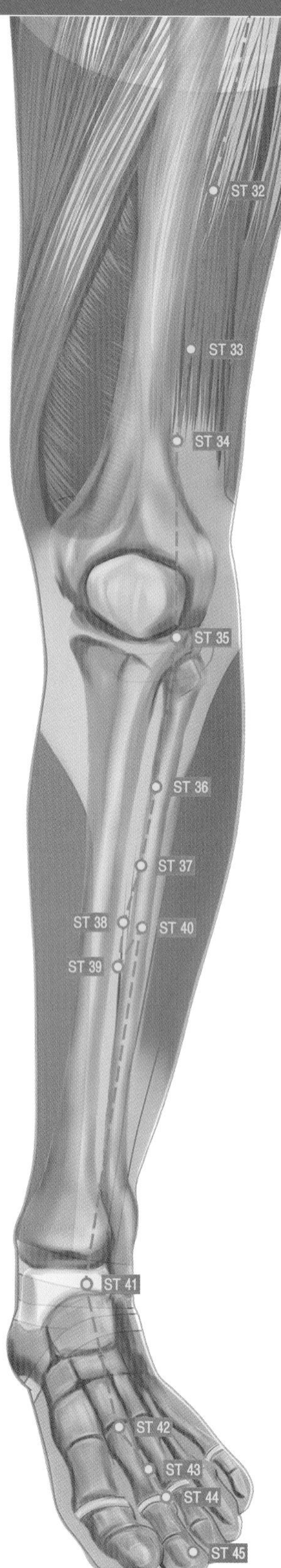
ST 32
ST 33
ST 34
ST 35
ST 36
ST 37
ST 38
ST 40
ST 39
ST 41
ST 42
ST 43
ST 44
ST 45

ST 37 상거허

위 치 종아리 앞쪽면의 독비혈(ST 35)과 해계혈(ST 41)을 잇는 선 위로, 독비혈에서 아래로 6치 되는 곳

ST 38 조구

위 치 종아리 앞쪽면의 독비혈(ST 35)과 해계혈(ST 41)을 연결하는 가상의 선 위로, 독비혈에서 아래로 8치 되는 곳

ST 39 하거허

위 치 종아리 앞쪽면의 독비혈(ST 35)과 해계혈(ST 41)을 잇는 가상의 선 위로, 독비혈에서 아래로 9치 되는 곳

ST 40 풍륭

위 치 가쪽복사에서 종아리 앞가쪽의 앞정강근 가쪽모서리쪽 위로 8치 되는 곳

ST 41 해계

위 치 발목앞쪽의 발목관절 중앙에서 긴엄지발가락폄근힘줄과 긴발가락폄근힘줄 사이의 오목부위

ST 42 충양

위 치 발등쪽의 둘째발허리뼈밑동과 중간쐐기뼈(中間楔狀骨) 관절부위에서 발등동맥이 뛰는 곳(발등에서 가장 높은 곳)

ST 43 함곡

위 치 발등의 둘째와 셋째발허리뼈 사이에서 둘째발허리 발가락관절의 몸쪽 오목부위

ST 44 내정

위 치 발등쪽 둘째와 셋째발허리발가락관절 사이와 발바닥의 경계부위

ST 45 여태

위 치 둘째발가락의 발톱뿌리각(爪甲根角)에서 가쪽으로 0.1치 되는 곳

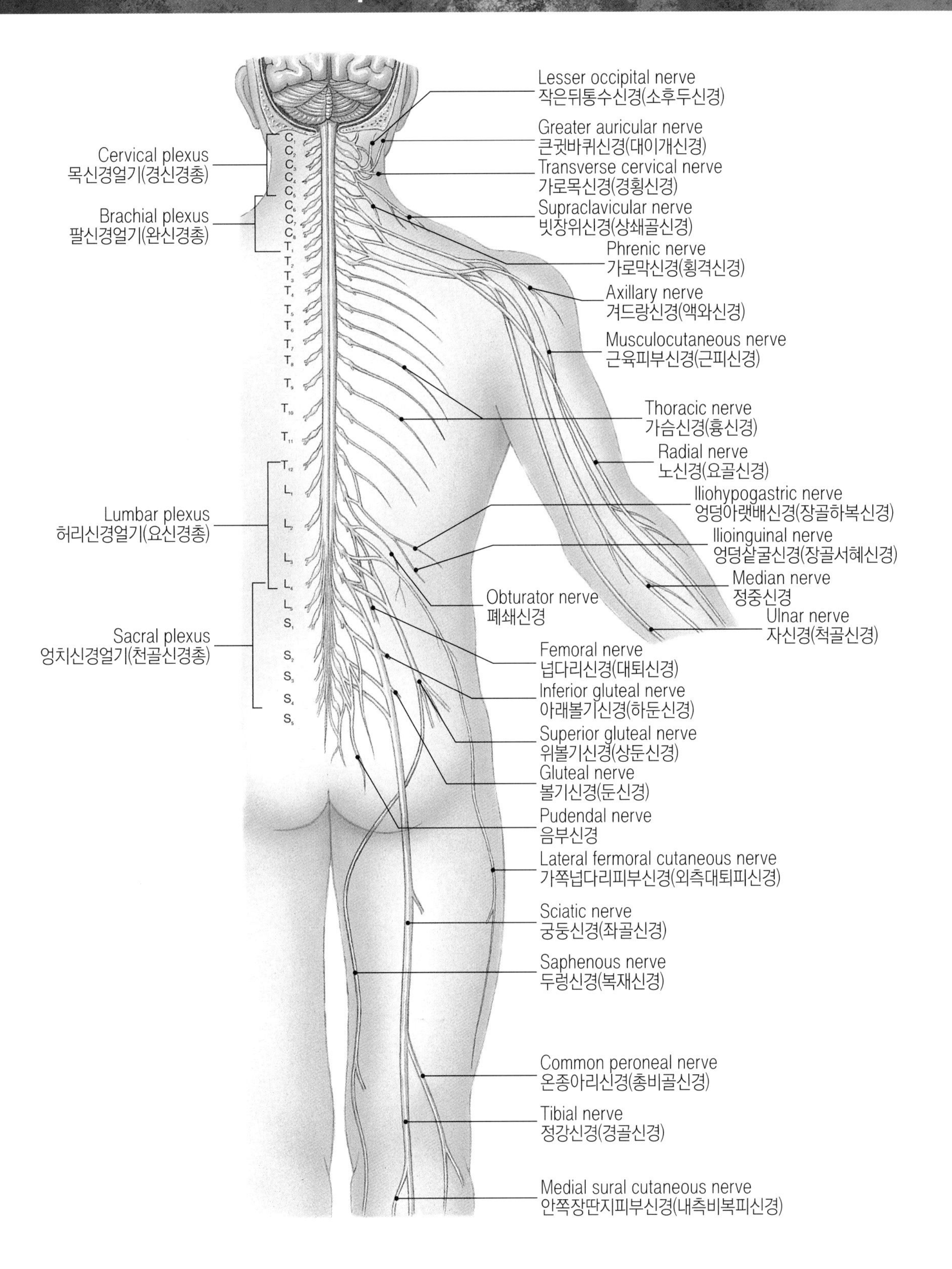
Lesser occipital nerve
작은뒤통수신경(소후두신경)
Greater auricular nerve
큰귓바퀴신경(대이개신경)
Transverse cervical nerve
가로목신경(경횡신경)
Supraclavicular nerve
빗장위신경(상쇄골신경)
Phrenic nerve
가로막신경(횡격신경)
Axillary nerve
겨드랑신경(액와신경)
Musculocutaneous nerve
근육피부신경(근피신경)
Thoracic nerve
가슴신경(흉신경)
Radial nerve
노신경(요골신경)
Iliohypogastric nerve
엉덩아랫배신경(장골하복신경)
Ilioinguinal nerve
엉덩샅굴신경(장골서혜신경)
Median nerve
정중신경
Ulnar nerve
자신경(척골신경)
Obturator nerve
폐쇄신경
Femoral nerve
넙다리신경(대퇴신경)
Inferior gluteal nerve
아래볼기신경(하둔신경)
Superior gluteal nerve
위볼기신경(상둔신경)
Gluteal nerve
볼기신경(둔신경)
Pudendal nerve
음부신경
Lateral femoral cutaneous nerve
가쪽넙다리피부신경(외측대퇴피신경)
Sciatic nerve
궁둥신경(좌골신경)
Saphenous nerve
두렁신경(복재신경)
Common peroneal nerve
온종아리신경(총비골신경)
Tibial nerve
정강신경(경골신경)
Medial sural cutaneous nerve
안쪽장딴지피부신경(내측비복피신경)
Cervical plexus
목신경얼기(경신경총)
Brachial plexus
팔신경얼기(완신경총)
Lumbar plexus
허리신경얼기(요신경총)
Sacral plexus
엉치신경얼기(천골신경총)

족태음비경 1

(足太陰脾經, Spleen Meridian : SP)

족태음비경은 족양명위경의 맥기(脈氣)를 받아 엄지발가락 안쪽끝(은백혈)에서 시작한다. 엄지발가락 안쪽의 적백육제를 지나 안쪽복사 앞을 지난다. 정강뼈 뒷면을 따라 종아리 안쪽으로 올라가 족궐음간경과 교회하여 앞면으로 나와 상행하고, 무릎→넙다리 앞안쪽을 올라가 충문혈(SP 12)에서 배로 들어간다. 배에서는 앞정중선에서 가쪽으로 4치 되는 선을 상행하여 임맥 · 족소양담경 · 족궐음간경과 교회하고, 비에 속하며, 위에 낙(絡)한다. 그리고 가로막을 관통하여 가슴에서는 앞정중선에서 가쪽으로 6치를 상행하고, 주영혈(SP 20)에서 밖으로 돌아 겨드랑이의 대포혈(SP 21)에 도달한다. 그 후 위쪽을 향하는데, 수태음폐경의 중부혈(LU 1)을 지나 좌우의 족태음비경이 식도를 양쪽에서 끼우듯이 상행하여 혀밑으로 퍼진다.

위(胃)에서 갈라져 나온 지맥(支脈)은 가슴 속으로 흘러들어가 수소음심경에 연결된다.

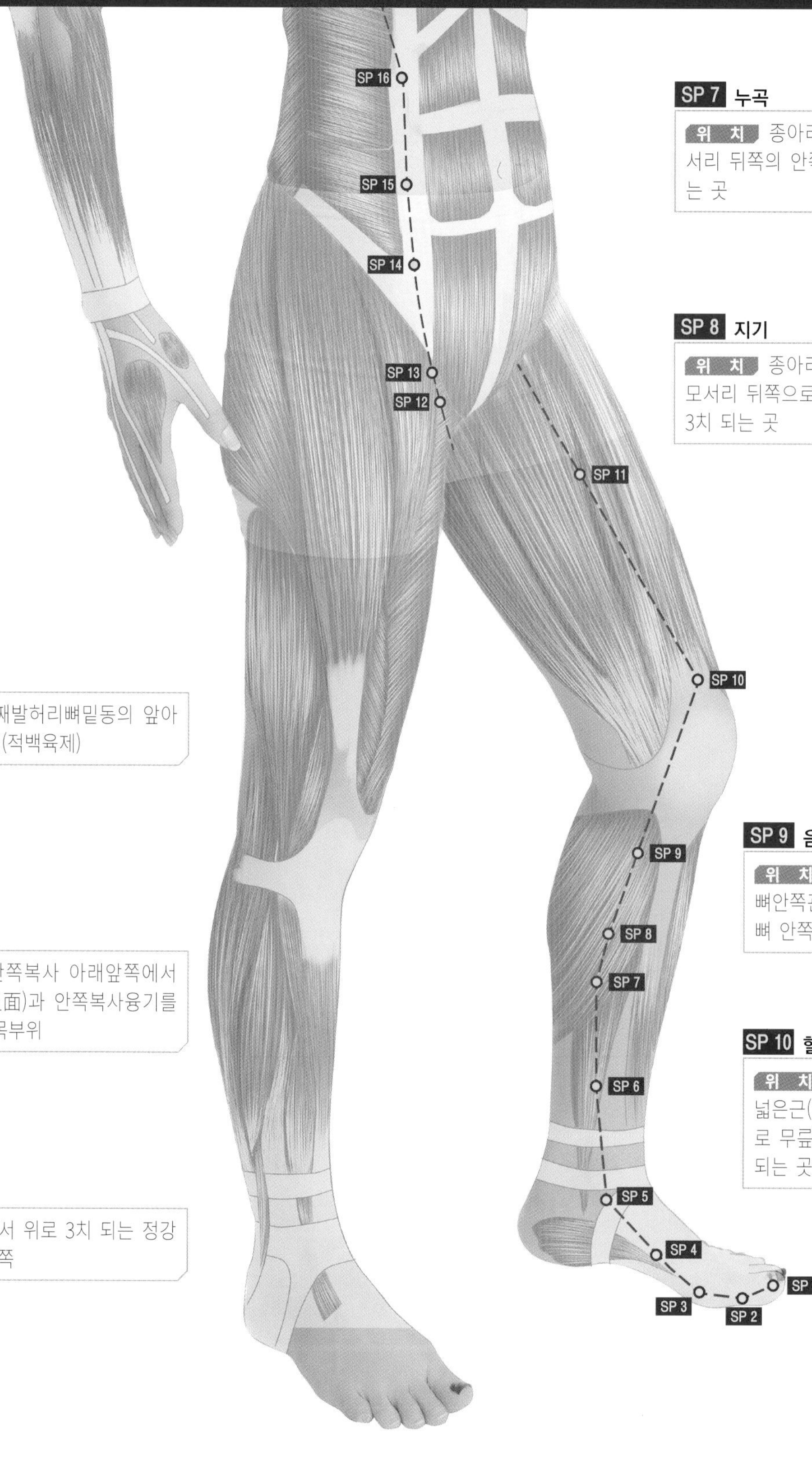

SP 1 은백

위 치 엄지발가락끝마디뼈 안쪽으로 엄지발톱 안쪽뿌리각에서 몸안쪽으로 0.1치 되는 곳

SP 2 대도

위 치 엄지발가락 첫째발허리발가락관절(第1中足趾關節) 아래의 오목한 곳(적백육제)

SP 3 태백

위 치 발 안쪽면의 첫째발허리발가락관절(第1中足趾關節) 몸쪽의 오목부위(적백육제)

SP 4 공손

위 치 발안쪽면 첫째발허리뼈밑동의 앞아래쪽과 발바닥의 경계면(적백육제)

SP 5 상구

위 치 발 안쪽면 안쪽복사 아래앞쪽에서 발배뼈거친면(舟狀骨粗面)과 안쪽복사융기를 연결하는 선의 중간 오목부위

SP 6 삼음교

위 치 안쪽복사끝에서 위로 3치 되는 정강뼈(脛骨) 안쪽모서리 뒤쪽

SP 7 누곡

위 치 종아리 정강뼈면의 정강뼈 안쪽모서리 뒤쪽의 안쪽복사 융기에서 위로 6치 되는 곳

SP 8 지기

위 치 종아리 정강뼈면에서 정강뼈 앞쪽모서리 뒤쪽으로 음릉천혈(SP 9)에서 아래로 3치 되는 곳

SP 9 음릉천

위 치 종아리정강뼈면의 정강뼈안쪽관절융기 아래모서리와 정강뼈 안쪽모서리 사이의 오목부위

SP 10 혈해

위 치 넙다리 앞안쪽에서 안쪽넓은근(內側廣筋)이 튀어나온 곳으로 무릎뼈바닥안쪽끝에서 위로 2치 되는 곳

SP 16
SP 15
SP 14
SP 13
SP 12
SP 11
SP 10
SP 9
SP 8
SP 7
SP 6
SP 5
SP 4
SP 3
SP 2
SP 1

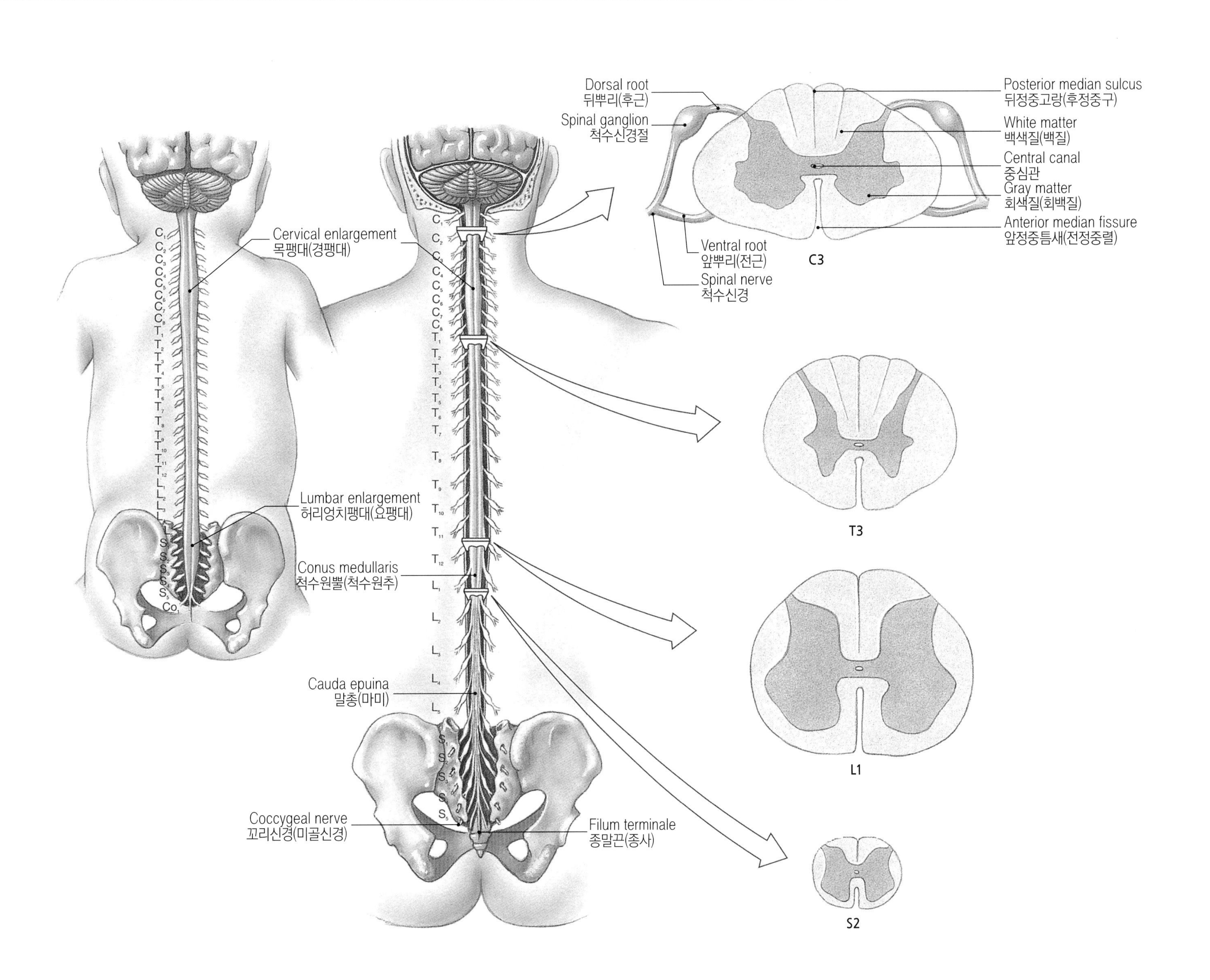

Cervical enlargement
목팽대(경팽대)
Lumbar enlargement
허리엉치팽대(요팽대)
Conus medullaris
척수원뿔(척수원추)
Cauda epuina
말총(마미)
Coccygeal nerve
꼬리신경(미골신경)
Filum terminale
종말끈(종사)
Dorsal root
뒤뿌리(후근)
Spinal ganglion
척수신경절
Ventral root
앞뿌리(전근)
Spinal nerve
척수신경
Posterior median sulcus
뒤정중고랑(후정중구)
White matter
백색질(백질)
Central canal
중심관
Gray matter
회색질(회백질)
Anterior median fissure
앞정중틈새(전정중렬)
C3
T3
L1
S2

족태음비경 2

(足太陰脾經, Spleen Meridian : SP)

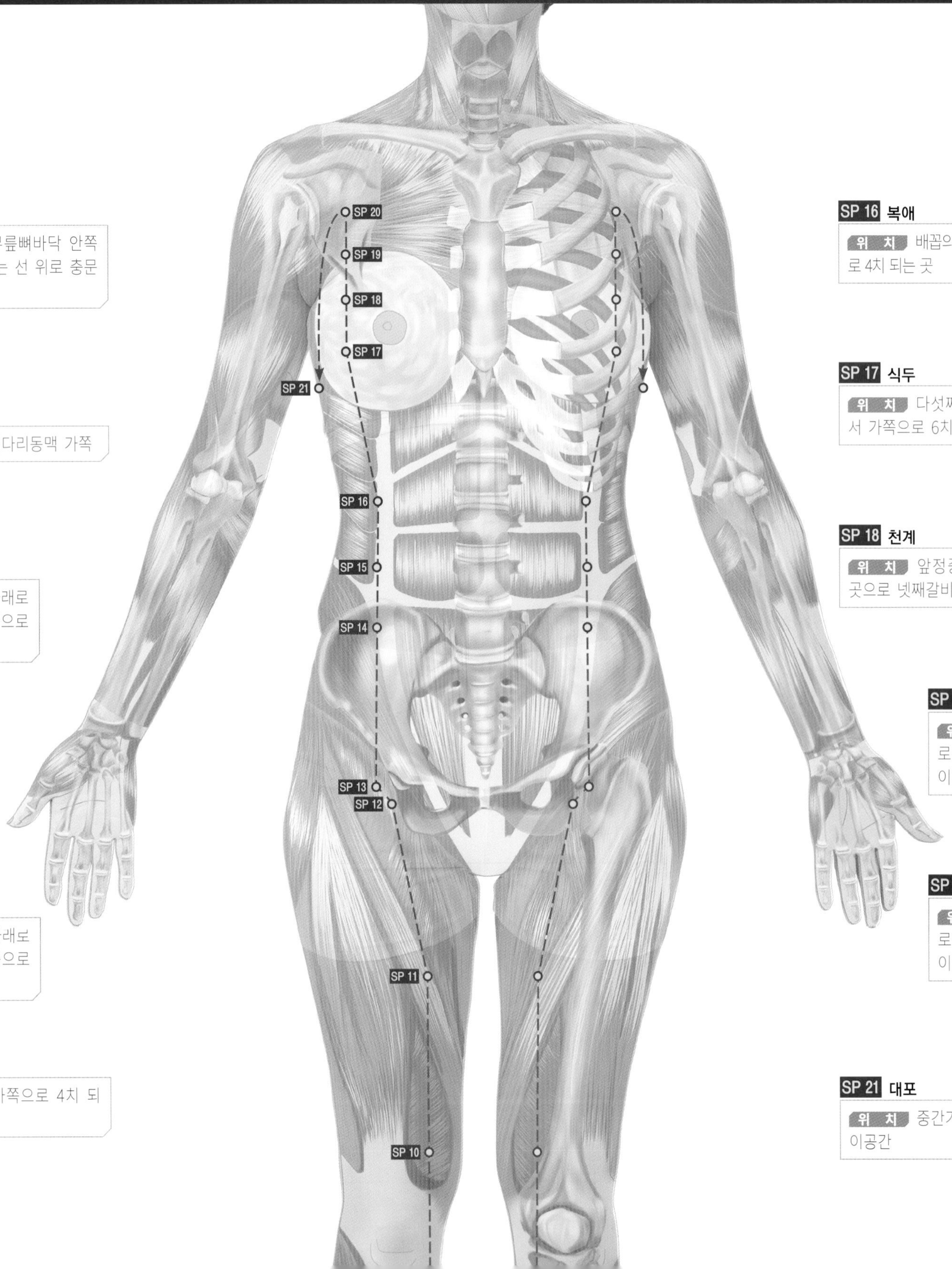

SP 20
SP 19
SP 18
SP 17
SP 21
SP 16
SP 15
SP 14
SP 13
SP 12
SP 11
SP 10

SP 11 기문

위 치 무릎뼈 안쪽면의 무릎뼈바닥 안쪽 끝과 충문혈(SP 12)을 연결하는 선 위로 충문혈에서 1/3 되는 곳

SP 12 충문

위 치 샅고랑주름 위쪽, 넙다리동맥 가쪽

SP 13 부사

위 치 배꼽의 중심에서 아래로 4.3치이고 앞정중선에서 가쪽으로 4치 되는 곳

SP 14 복결

위 치 배꼽의 중심에서 아래로 1.3치이고 앞정중선에서 가쪽으로 4치 되는 곳

SP 15 대횡

위 치 배꼽의 중심에서 가쪽으로 4치 되는 곳

SP 16 복애

위 치 배꼽의 중심에서 위로 3치이고 가쪽으로 4치 되는 곳

SP 17 식두

위 치 다섯째갈비사이공간의 앞정중선에서 가쪽으로 6치 되는 곳

SP 18 천계

위 치 앞정중선에서 가쪽으로 6치 되는 곳으로 넷째갈비사이공간

SP 19 흉향

위 치 앞정중선에서 가쪽으로 6치 되는 곳으로 셋째갈비사이공간

SP 20 주영

위 치 앞정중선에서 가쪽으로 6치 되는 곳으로 둘째갈비사이공간

SP 21 대포

위 치 중간겨드랑선 위에서 여섯째갈비사이공간

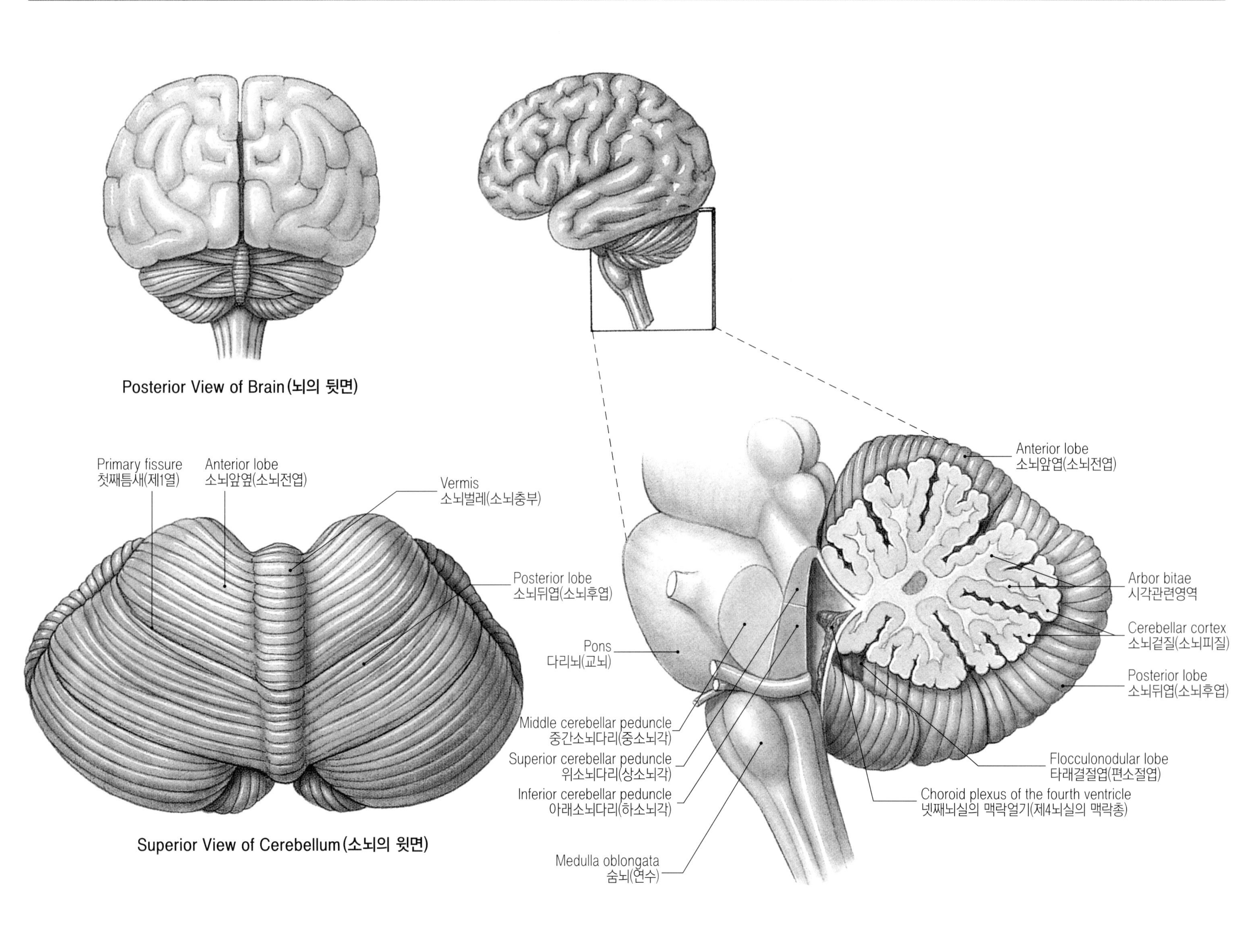
Primary fissure
첫째틈새(제1열)
Anterior lobe
소뇌앞엽(소뇌전엽)
Vermis
소뇌벌레(소뇌충부)
Posterior lobe
소뇌뒤엽(소뇌후엽)
Anterior lobe
소뇌앞엽(소뇌전엽)
Arbor bitae
시각관련영역
Cerebellar cortex
소뇌겉질(소뇌피질)
Posterior lobe
소뇌뒤엽(소뇌후엽)
Pons
다리뇌(교뇌)
Middle cerebellar peduncle
중간소뇌다리(중소뇌각)
Superior cerebellar peduncle
위소뇌다리(상소뇌각)
Inferior cerebellar peduncle
아래소뇌다리(하소뇌각)
Medulla oblongata
숨뇌(연수)
Flocculonodular lobe
타래결절엽(편소절엽)
Choroid plexus of the fourth ventricle
넷째뇌실의 맥락얼기(제4뇌실의 맥락총)

Posterior View of Brain (뇌의 뒷면)

Superior View of Cerebellum (소뇌의 윗면)

수소음심경 1

(手少陰心經, Heart Meridian : HT)

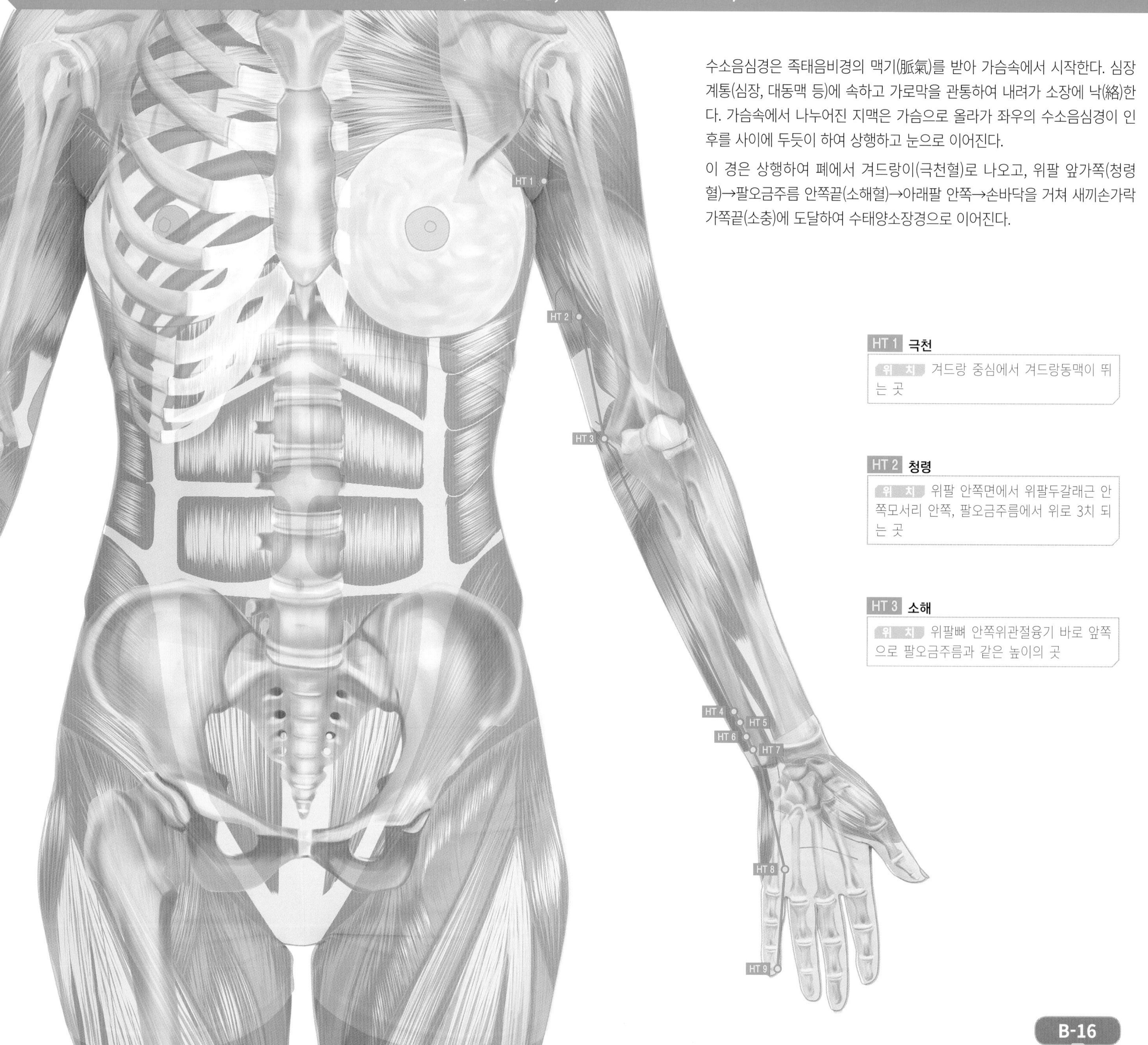

HT 1
HT 2
HT 3
HT 4
HT 5
HT 6
HT 7
HT 8
HT 9

수소음심경은 족태음비경의 맥기(脈氣)를 받아 가슴속에서 시작한다. 심장 계통(심장, 대동맥 등)에 속하고 가로막을 관통하여 내려가 소장에 낙(絡)한다. 가슴속에서 나누어진 지맥은 가슴으로 올라가 좌우의 수소음심경이 인후를 사이에 두듯이 하여 상행하고 눈으로 이어진다.

이 경은 상행하여 폐에서 겨드랑이(극천혈)로 나오고, 위팔 앞가쪽(청령혈)→팔오금주름 안쪽끝(소해혈)→아래팔 안쪽→손바닥을 거쳐 새끼손가락 가쪽끝(소충)에 도달하여 수태양소장경으로 이어진다.

HT 1 극천

위 치 겨드랑 중심에서 겨드랑동맥이 뛰는 곳

HT 2 청령

위 치 위팔 안쪽면에서 위팔두갈래근 안쪽모서리 안쪽, 팔오금주름에서 위로 3치 되는 곳

HT 3 소해

위 치 위팔뼈 안쪽위관절융기 바로 앞쪽으로 팔오금주름과 같은 높이의 곳

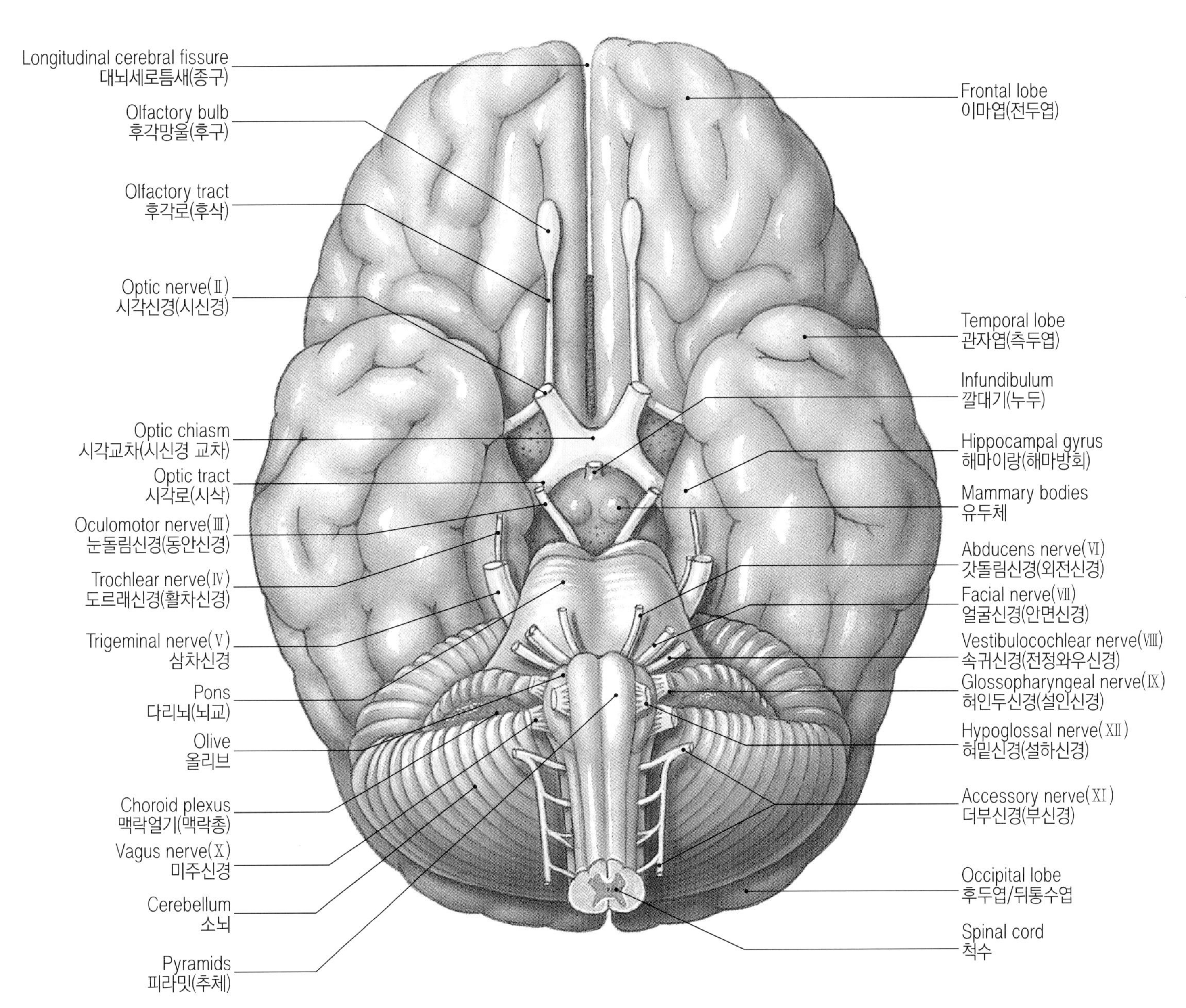

Longitudinal cerebral fissure
대뇌세로틈새(종구)
Olfactory bulb
후각망울(후구)
Olfactory tract
후각로(후삭)
Optic nerve(Ⅱ)
시각신경(시신경)
Optic chiasm
시각교차(시신경 교차)
Optic tract
시각로(시삭)
Oculomotor nerve(Ⅲ)
눈돌림신경(동안신경)
Trochlear nerve(Ⅳ)
도르래신경(활차신경)
Trigeminal nerve(Ⅴ)
삼차신경
Pons
다리뇌(뇌교)
Olive
올리브
Choroid plexus
맥락얼기(맥락총)
Vagus nerve(Ⅹ)
미주신경
Cerebellum
소뇌
Pyramids
피라밋(추체)
Frontal lobe
이마엽(전두엽)
Temporal lobe
관자엽(측두엽)
Infundibulum
깔대기(누두)
Hippocampal gyrus
해마이랑(해마방회)
Mammary bodies
유두체
Abducens nerve(Ⅵ)
갓돌림신경(외전신경)
Facial nerve(Ⅶ)
얼굴신경(안면신경)
Vestibulocochlear nerve(Ⅷ)
속귀신경(전정와우신경)
Glossopharyngeal nerve(Ⅸ)
혀인두신경(설인신경)
Hypoglossal nerve(Ⅻ)
혀밑신경(설하신경)
Accessory nerve(Ⅺ)
더부신경(부신경)
Occipital lobe
후두엽/뒤통수엽
Spinal cord
척수

Inferior Aspects of Brain(뇌의 아랫면)

수소음심경 2

(手少陰心經, Heart Meridian : HT)

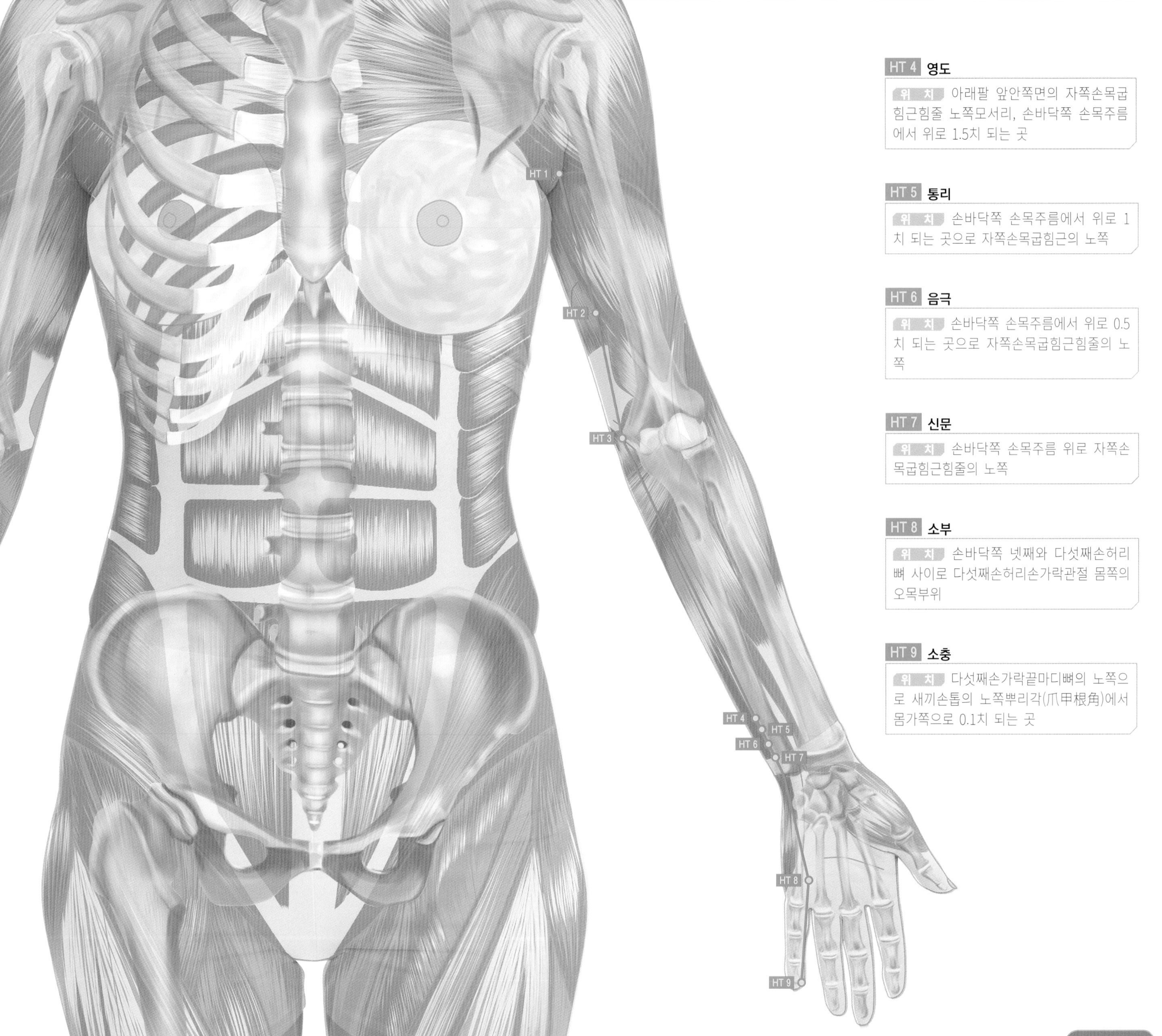

HT 1
HT 2
HT 3
HT 4
HT 5
HT 6
HT 7
HT 8
HT 9

HT 4 영도

위 치 아래팔 앞안쪽면의 자쪽손목굽힘근힘줄 노쪽모서리, 손바닥쪽 손목주름에서 위로 1.5치 되는 곳

HT 5 통리

위 치 손바닥쪽 손목주름에서 위로 1치 되는 곳으로 자쪽손목굽힘근의 노쪽

HT 6 음극

위 치 손바닥쪽 손목주름에서 위로 0.5치 되는 곳으로 자쪽손목굽힘근힘줄의 노쪽

HT 7 신문

위 치 손바닥쪽 손목주름 위로 자쪽손목굽힘근힘줄의 노쪽

HT 8 소부

위 치 손바닥쪽 넷째와 다섯째손허리뼈 사이로 다섯째손허리손가락관절 몸쪽의 오목부위

HT 9 소충

위 치 다섯째손가락끝마디뼈의 노쪽으로 새끼손톱의 노쪽뿌리각(爪甲根角)에서 몸가쪽으로 0.1치 되는 곳

발의 근육
Muscles of Foot

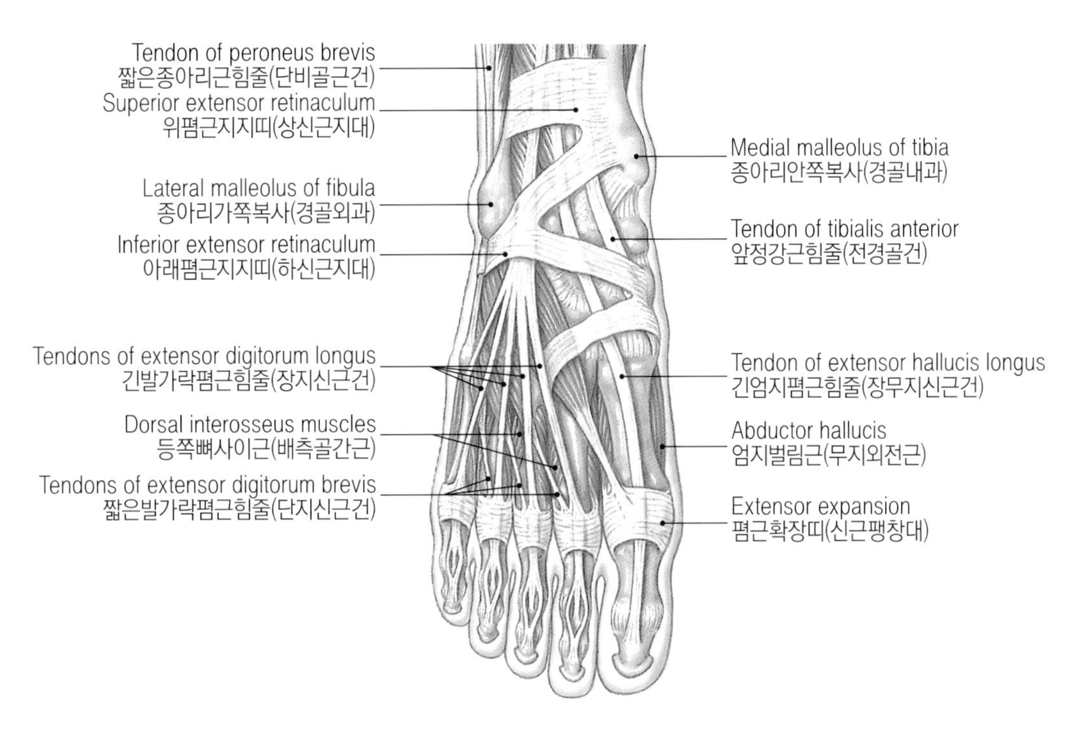

Tendon of peroneus brevis
짧은종아리근힘줄(단비골근건)
Superior extensor retinaculum
위폄근지지띠(상신근지대)
Lateral malleolus of fibula
종아리가쪽복사(경골외과)
Inferior extensor retinaculum
아래폄근지지띠(하신근지대)
Tendons of extensor digitorum longus
긴발가락폄근힘줄(장지신근건)
Dorsal interosseus muscles
등쪽뼈사이근(배측골간근)
Tendons of extensor digitorum brevis
짧은발가락폄근힘줄(단지신근건)
Medial malleolus of tibia
종아리안쪽복사(경골내과)
Tendon of tibialis anterior
앞정강근힘줄(전경골건)
Tendon of extensor hallucis longus
긴엄지폄근힘줄(장무지신근건)
Abductor hallucis
엄지벌림근(무지외전근)
Extensor expansion
폄근확장띠(신근팽창대)

Dorsal View(발등쪽)

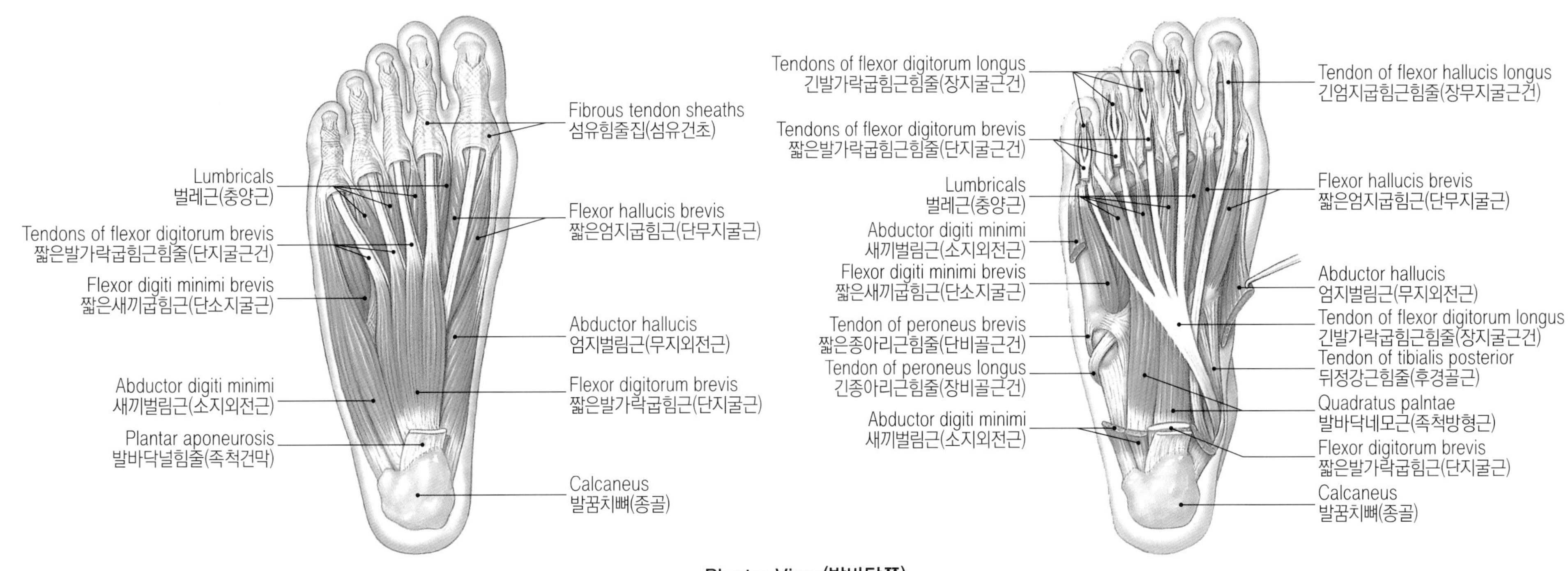

Fibrous tendon sheaths
섬유힘줄집(섬유건초)
Lumbricals
벌레근(충양근)
Tendons of flexor digitorum brevis
짧은발가락굽힘근힘줄(단지굴근건)
Flexor hallucis brevis
짧은엄지굽힘근(단무지굴근)
Flexor digiti minimi brevis
짧은새끼굽힘근(단소지굴근)
Abductor hallucis
엄지벌림근(무지외전근)
Abductor digiti minimi
새끼벌림근(소지외전근)
Flexor digitorum brevis
짧은발가락굽힘근(단지굴근)
Plantar aponeurosis
발바닥널힘줄(족척건막)
Calcaneus
발꿈치뼈(종골)
Tendons of flexor digitorum longus
긴발가락굽힘근힘줄(장지굴근건)
Tendons of flexor digitorum brevis
짧은발가락굽힘근힘줄(단지굴근건)
Lumbricals
벌레근(충양근)
Abductor digiti minimi
새끼벌림근(소지외전근)
Flexor digiti minimi brevis
짧은새끼굽힘근(단소지굴근)
Tendon of peroneus brevis
짧은종아리근힘줄(단비골근건)
Tendon of peroneus longus
긴종아리근힘줄(장비골근건)
Abductor digiti minimi
새끼벌림근(소지외전근)
Tendon of flexor hallucis longus
긴엄지굽힘근힘줄(장무지굴근건)
Flexor hallucis brevis
짧은엄지굽힘근(단무지굴근)
Abductor hallucis
엄지벌림근(무지외전근)
Tendon of flexor digitorum longus
긴발가락굽힘근힘줄(장지굴근건)
Tendon of tibialis posterior
뒤정강근힘줄(후경골근)
Quadratus palntae
발바닥네모근(족척방형근)
Flexor digitorum brevis
짧은발가락굽힘근(단지굴근)
Calcaneus
발꿈치뼈(종골)

Plantar View(발바닥쪽)

수태양소장경 1

(手太陽小腸經, Small Intestine Meridian : SI)

수태양소장경은 수소음심경의 맥기(脈氣)를 받아 새끼손가락 안쪽끝(소택혈)에서 시작한다. 손의 안쪽(자쪽)을 돌아(전곡혈, 후계혈) 손목관절을 거쳐 아래팔 안쪽을 상행하여 팔꿉관절의 자신경고랑(소해혈), 위팔 뒤안쪽에서 어깨관절로 나온다. 어깨 뒤에서 어깨뼈를 돌아 대추혈(GV 14)에서 좌우가 교차한다. 빗장뼈위쪽 오목의 결분혈(ST 12)로 들어가 하행하여 심(心)에 낙(絡)한다. 그리고 가로막을 관통하여 위에 도달하고, 소장에 속한다.

빗장뼈 위쪽오목에서 나누어진 지맥(支脈)은 목에서 볼로 올라가 가쪽눈구석(외안각)에 도달하여 귓속으로 들어간다. 볼에서 나누어진 지맥은 코를 지나 안쪽눈구석(내안각)에 도달하여 족태양방광경에 이어진다.

SI 1 소택

위 치 새끼손가락끝마디뼈 자쪽의 손톱뿌리각(爪甲根角)에서 자쪽으로 0.1치 되는 곳

SI 2 전곡

위 치 새끼손가락의 다섯째손허리손가락관절(第5中手指關節) 자쪽에서 가쪽으로 오목한 곳(적백육제)

SI 3 후계

위 치 다섯째손허리손가락관절 자쪽에서 몸쪽으로 오목한 곳(적백육제)

SI 4 완골

위 치 손목 뒤안쪽으로 다섯째손허리뼈밑동과 세모뼈 사이의 오목부위

SI 5 양곡

위 치 손목 뒤안쪽에서 자뼈붓돌기(尺骨莖狀突起)와 세모뼈(三角骨) 사이의 오목부위로 등쪽노손목관절인대의 자쪽

SI 6 양로

위 치 아래팔 뒤안쪽면에서 자뼈머리의 노쪽이고, 손등쪽 손목주름에서 위로 1치 되는 오목부위

SI 7 지정

위 치 아래팔 뒤안쪽에서 자뼈 안쪽모서리와 자쪽손목굽힘근 사이로, 손등쪽 손목주름에서 몸쪽으로 5치 되는 곳

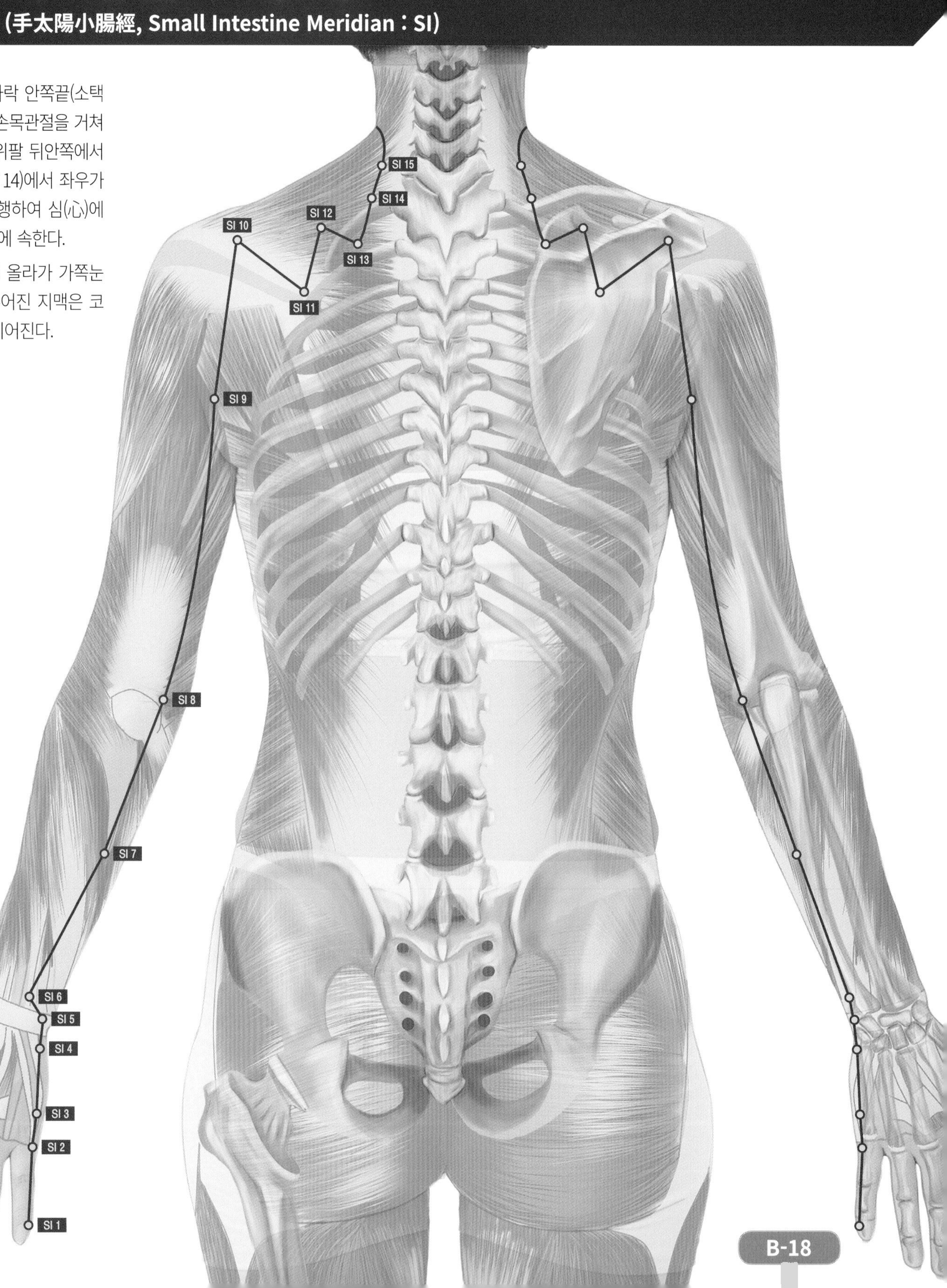
SI 15
SI 14
SI 12
SI 10
SI 13
SI 11
SI 9
SI 8
SI 7
SI 6
SI 5
SI 4
SI 3
SI 2
SI 1

발과 발가락을 움직이는 근육(2)
Muscles That Moves Foot and Toes

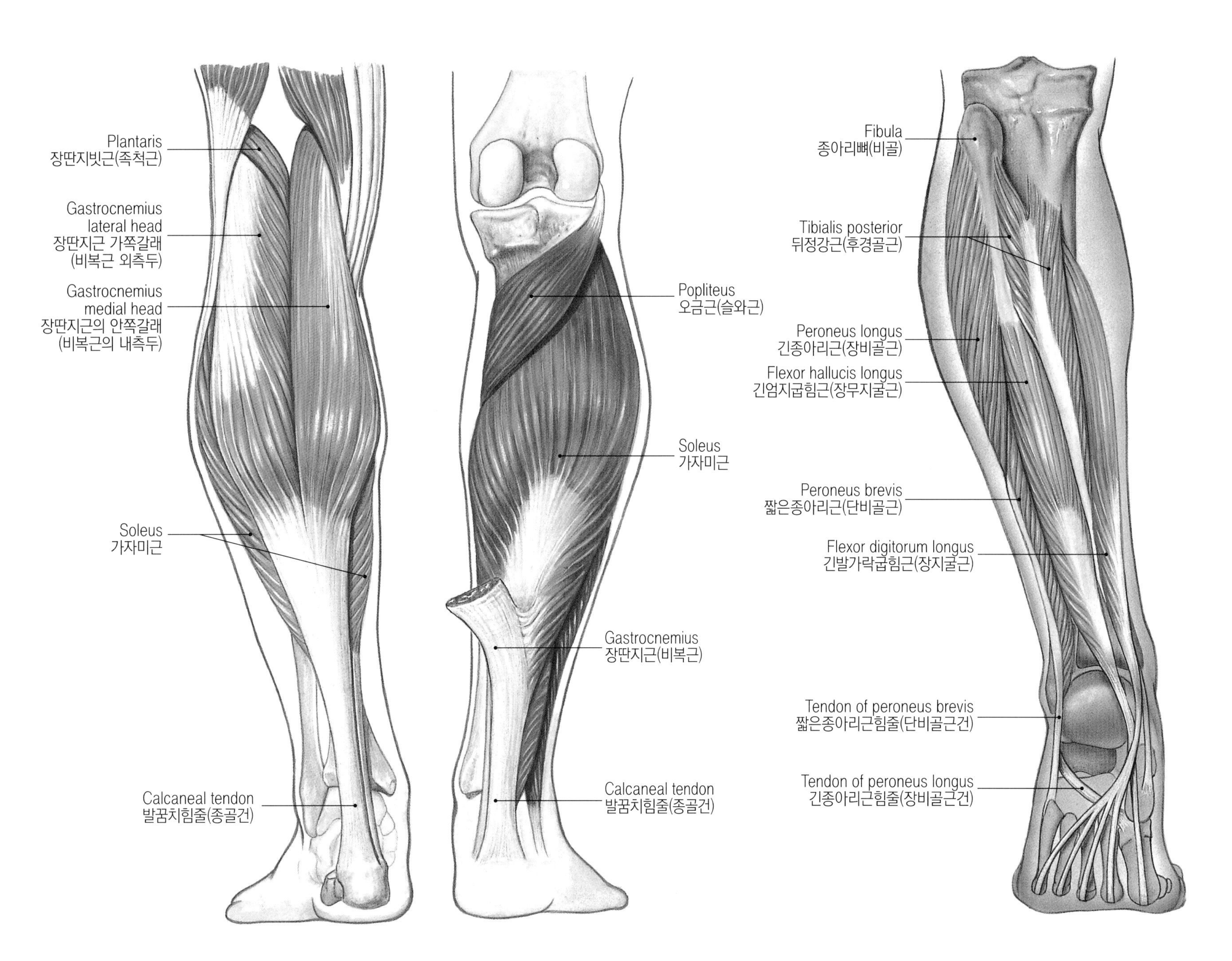
Plantaris
장딴지빗근(족척근)
Gastrocnemius
lateral head
장딴지근 가쪽갈래
(비복근 외측두)
Gastrocnemius
medial head
장딴지근의 안쪽갈래
(비복근의 내측두)
Soleus
가자미근
Calcaneal tendon
발꿈치힘줄(종골건)
Popliteus
오금근(슬와근)
Soleus
가자미근
Gastrocnemius
장딴지근(비복근)
Calcaneal tendon
발꿈치힘줄(종골건)
Fibula
종아리뼈(비골)
Tibialis posterior
뒤정강근(후경골근)
Peroneus longus
긴종아리근(장비골근)
Flexor hallucis longus
긴엄지굽힘근(장무지굴근)
Peroneus brevis
짧은종아리근(단비골근)
Flexor digitorum longus
긴발가락굽힘근(장지굴근)
Tendon of peroneus brevis
짧은종아리근힘줄(단비골근건)
Tendon of peroneus longus
긴종아리근힘줄(장비골근건)

Superficial Part(얕은 부위)

Deep Part(깊은 부위)

수태양소장경 2

(手太陽小腸經, Small Intestine Meridian : SI)

SI 8 소해

위 치 팔꿈치 뒤안쪽에서 자뼈팔꿈치머리와 위팔뼈안쪽위 관절융기 사이의 오목부위

SI 9 견정

위 치 돌림근띠(回轉筋蓋)부위의 어깨관절 뒤아래쪽으로 겨드랑주름 뒤쪽끝에서 위로 1치 되는 곳

SI 10 노수

위 치 돌림근띠(回轉筋蓋)부위의 겨드랑주름 뒤쪽끝에서 위쪽으로 어깨뼈가시 아래의 오목부위

SI 11 천종

위 치 어깨뼈가시(肩胛棘)의 중점과 어깨뼈아래각을 잇는 선에서 위로부터 1/3 되는 오목부위

SI 12 병풍

위 치 어깨의 가시위오목부위로 어깨뼈가시 중점 위쪽의 오목부위

SI 13 곡원

위 치 어깨부위의 어깨뼈가시 안쪽끝 위쪽의 오목부위

SI 14 견외수

위 치 위쪽 등부위의 첫째등뼈가시돌기 아래모서리와 같은 높이의 곳으로 뒤정중선에서 가쪽으로 3치 되는 곳

SI 15 견중수

위 치 위쪽 등부위의 일곱째 목뼈가시돌기 아래모서리와 같은 높이의 곳으로 위정중선에서 가쪽으로 2치 되는 곳

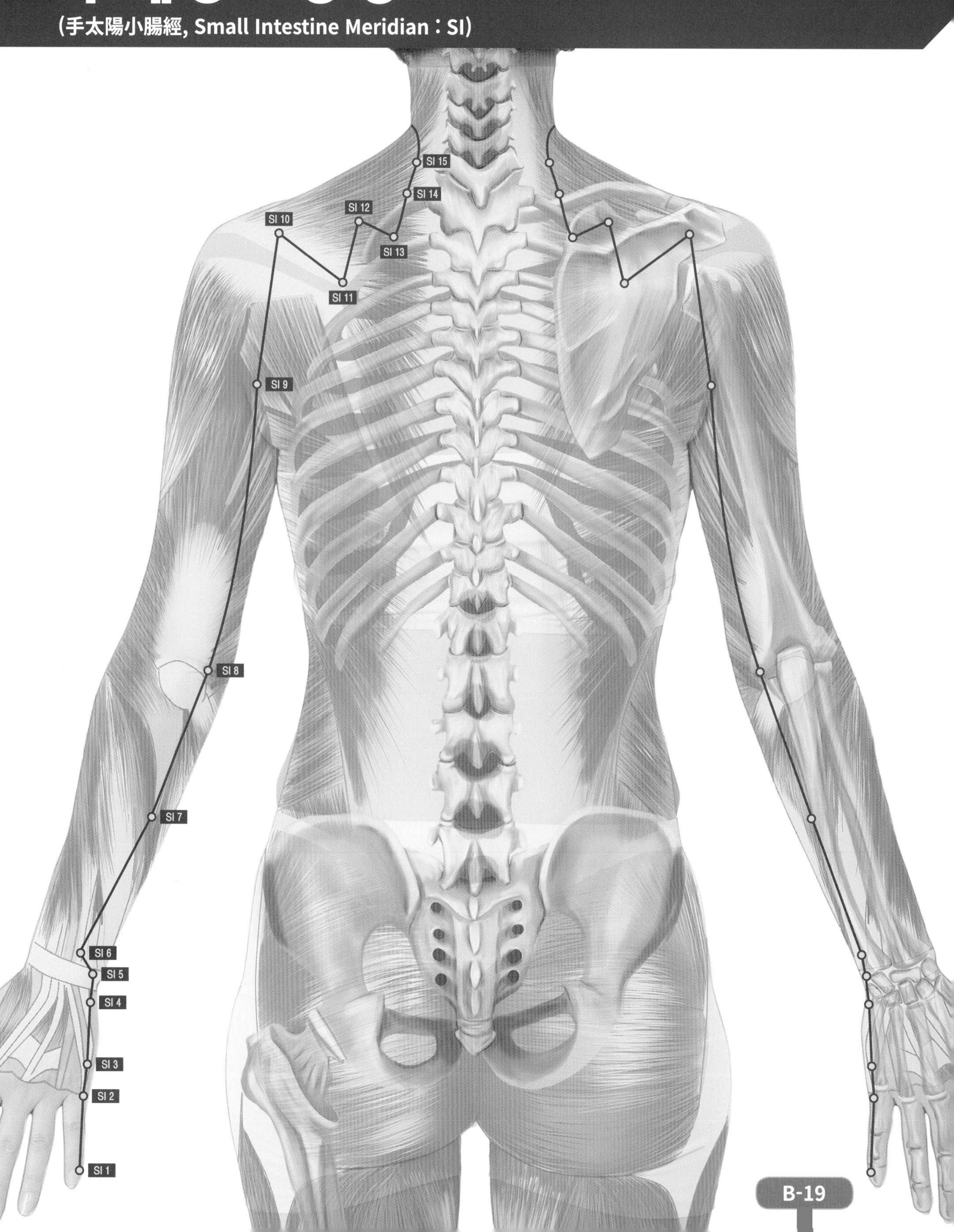
SI 15
SI 14
SI 12
SI 10
SI 13
SI 11
SI 9
SI 8
SI 7
SI 6
SI 5
SI 4
SI 3
SI 2
SI 1

발과 발가락을 움직이는 근육(1)

Muscles That Moves Foot and Toes

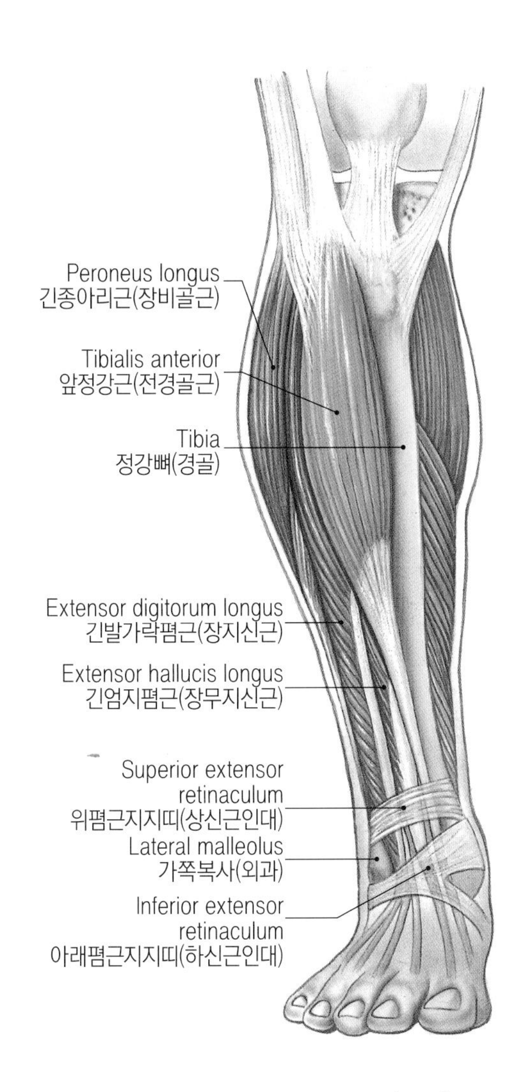

Peroneus longus
긴종아리근(장비골근)
Tibialis anterior
앞정강근(전경골근)
Tibia
정강뼈(경골)
Extensor digitorum longus
긴발가락폄근(장지신근)
Extensor hallucis longus
긴엄지폄근(장무지신근)
Superior extensor retinaculum
위폄근지지띠(상신근인대)
Lateral malleolus
가쪽복사(외과)
Inferior extensor retinaculum
아래폄근지지띠(하신근인대)

Anterior View(앞쪽)

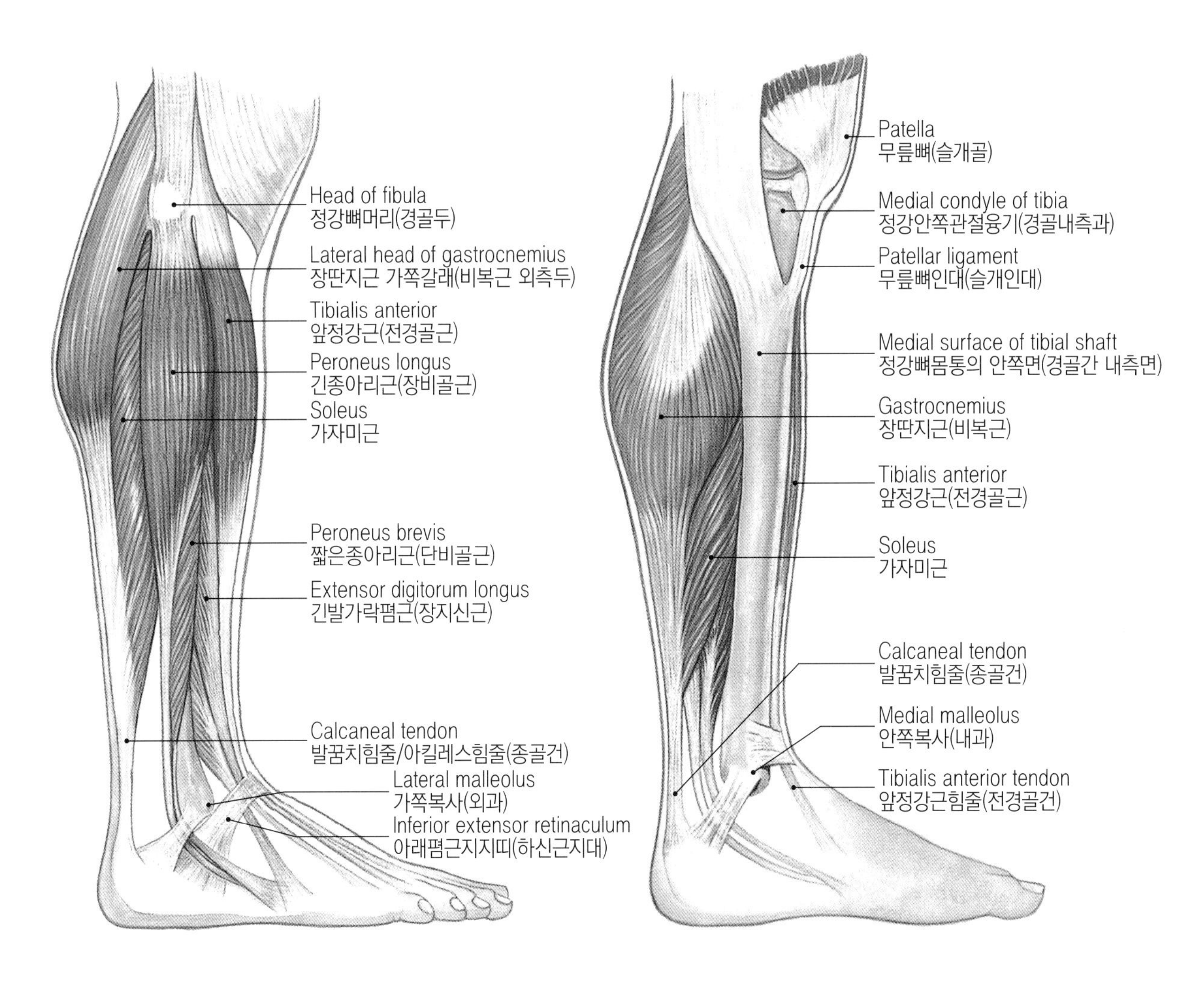

Head of fibula
정강뼈머리(경골두)
Lateral head of gastrocnemius
장딴지근 가쪽갈래(비복근 외측두)
Tibialis anterior
앞정강근(전경골근)
Peroneus longus
긴종아리근(장비골근)
Soleus
가자미근
Peroneus brevis
짧은종아리근(단비골근)
Extensor digitorum longus
긴발가락폄근(장지신근)
Calcaneal tendon
발꿈치힘줄/아킬레스힘줄(종골건)
Lateral malleolus
가쪽복사(외과)
Inferior extensor retinaculum
아래폄근지지띠(하신근지대)
Patella
무릎뼈(슬개골)
Medial condyle of tibia
정강안쪽관절융기(경골내측과)
Patellar ligament
무릎뼈인대(슬개인대)
Medial surface of tibial shaft
정강뼈몸통의 안쪽면(경골간 내측면)
Gastrocnemius
장딴지근(비복근)
Tibialis anterior
앞정강근(전경골근)
Soleus
가자미근
Calcaneal tendon
발꿈치힘줄(종골건)
Medial malleolus
안쪽복사(내과)
Tibialis anterior tendon
앞정강근힘줄(전경골건)

Lateral View(가쪽)

Medial View(안쪽)

수태양소장경 3

(手太陽小腸經, Small Intestine Meridian : SI)

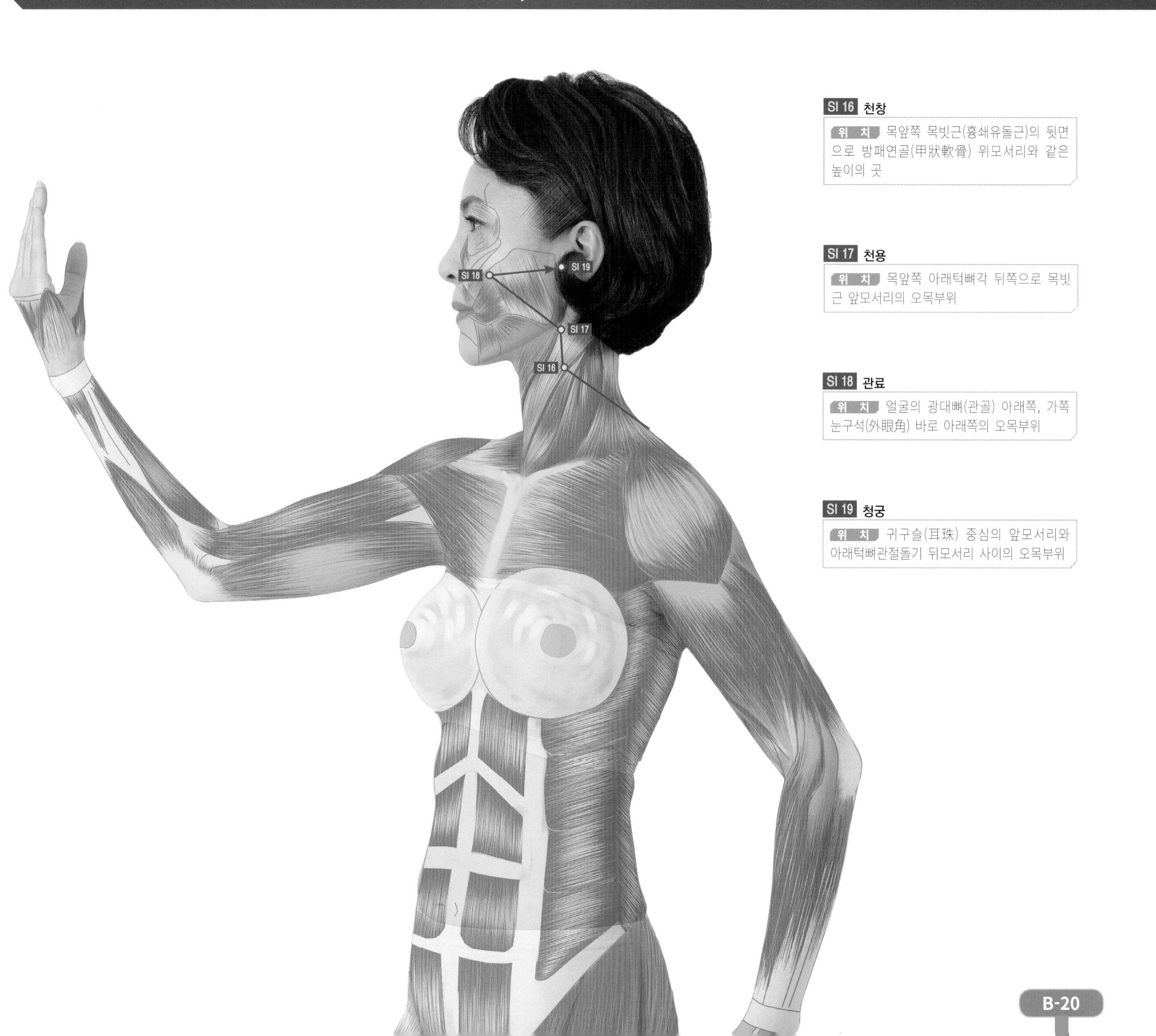
SI 18
SI 19
SI 17
SI 16

SI 16 천창

위 치 목앞쪽 목빗근(흉쇄유돌근)의 뒷면으로 방패연골(甲狀軟骨) 위모서리와 같은 높이의 곳

SI 17 천용

위 치 목앞쪽 아래턱뼈각 뒤쪽으로 목빗근 앞모서리의 오목부위

SI 18 관료

위 치 얼굴의 광대뼈(관골) 아래쪽, 가쪽눈구석(外眼角) 바로 아래쪽의 오목부위

SI 19 청궁

위 치 귀구슬(耳珠) 중심의 앞모서리와 아래턱뼈관절돌기 뒤모서리 사이의 오목부위

넙다리네갈래근무리와 넙다리의 근육
Quadriceps Group & Thigh Muscles

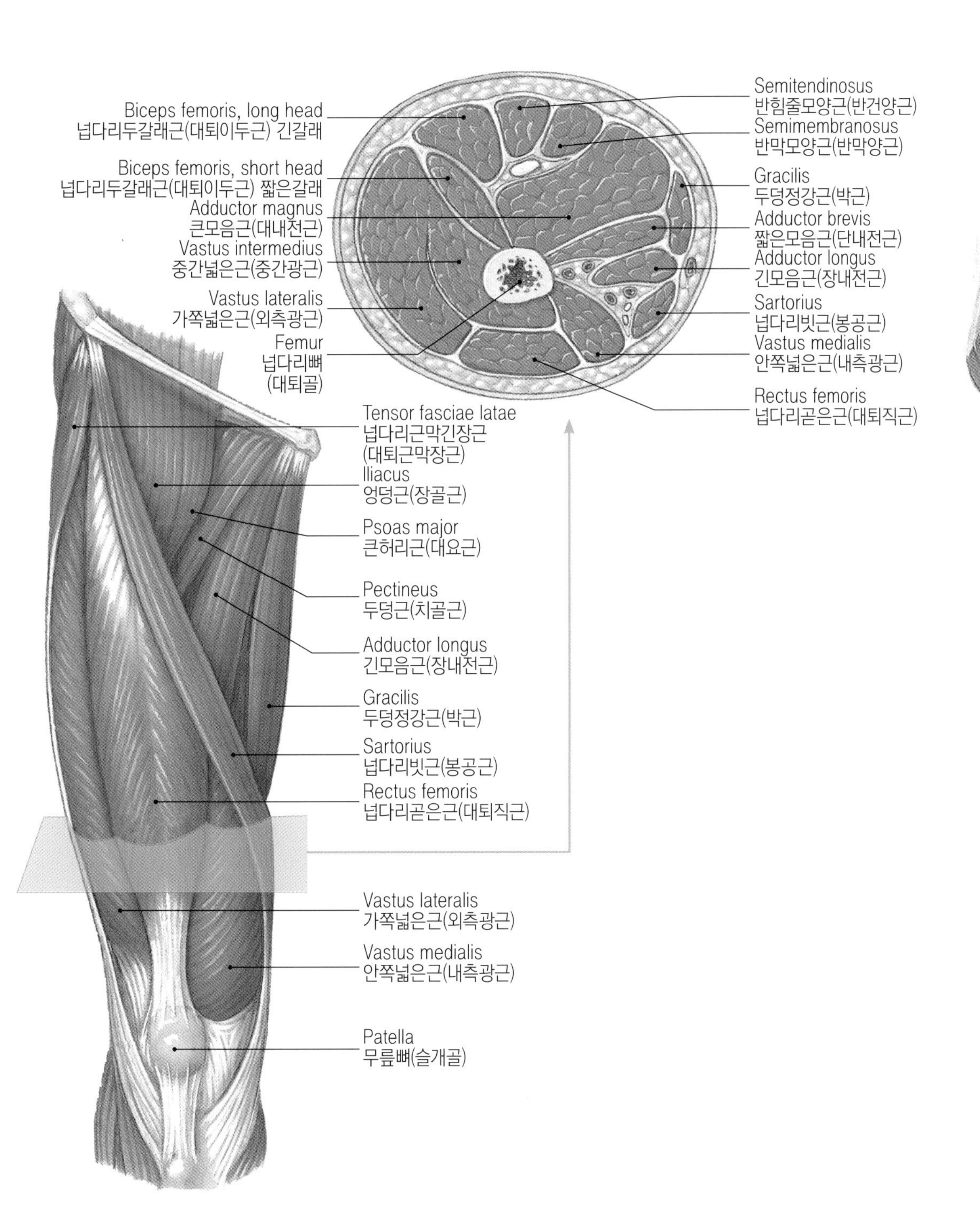

Biceps femoris, long head
넙다리두갈래근(대퇴이두근) 긴갈래
Biceps femoris, short head
넙다리두갈래근(대퇴이두근) 짧은갈래
Adductor magnus
큰모음근(대내전근)
Vastus intermedius
중간넓은근(중간광근)
Vastus lateralis
가쪽넓은근(외측광근)
Femur
넙다리뼈
(대퇴골)
Semitendinosus
반힘줄모양근(반건양근)
Semimembranosus
반막모양근(반막양근)
Gracilis
두덩정강근(박근)
Adductor brevis
짧은모음근(단내전근)
Adductor longus
긴모음근(장내전근)
Sartorius
넙다리빗근(봉공근)
Vastus medialis
안쪽넓은근(내측광근)
Rectus femoris
넙다리곧은근(대퇴직근)
Tensor fasciae latae
넙다리근막긴장근
(대퇴근막장근)
Iliacus
엉덩근(장골근)
Psoas major
큰허리근(대요근)
Pectineus
두덩근(치골근)
Adductor longus
긴모음근(장내전근)
Gracilis
두덩정강근(박근)
Sartorius
넙다리빗근(봉공근)
Rectus femoris
넙다리곧은근(대퇴직근)
Vastus lateralis
가쪽넓은근(외측광근)
Vastus medialis
안쪽넓은근(내측광근)
Patella
무릎뼈(슬개골)

Quadriceps Group(네갈래근 무리)

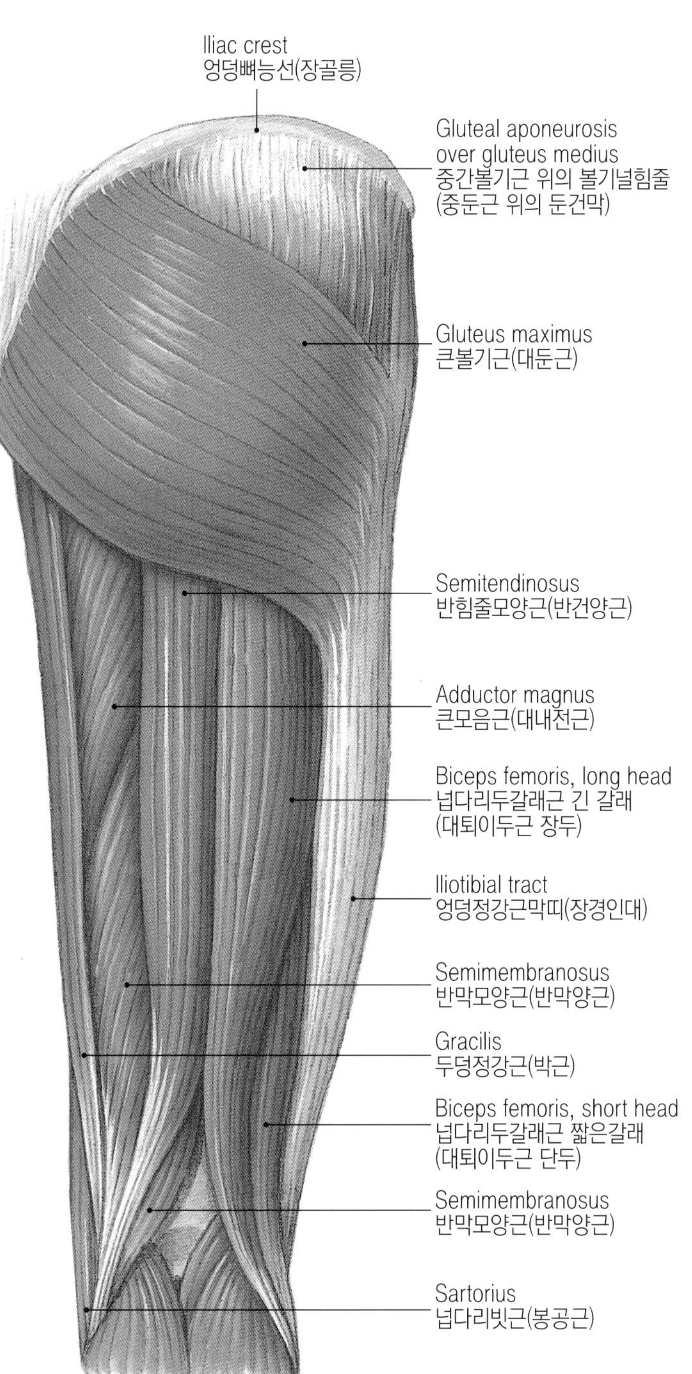

Iliac crest
엉덩뼈능선(장골릉)
Gluteal aponeurosis
over gluteus medius
중간볼기근 위의 볼기널힘줄
(중둔근 위의 둔건막)
Gluteus maximus
큰볼기근(대둔근)
Semitendinosus
반힘줄모양근(반건양근)
Adductor magnus
큰모음근(대내전근)
Biceps femoris, long head
넙다리두갈래근 긴 갈래
(대퇴이두근 장두)
Iliotibial tract
엉덩정강근막띠(장경인대)
Semimembranosus
반막모양근(반막양근)
Gracilis
두덩정강근(박근)
Biceps femoris, short head
넙다리두갈래근 짧은갈래
(대퇴이두근 단두)
Semimembranosus
반막모양근(반막양근)
Sartorius
넙다리빗근(봉공근)

Thigh Muscles(넙다리 뒤쪽의 근육)

족태양방광경 1

(足太陽膀胱經, Bladder Meridian : BL)

족태양방광경은 수태양소장경의 맥기(脈氣)를 받아 안쪽눈구석(정명혈)에서 시작하며, 이마부위를 올라가 마루부위(두정부)의 백회혈(GV 20)에서 좌우가 교차한다. 백회혈에서 나누어진 지맥(支脈)은 귀의 위모서리로 가서 관자부위(측두부)로 퍼진다.

직행하는 본경은 마루부위에서 머리 속으로 들어가 뇌에 연락하고, 돌아나와 뒤통수부위(후두부)에서 지맥으로 나누어져 목부위로 내려가 어깨뼈(견갑골) 안쪽을 돌아 척주를 사이에 두고 뒤정중선에서 1.5치 되는 곳을 내려가 허리에 도달하여 신(腎)에 낙(絡)하고 방광에 속한다. 그리고 허리 속에서 척주를 사이에 두고 내려와 볼기부위(둔부)를 관통하여 넙다리(대퇴부) 뒷면을 지나 오금(슬와)으로 들어간다.

뒤통수부위(후두부)에서 나누어진 지맥은 척주를 사이에 두고 뒤정중선에서 3치 되는 곳을 내려가 볼기를 관통하여 넙다리 뒷면을 지나 오금 중앙(위중혈)에서 본경과 합류한다. 합류 후에는 종아리 뒷면을 내려가 가쪽복사 후방에서 나와 다섯째발허리뼈 거친면을 따라 다섯째발가락 가쪽끝에 도달하여 족소음신경에 이어진다.

BL 1 정명

위 치 안쪽눈구석(內眼角)의 위안쪽과 눈확 안쪽벽 사이의 오목부위로 목내자(目內眥 : 양쪽 눈의 안쪽경계)에서 0.1치 되는 곳

BL 2 찬죽

위 치 눈썹 안쪽 끝부분의 얇은 홈 중앙에 있는 가느다른 힘줄(세게 누르면 울리는 곳)

BL 3 미충

위 치 이마패임(前頭切痕) 위쪽으로 전두발제(前頭髮際 : 이마에서 머리털이 자라는 경계)에서 위로 0.5치 되는 곳

BL 4 곡차

위 치 이마의 발제에서 뒤로 0.5치이고 앞정중선에서 가쪽으로 1.5치 되는 곳

BL 5 오처

위 치 이마의 발제에서 위로 1치이고 앞정중선에서 가쪽으로 1.5치 되는 곳

BL 6 승광

위 치 이마의 발제에서 위로 2.5치이고 앞정중선에서 가쪽으로 1.5치 되는 곳

BL 7 통천

위 치 이마의 발제에서 위로 4치이고 앞정중선에서 가쪽으로 1.5치 되는 곳

BL 8 낙각

위 치 이마의 발제에서 위로 5.5치이고 앞정중선에서 가쪽으로 1.5치 되는 곳

BL 9 옥침

위 치 바깥뒤통수뼈융기(外後頭骨隆起) 위모서리와 같은 높이의 곳으로 뒤정중선에서 가쪽으로 1.3치 되는 곳

BL 10 천주

위 치 목뒤쪽 둘째목뼈가시돌기 위모서리와 같은 높이의 곳으로 등세모근 가쪽의 오목부위

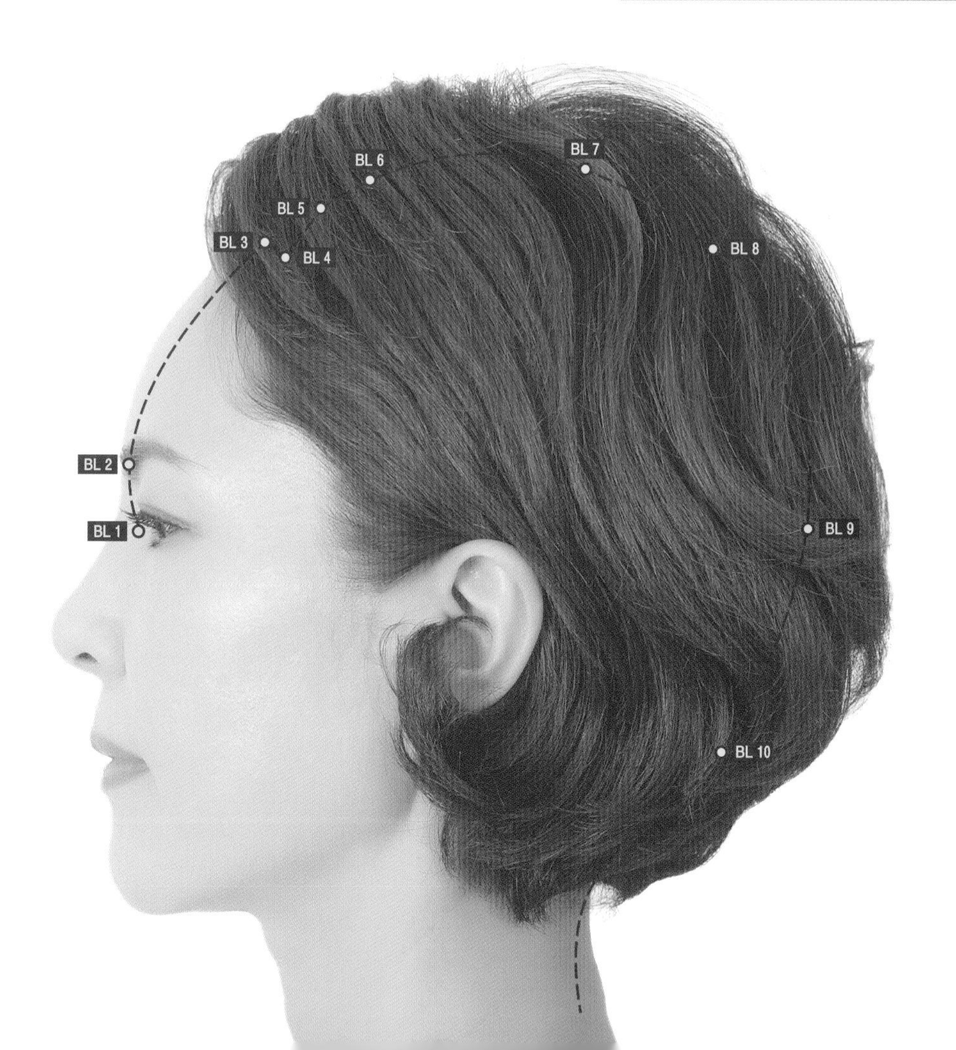
BL 7
BL 6
BL 5
BL 3
BL 4
BL 8
BL 2
BL 1
BL 9
BL 10

엉덩허리근과 모음근무리
Iliopsoas and Adductors of Leg

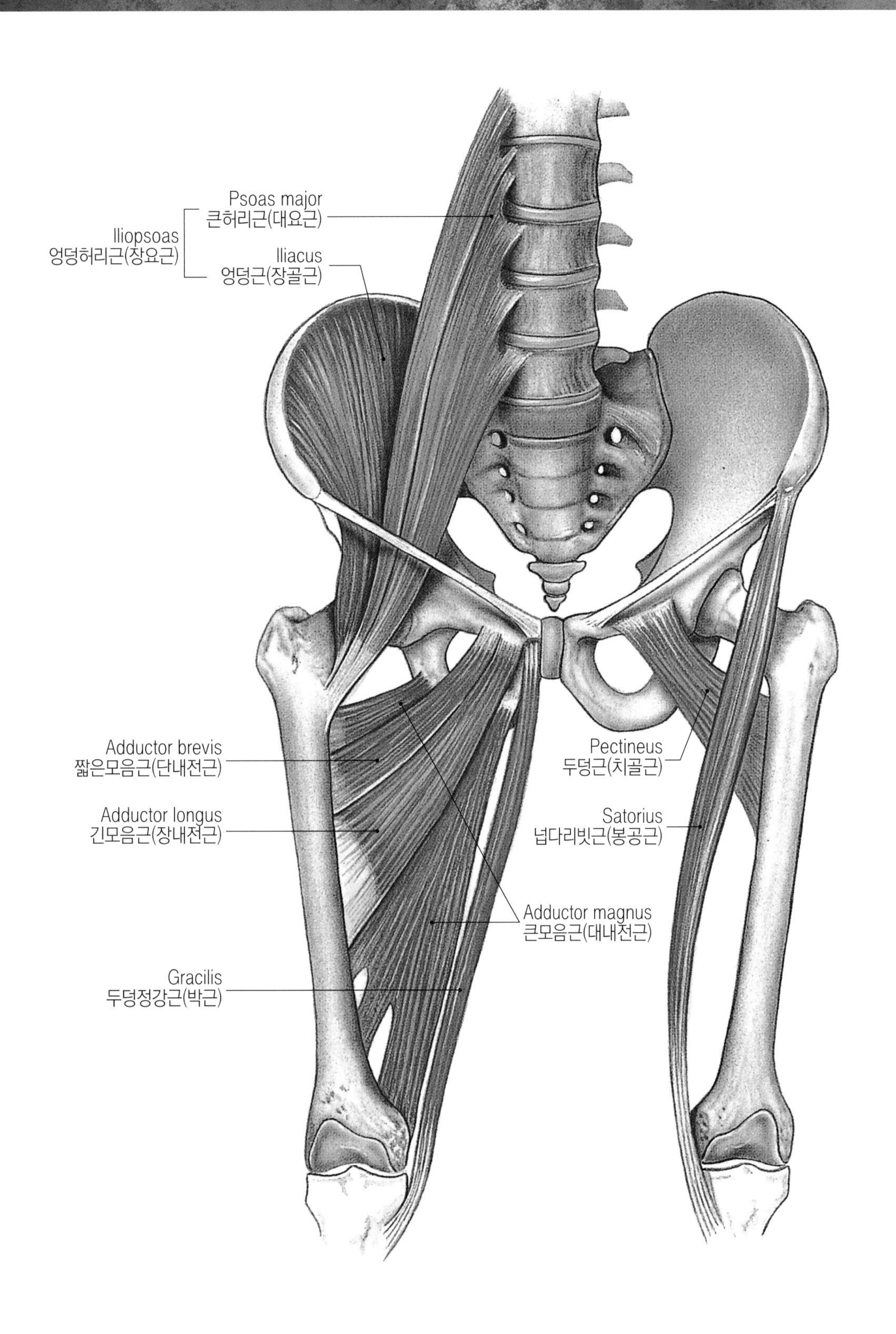
Psoas major
큰허리근(대요근)
Iliopsoas
엉덩허리근(장요근)
Iliacus
엉덩근(장골근)
Adductor brevis
짧은모음근(단내전근)
Adductor longus
긴모음근(장내전근)
Gracilis
두덩정강근(박근)
Pectineus
두덩근(치골근)
Satorius
넙다리빗근(봉공근)
Adductor magnus
큰모음근(대내전근)

족태양방광경 2

(足太陽膀胱經, Bladder Meridian : BL)

BL 11 대저

위 치 등위쪽의 첫째등뼈가시돌기 아래모서리와 같은 높이로 뒤정중선에서 가쪽으로 1.5치 되는 곳

BL 12 풍문

위 치 등위쪽의 둘째등뼈가시돌기 아래모서리와 같은 높이로 뒤정중선에서 가쪽으로 1.5치 되는 곳

BL 13 폐수

위 치 셋째등뼈가시돌기 아래모서리와 같은 높이로 뒤정중선에서 가쪽으로 1.5치 되는 곳

BL 14 궐음수

위 치 넷째등뼈가시돌기 아래모서리와 같은 높이로 뒤정중선에서 가쪽으로 1.5치 되는 곳

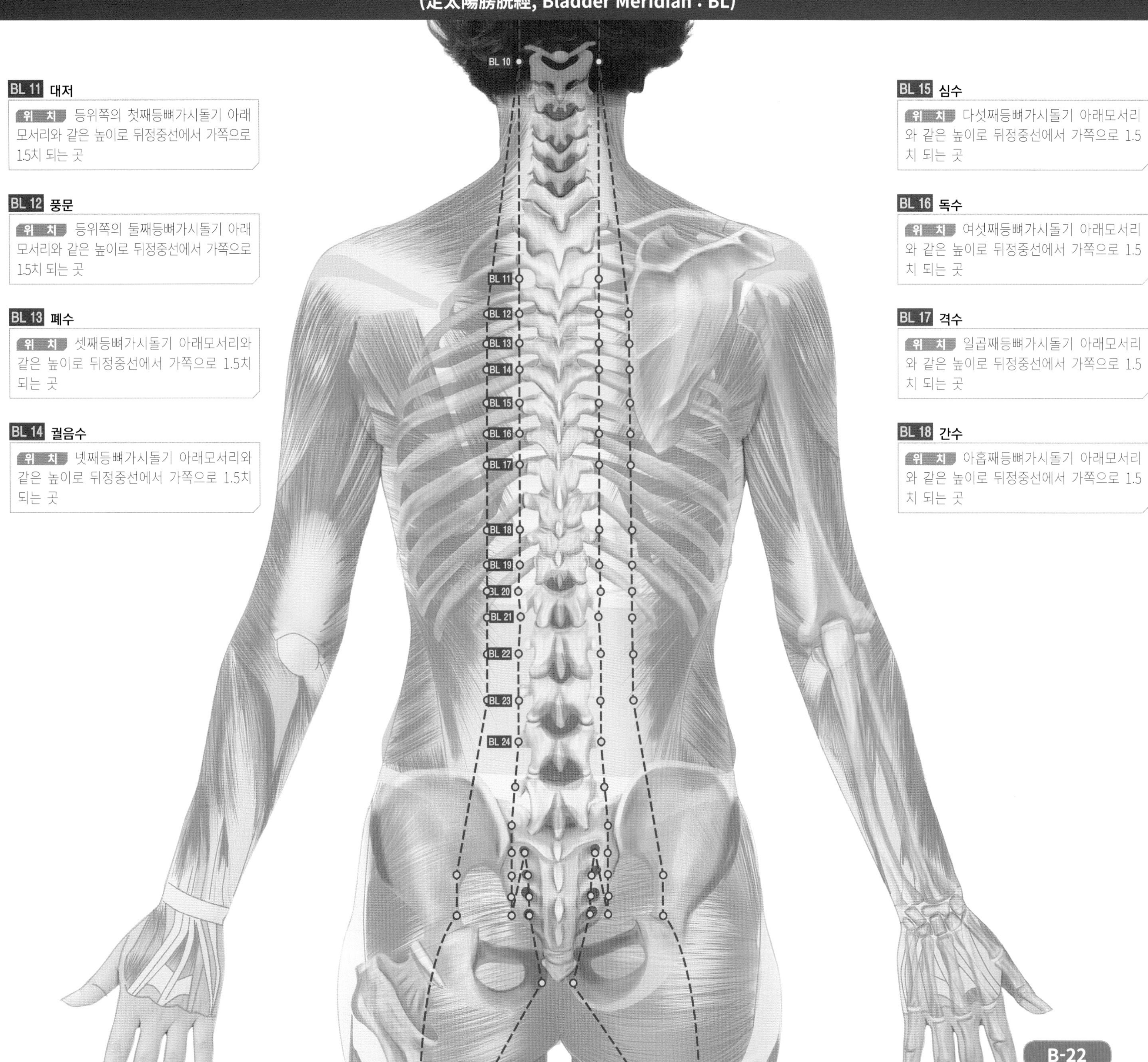

BL 10
BL 11
BL 12
BL 13
BL 14
BL 15
BL 16
BL 17
BL 18
BL 19
BL 20
BL 21
BL 22
BL 23
BL 24

BL 15 심수

위 치 다섯째등뼈가시돌기 아래모서리와 같은 높이로 뒤정중선에서 가쪽으로 1.5치 되는 곳

BL 16 독수

위 치 여섯째등뼈가시돌기 아래모서리와 같은 높이로 뒤정중선에서 가쪽으로 1.5치 되는 곳

BL 17 격수

위 치 일곱째등뼈가시돌기 아래모서리와 같은 높이로 뒤정중선에서 가쪽으로 1.5치 되는 곳

BL 18 간수

위 치 아홉째등뼈가시돌기 아래모서리와 같은 높이로 뒤정중선에서 가쪽으로 1.5치 되는 곳

엉덩이의 근육과 넙다리의 가쪽돌림근 무리
Gluteal Muscles and Lateral Rotators of Thigh

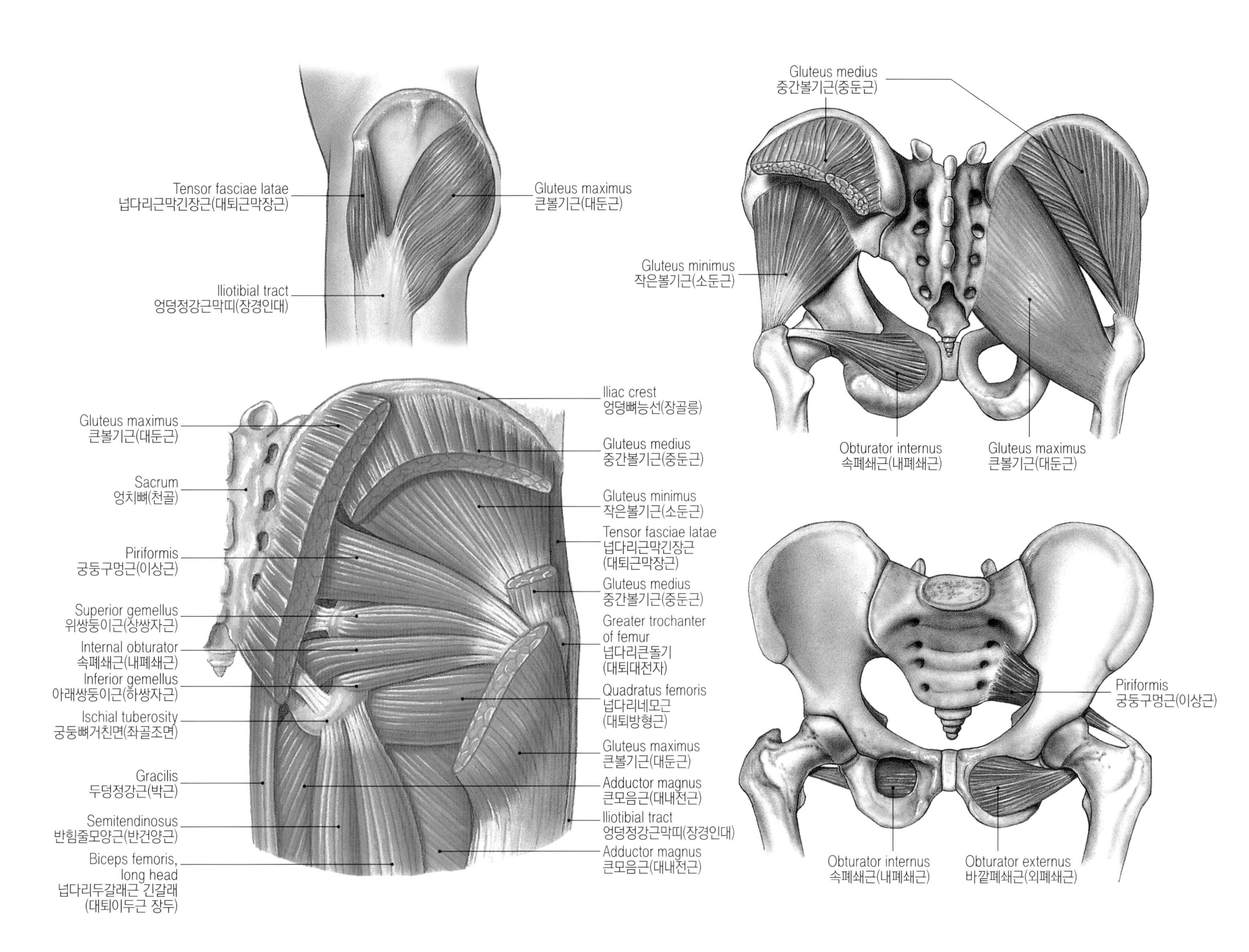

Tensor fasciae latae
넙다리근막긴장근(대퇴근막장근)
Gluteus maximus
큰볼기근(대둔근)
Iliotibial tract
엉덩정강근막띠(장경인대)
Gluteus medius
중간볼기근(중둔근)
Gluteus minimus
작은볼기근(소둔근)
Obturator internus
속폐쇄근(내폐쇄근)
Gluteus maximus
큰볼기근(대둔근)
Gluteus maximus
큰볼기근(대둔근)
Sacrum
엉치뼈(천골)
Piriformis
궁둥구멍근(이상근)
Superior gemellus
위쌍둥이근(상쌍자근)
Internal obturator
속폐쇄근(내폐쇄근)
Inferior gemellus
아래쌍둥이근(하쌍자근)
Ischial tuberosity
궁둥뼈거친면(좌골조면)
Gracilis
두덩정강근(박근)
Semitendinosus
반힘줄모양근(반건양근)
Biceps femoris, long head
넙다리두갈래근 긴갈래
(대퇴이두근 장두)
Iliac crest
엉덩뼈능선(장골릉)
Gluteus medius
중간볼기근(중둔근)
Gluteus minimus
작은볼기근(소둔근)
Tensor fasciae latae
넙다리근막긴장근
(대퇴근막장근)
Gluteus medius
중간볼기근(중둔근)
Greater trochanter of femur
넙다리큰돌기
(대퇴대전자)
Quadratus femoris
넙다리네모근
(대퇴방형근)
Gluteus maximus
큰볼기근(대둔근)
Adductor magnus
큰모음근(대내전근)
Iliotibial tract
엉덩정강근막띠(장경인대)
Adductor magnus
큰모음근(대내전근)
Piriformis
궁둥구멍근(이상근)
Obturator internus
속폐쇄근(내폐쇄근)
Obturator externus
바깥폐쇄근(외폐쇄근)

족태양방광경 3

(足太陽膀胱經, Bladder Meridian : BL)

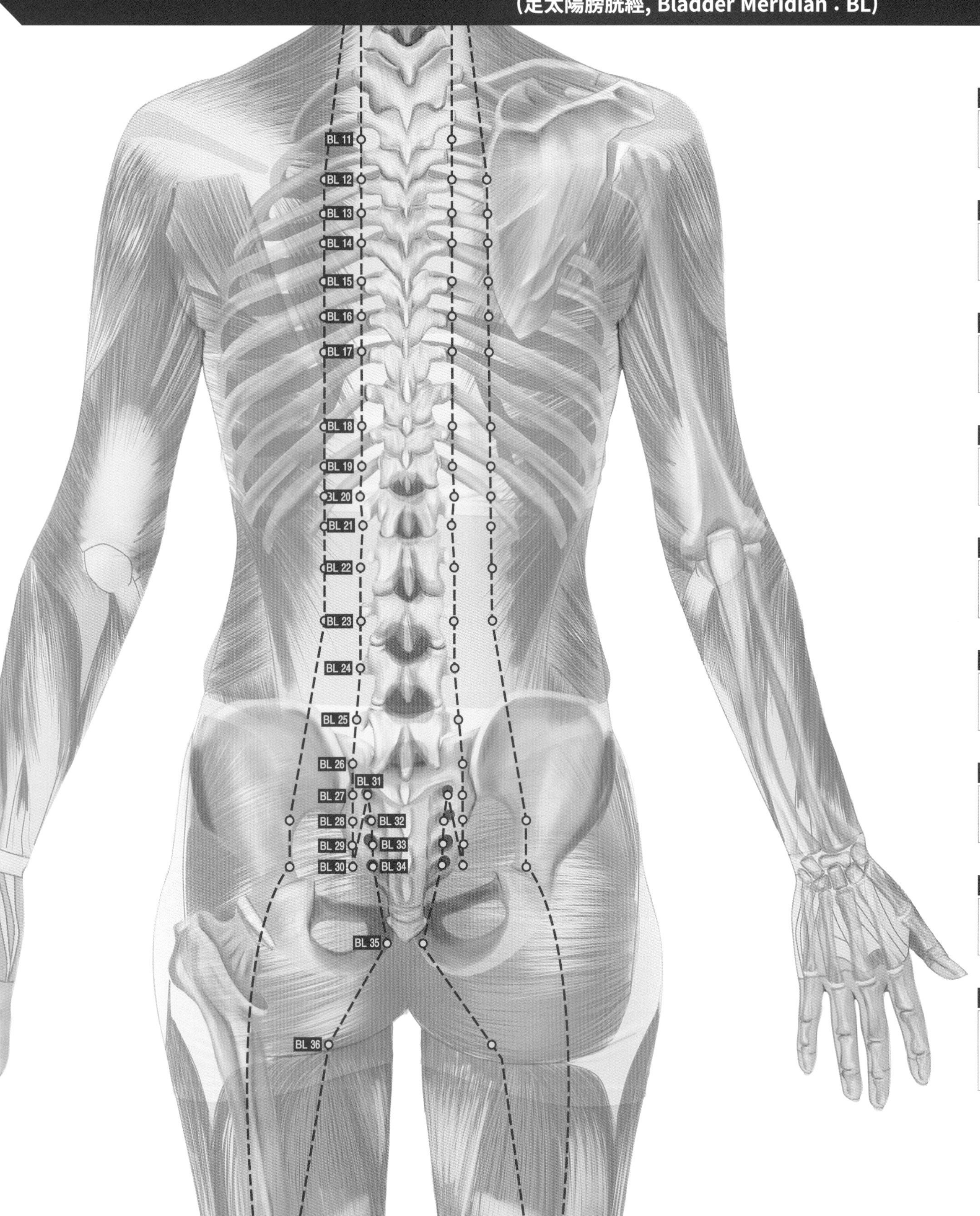

BL 11
BL 12
BL 13
BL 14
BL 15
BL 16
BL 17
BL 18
BL 19
BL 20
BL 21
BL 22
BL 23
BL 24
BL 25
BL 26
BL 31
BL 27
BL 28
BL 32
BL 29
BL 33
BL 30
BL 34
BL 35
BL 36

BL 19 담수

위 치 열째등뼈가시돌기 아래모서리와 같은 높이로 뒤정중선에서 가쪽으로 1.5치 되는 곳

BL 20 비수

위 치 열한째등뼈가시돌기 아래모서리와 같은 높이로 뒤정중선에서 가쪽으로 1.5치 되는 곳

BL 21 위수

위 치 열둘째등뼈가시돌기 아래모서리와 같은 높이로 뒤정중선에서 가쪽으로 1.5치 되는 곳

BL 22 삼초수

위 치 첫째허리뼈가시돌기 아래모서리와 같은 높이로 뒤정중선에서 가쪽으로 1.5치 되는 곳

BL 23 신수

위 치 둘째허리뼈가시돌기 아래모서리와 같은 높이로 뒤정중선에서 가쪽으로 1.5치 되는 곳

BL 24 기해수

위 치 셋째허리뼈가시돌기 아래모서리와 같은 높이로 뒤정중선에서 가쪽으로 1.5치 되는 곳

BL 25 대장수

위 치 넷째허리뼈가시돌기 아래모서리와 같은 높이로 뒤정중선에서 가쪽으로 1.5치 되는 곳

BL 26 관원수

위 치 다섯째허리뼈극돌기 아래모서리와 같은 높이로 뒤정중선에서 1.5치 되는 곳

BL 27 소장수

위 치 첫째엉치뼈구멍과 같은 높이로 정중엉치뼈능선(正中薦骨稜)에서 가쪽으로 1.5치 되는 곳

손의 근육
Intrinsic Muscles of Hand

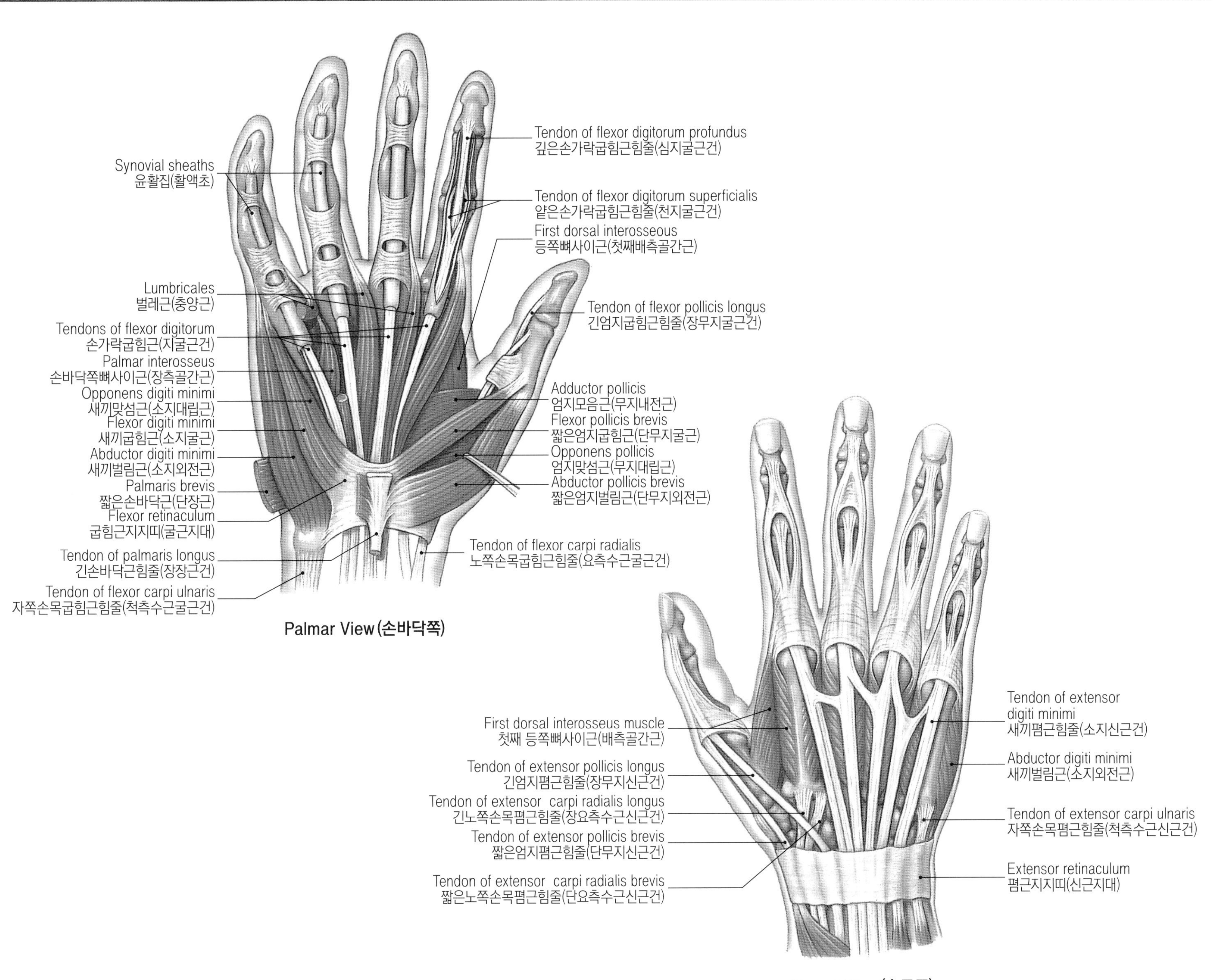

Tendon of flexor digitorum profundus
깊은손가락굽힘근힘줄(심지굴근건)
Synovial sheaths
윤활집(활액초)
Tendon of flexor digitorum superficialis
얕은손가락굽힘근힘줄(천지굴근건)
First dorsal interosseous
등쪽뼈사이근(첫째배측골간근)
Lumbricales
벌레근(충양근)
Tendon of flexor pollicis longus
긴엄지굽힘근힘줄(장무지굴근건)
Tendons of flexor digitorum
손가락굽힘근(지굴근건)
Palmar interosseus
손바닥쪽뼈사이근(장측골간근)
Opponens digiti minimi
새끼맞섬근(소지대립근)
Adductor pollicis
엄지모음근(무지내전근)
Flexor digiti minimi
새끼굽힘근(소지굴근)
Flexor pollicis brevis
짧은엄지굽힘근(단무지굴근)
Abductor digiti minimi
새끼벌림근(소지외전근)
Opponens pollicis
엄지맞섬근(무지대립근)
Palmaris brevis
짧은손바닥근(단장근)
Abductor pollicis brevis
짧은엄지벌림근(단무지외전근)
Flexor retinaculum
굽힘근지지띠(굴근지대)
Tendon of flexor carpi radialis
노쪽손목굽힘근힘줄(요측수근굴근건)
Tendon of palmaris longus
긴손바닥근힘줄(장장근건)
Tendon of flexor carpi ulnaris
자쪽손목굽힘근힘줄(척측수근굴근건)
Palmar View (손바닥쪽)
Tendon of extensor digiti minimi
새끼폄근힘줄(소지신근건)
First dorsal interosseus muscle
첫째 등쪽뼈사이근(배측골간근)
Abductor digiti minimi
새끼벌림근(소지외전근)
Tendon of extensor pollicis longus
긴엄지폄근힘줄(장무지신근건)
Tendon of extensor carpi radialis longus
긴노쪽손목폄근힘줄(장요측수근신근건)
Tendon of extensor carpi ulnaris
자쪽손목폄근힘줄(척측수근신근건)
Tendon of extensor pollicis brevis
짧은엄지폄근힘줄(단무지신근건)
Extensor retinaculum
폄근지지띠(신근지대)
Tendon of extensor carpi radialis brevis
짧은노쪽손목폄근힘줄(단요측수근신근건)
Dorsal View (손등쪽)

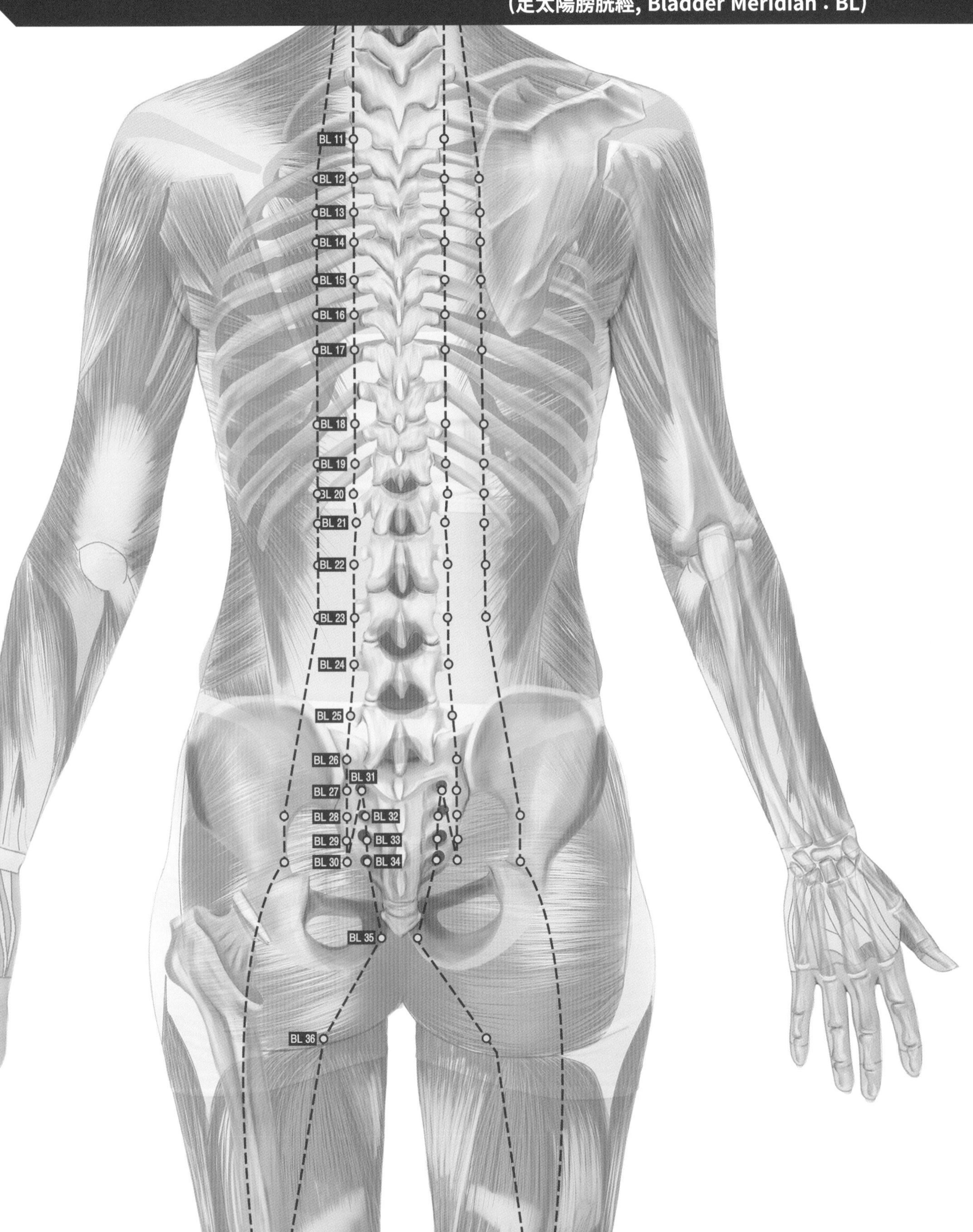

BL 11
BL 12
BL 13
BL 14
BL 15
BL 16
BL 17
BL 18
BL 19
BL 20
BL 21
BL 22
BL 23
BL 24
BL 25
BL 26
BL 31
BL 27
BL 28
BL 32
BL 29
BL 33
BL 30
BL 34
BL 35
BL 36

BL 28 방광수

위 치 둘째엉치뼈구멍과 같은 높이로 정중엉치뼈능선(正中薦骨稜)에서 가쪽으로 1.5치 되는 곳

BL 29 중려수

위 치 셋째엉치뼈구멍과 같은 높이로 정중엉치뼈능선(正中薦骨稜)에서 가쪽으로 1.5치 되는 곳

BL 30 백환수

위 치 넷째엉치뼈구멍과 같은 높이로 정중엉치뼈능선(正中薦骨稜)에서 가쪽으로 1.5치 되는 곳

BL 31 상료

위 치 첫째엉치뼈구멍(第1薦骨孔)

BL 32 차료

위 치 둘째엉치뼈구멍

BL 33 중료

위 치 셋째엉치뼈구멍

BL 34 하료

위 치 넷째엉치뼈구멍

BL 35 회양

위 치 꼬리뼈끝 뒤정중선에서 가쪽으로 0.5치 되는 곳

BL 36 승부

위 치 엉덩이주름의 중점

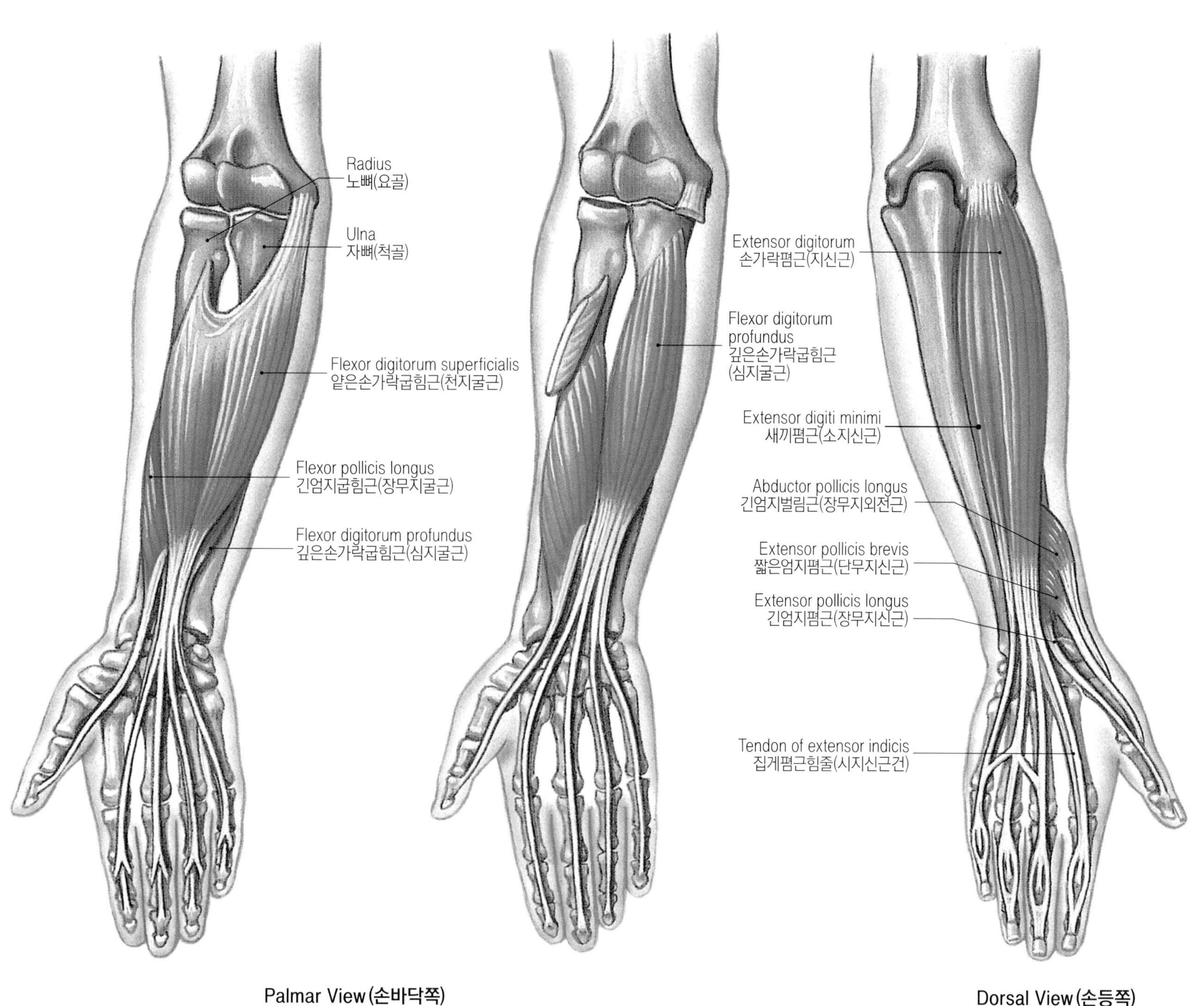

Radius
노뼈(요골)
Ulna
자뼈(척골)
Flexor digitorum superficialis
얕은손가락굽힘근(천지굴근)
Flexor pollicis longus
긴엄지굽힘근(장무지굴근)
Flexor digitorum profundus
깊은손가락굽힘근(심지굴근)
Flexor digitorum profundus
깊은손가락굽힘근
(심지굴근)
Extensor digitorum
손가락폄근(지신근)
Extensor digiti minimi
새끼폄근(소지신근)
Abductor pollicis longus
긴엄지벌림근(장무지외전근)
Extensor pollicis brevis
짧은엄지폄근(단무지신근)
Extensor pollicis longus
긴엄지폄근(장무지신근)
Tendon of extensor indicis
집게폄근힘줄(시지신근건)

Palmar View(손바닥쪽)

Dorsal View(손등쪽)

BL 37 은문

위 치 엉덩이주름에서 아래로 6치 되는 곳으로 넙다리두갈래근과 반힘줄근 사이

BL 38 부극

위 치 오금주름에서 위로 1치 되는 곳으로 넙다리두갈래근힘줄의 바로 안쪽

BL 39 위양

위 치 무릎 뒤가쪽의 오금주름에서 넙다리두갈래근힘줄 바로 안쪽

BL 40 위중

위 치 무릎 뒤쪽의 오금주름 정중앙

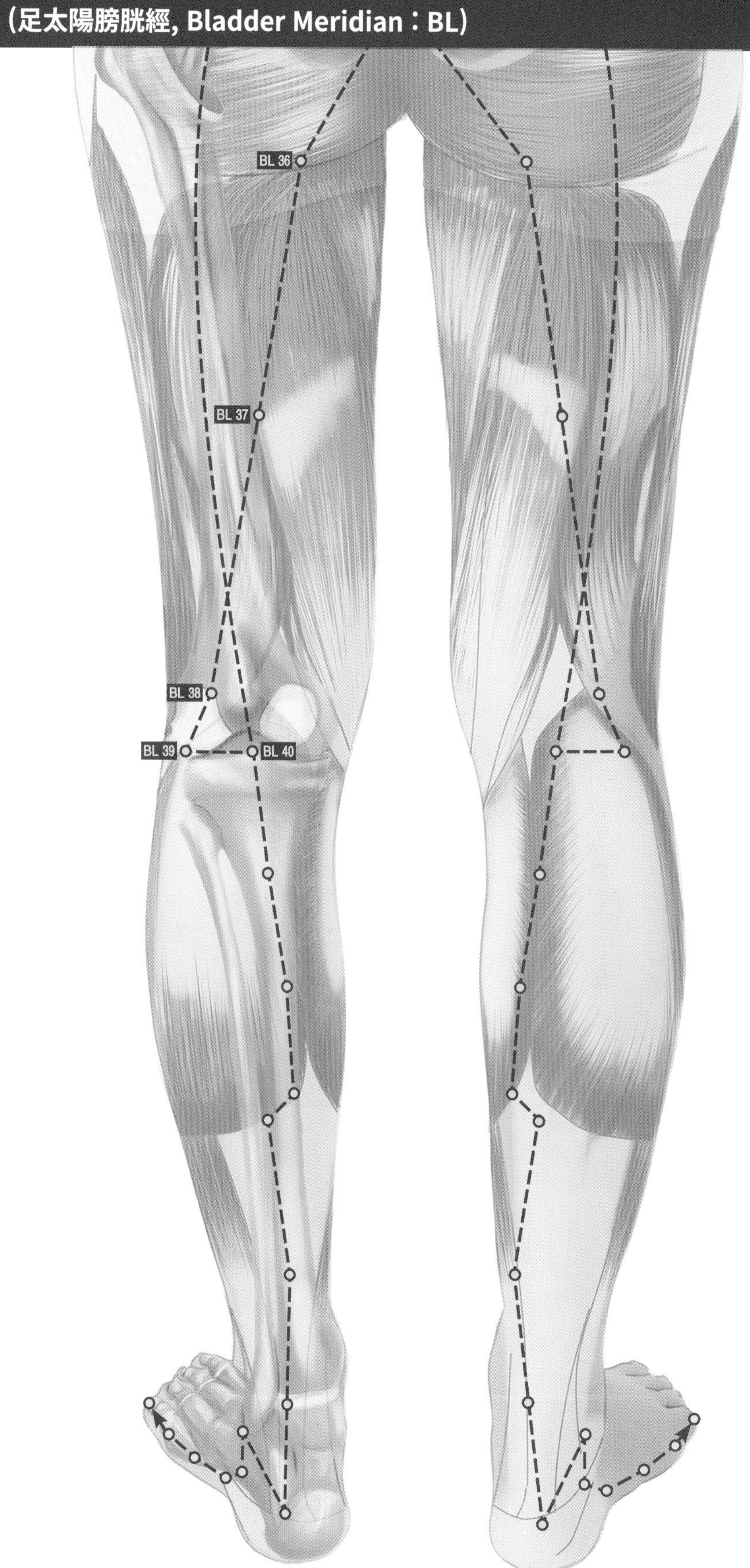
BL 36
BL 37
BL 38
BL 39
BL 40

아래팔과 손을 움직이는 근육

Muscles That Move Forearm and Hand

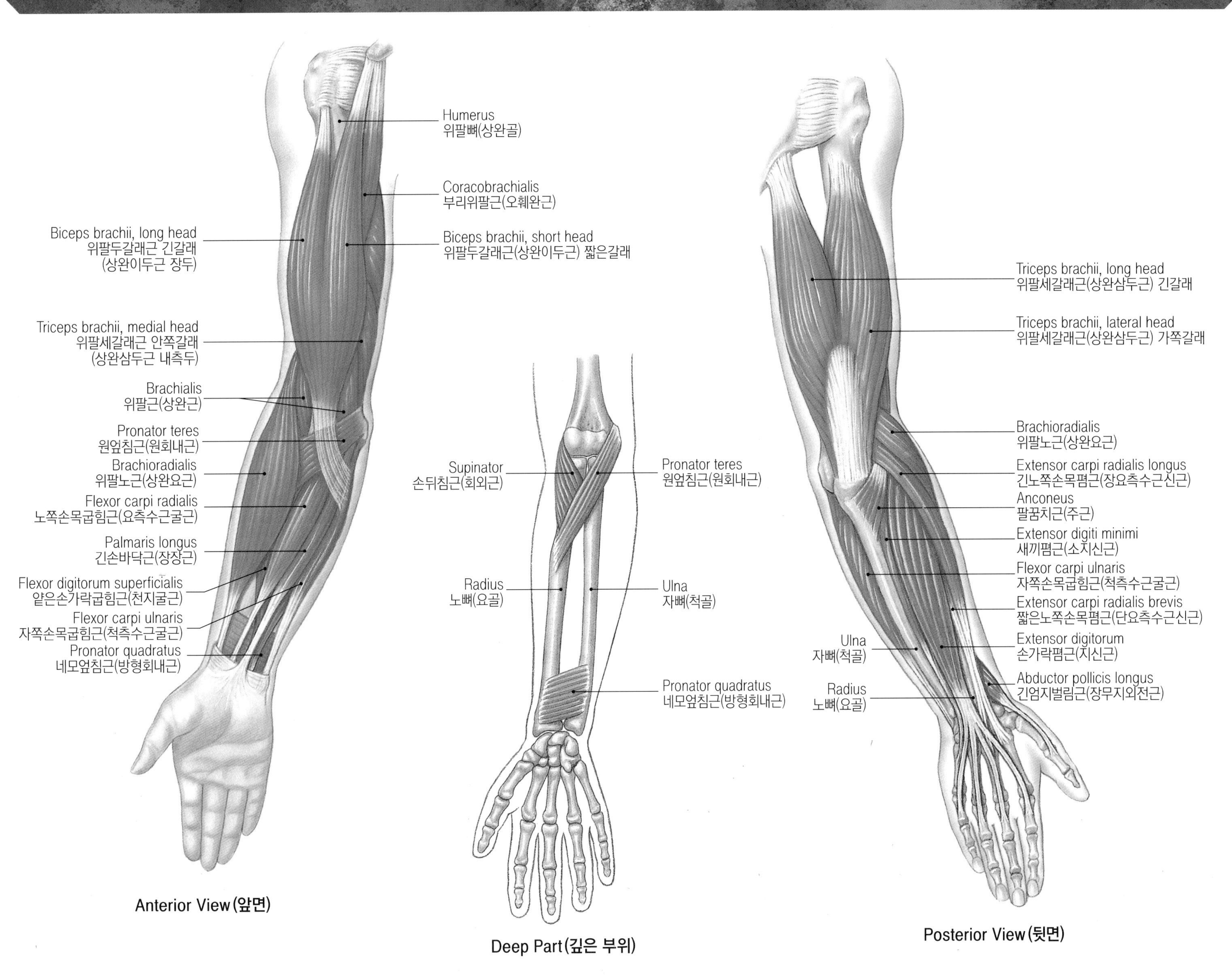

Humerus
위팔뼈(상완골)
Coracobrachialis
부리위팔근(오훼완근)
Biceps brachii, long head
위팔두갈래근 긴갈래
(상완이두근 장두)
Biceps brachii, short head
위팔두갈래근(상완이두근) 짧은갈래
Triceps brachii, medial head
위팔세갈래근 안쪽갈래
(상완삼두근 내측두)
Brachialis
위팔근(상완근)
Pronator teres
원엎침근(원회내근)
Brachioradialis
위팔노근(상완요근)
Flexor carpi radialis
노쪽손목굽힘근(요측수근굴근)
Palmaris longus
긴손바닥근(장장근)
Flexor digitorum superficialis
얕은손가락굽힘근(천지굴근)
Flexor carpi ulnaris
자쪽손목굽힘근(척측수근굴근)
Pronator quadratus
네모엎침근(방형회내근)
Anterior View(앞면)
Supinator
손뒤침근(회외근)
Pronator teres
원엎침근(원회내근)
Radius
노뼈(요골)
Ulna
자뼈(척골)
Pronator quadratus
네모엎침근(방형회내근)
Deep Part(깊은 부위)
Triceps brachii, long head
위팔세갈래근(상완삼두근) 긴갈래
Triceps brachii, lateral head
위팔세갈래근(상완삼두근) 가쪽갈래
Brachioradialis
위팔노근(상완요근)
Extensor carpi radialis longus
긴노쪽손목폄근(장요측수근신근)
Anconeus
팔꿈치근(주근)
Extensor digiti minimi
새끼폄근(소지신근)
Flexor carpi ulnaris
자쪽손목굽힘근(척측수근굴근)
Extensor carpi radialis brevis
짧은노쪽손목폄근(단요측수근신근)
Extensor digitorum
손가락폄근(지신근)
Ulna
자뼈(척골)
Abductor pollicis longus
긴엄지벌림근(장무지외전근)
Radius
노뼈(요골)
Posterior View(뒷면)

족태양방광경 6

(足太陽膀胱經, Bladder Meridian : BL)

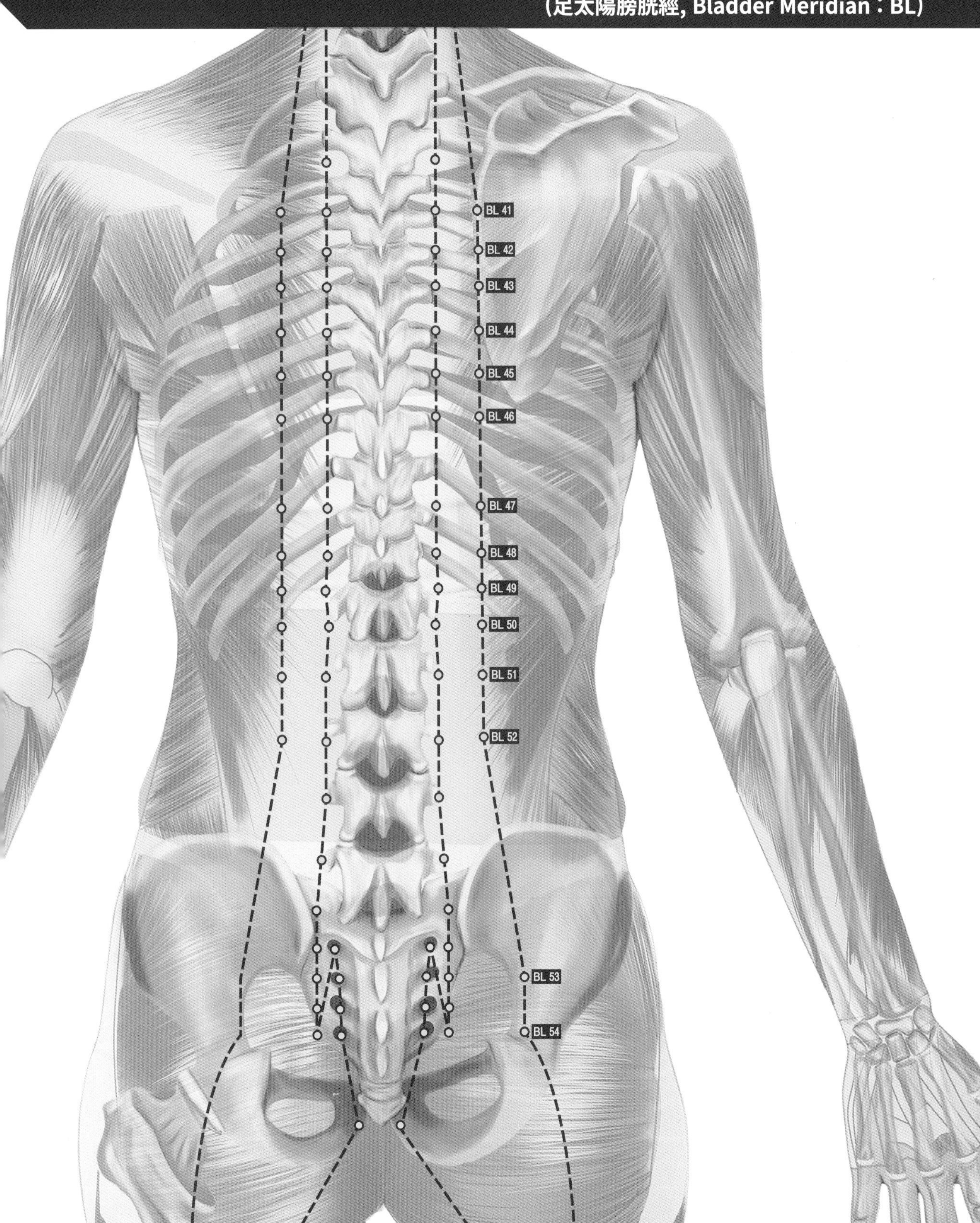

BL 41
BL 42
BL 43
BL 44
BL 45
BL 46
BL 47
BL 48
BL 49
BL 50
BL 51
BL 52
BL 53
BL 54

BL 41 부분

위 치 둘째등뼈가시돌기 아래모서리와 같은 높이로 뒤정중선에서 가쪽으로 3치 되는 곳

BL 42 백호

위 치 셋째등뼈가시돌기 아래모서리와 같은 높이로 뒤정중선에서 가쪽으로 3치 되는 곳

BL 43 고황

위 치 넷째등뼈가시돌기 아래모서리와 같은 높이로 뒤정중선에서 가쪽으로 3치 되는 곳

BL 44 신당

위 치 다섯째등뼈가시돌기 아래모서리와 같은 높이로 뒤정중선에서 가쪽으로 3치 되는 곳

BL 45 의희

위 치 여섯째등뼈가시돌기 아래모서리와 같은 높이로 뒤정중선에서 가쪽으로 3치 되는 곳

BL 46 격관

위 치 일곱째등뼈가시돌기 아래모서리와 같은 높이로 뒤정중선에서 가쪽으로 3치 되는 곳

BL 47 혼문

위 치 아홉째등뼈가시돌기 아래모서리와 같은 높이로 뒤정중선에서 가쪽으로 3치 되는 곳

BL 48 양강

위 치 열째등뼈가시돌기 아래모서리와 같은 높이로 뒤정중선에서 가쪽으로 3치 되는 곳

팔을 움직이는 근육
Muscles That Move Arm

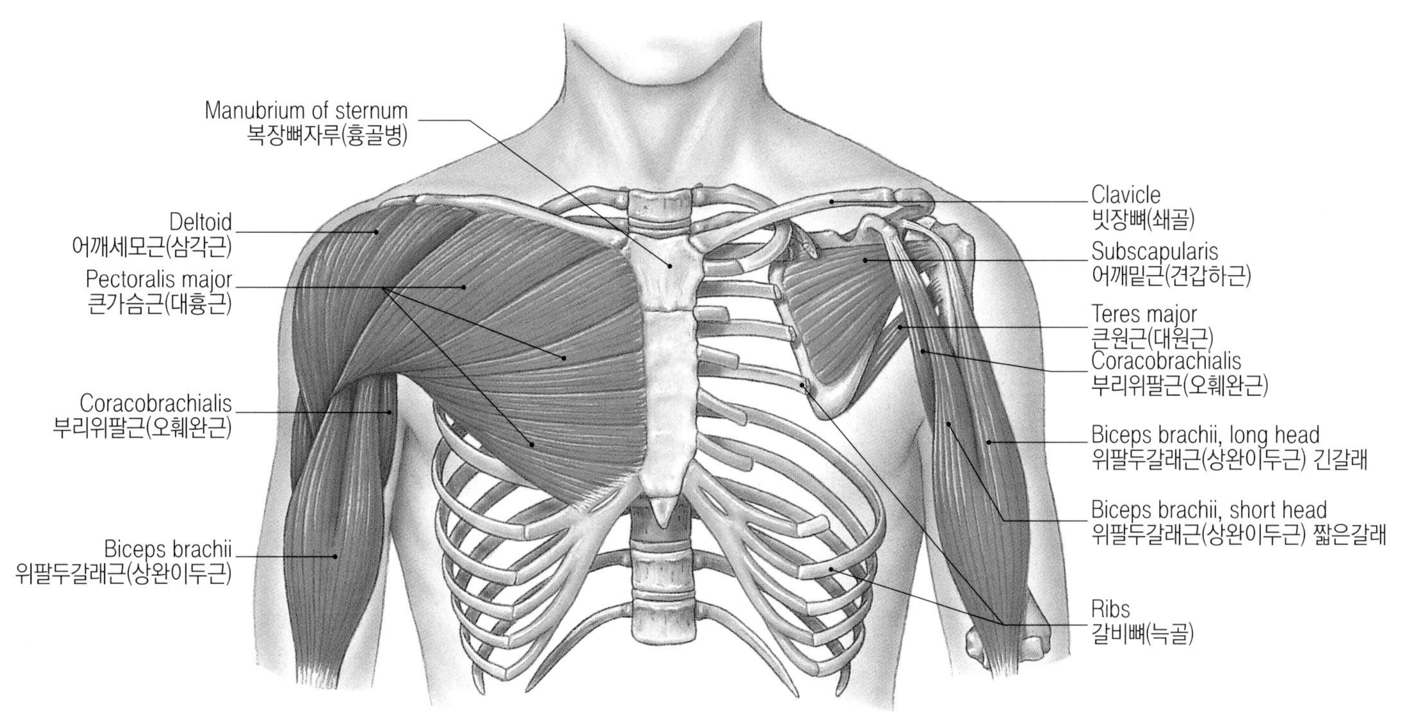

Manubrium of sternum
복장뼈자루(흉골병)
Deltoid
어깨세모근(삼각근)
Pectoralis major
큰가슴근(대흉근)
Coracobrachialis
부리위팔근(오훼완근)
Biceps brachii
위팔두갈래근(상완이두근)
Clavicle
빗장뼈(쇄골)
Subscapularis
어깨밑근(견갑하근)
Teres major
큰원근(대원근)
Coracobrachialis
부리위팔근(오훼완근)
Biceps brachii, long head
위팔두갈래근(상완이두근) 긴갈래
Biceps brachii, short head
위팔두갈래근(상완이두근) 짧은갈래
Ribs
갈비뼈(늑골)

Anterior View (앞면)

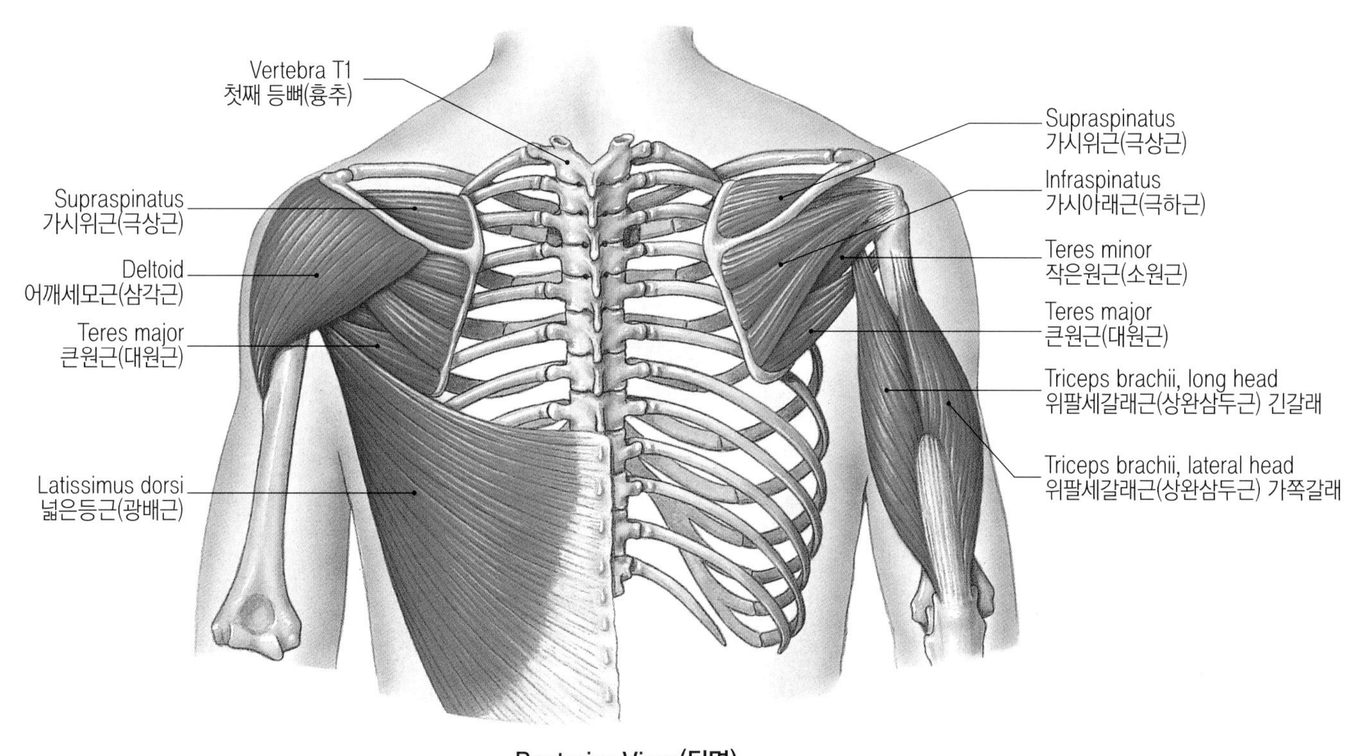

Vertebra T1
첫째 등뼈(흉추)
Supraspinatus
가시위근(극상근)
Deltoid
어깨세모근(삼각근)
Teres major
큰원근(대원근)
Latissimus dorsi
넓은등근(광배근)
Supraspinatus
가시위근(극상근)
Infraspinatus
가시아래근(극하근)
Teres minor
작은원근(소원근)
Teres major
큰원근(대원근)
Triceps brachii, long head
위팔세갈래근(상완삼두근) 긴갈래
Triceps brachii, lateral head
위팔세갈래근(상완삼두근) 가쪽갈래

Posterior View (뒷면)

BL 49 의사

위 치 열한째등뼈가시돌기 아래모서리와 같은 높이로 뒤정중선에서 가쪽으로 3치 되는 곳

BL 50 위창

위 치 열둘째등뼈가시돌기 아래모서리와 같은 높이로 뒤정중선에서 가쪽으로 3치 되는 곳

BL 51 황문

위 치 첫째허리뼈가시돌기 아래모서리와 같은 높이로 뒤정중선에서 가쪽으로 3치 되는 곳

BL 52 지실

위 치 둘째허리뼈가시돌기 아래모서리와 같은 높이로 뒤정중선에서 가쪽으로 3치 되는 곳

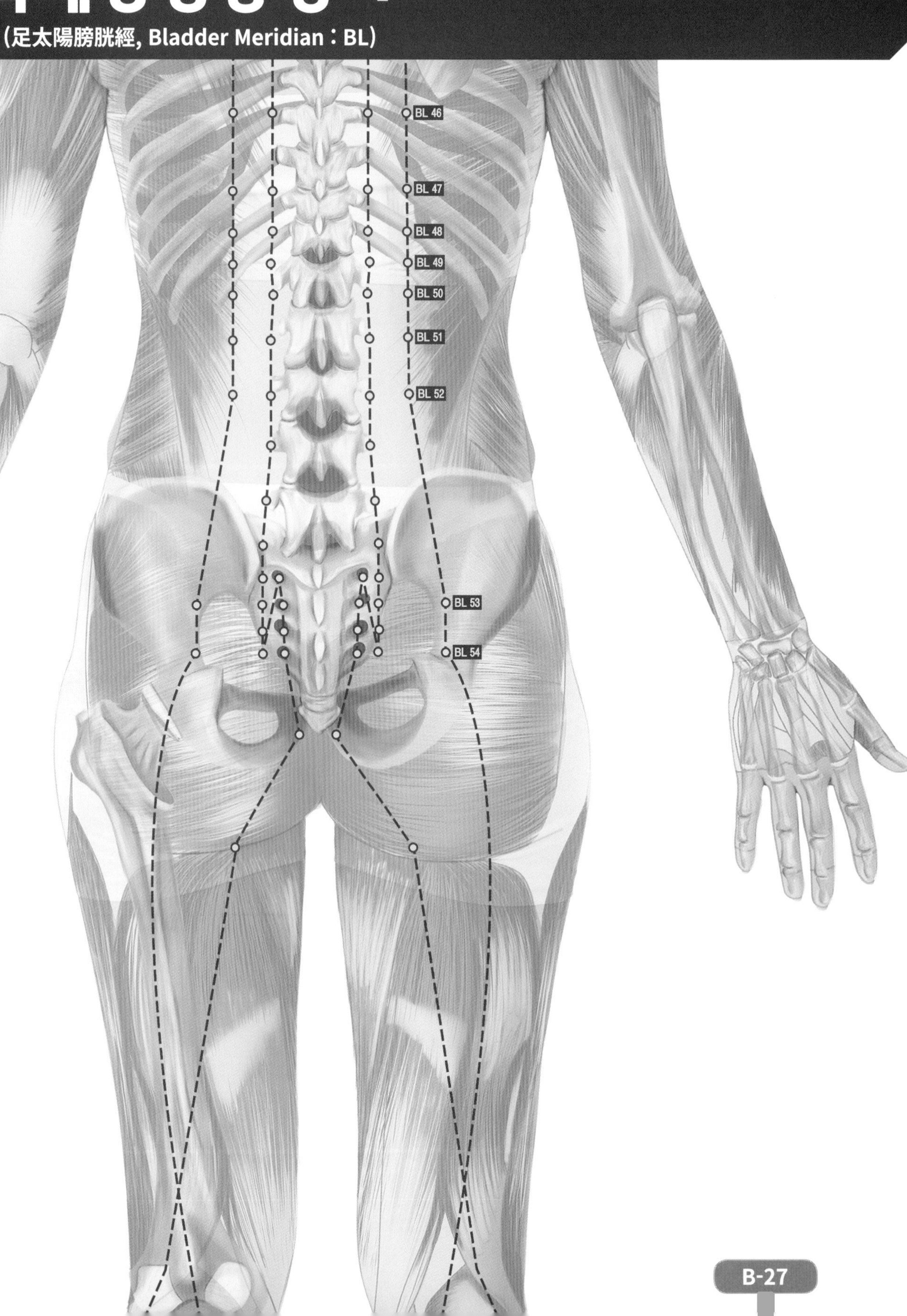

BL 46
BL 47
BL 48
BL 49
BL 50
BL 51
BL 52
BL 53
BL 54

BL 53 포황

위 치 둘째엉치뼈구멍과 같은 높이로 정중엉치뼈능선에서 가쪽으로 3치 되는 곳

BL 54 질변

위 치 넷째엉치뼈구멍과 같은 높이로 정중엉덩뼈능선에서 가쪽으로 3치 되는 곳

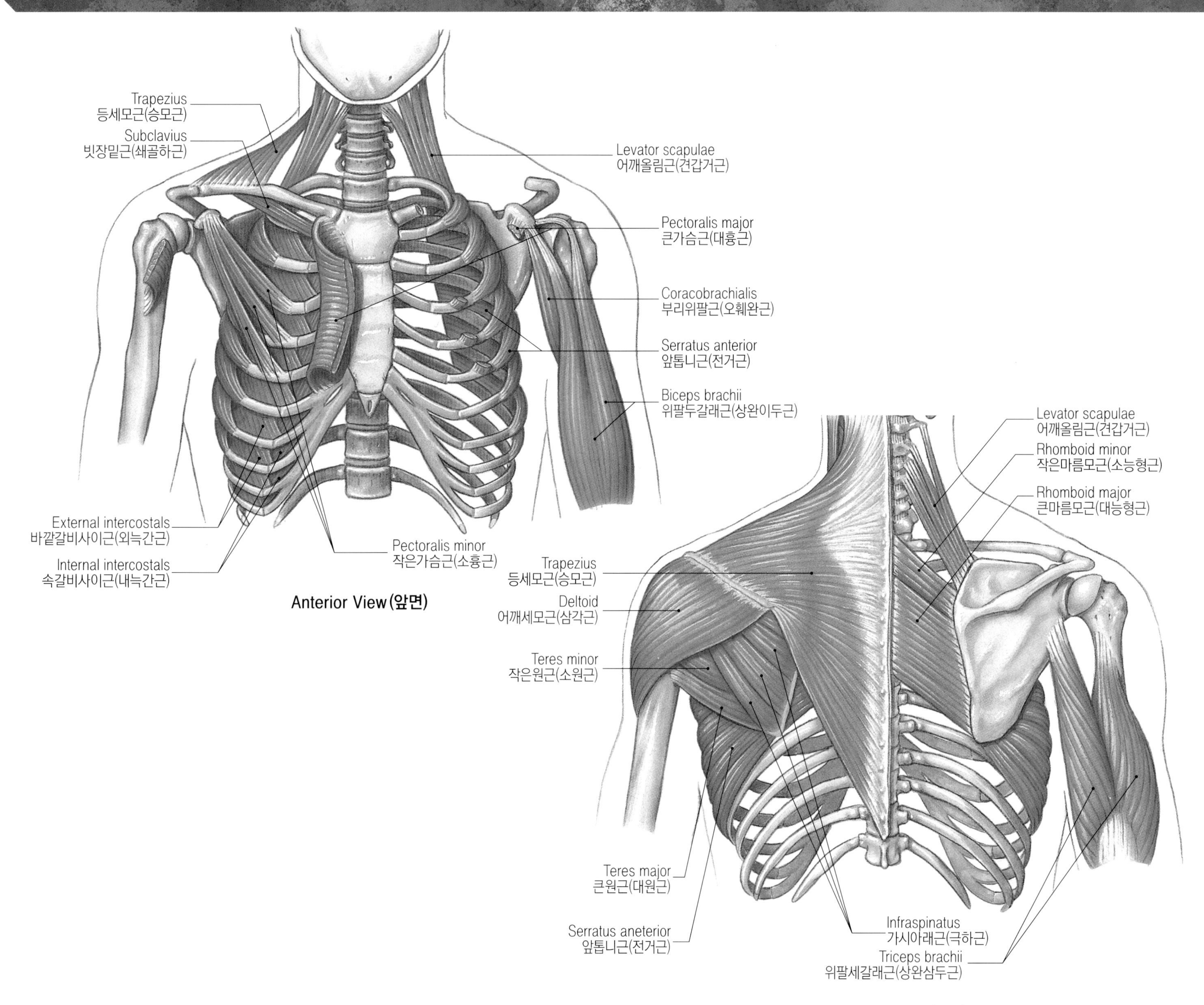

Trapezius
등세모근(승모근)
Subclavius
빗장밑근(쇄골하근)
Levator scapulae
어깨올림근(견갑거근)
Pectoralis major
큰가슴근(대흉근)
Coracobrachialis
부리위팔근(오훼완근)
Serratus anterior
앞톱니근(전거근)
Biceps brachii
위팔두갈래근(상완이두근)
External intercostals
바깥갈비사이근(외늑간근)
Internal intercostals
속갈비사이근(내늑간근)
Pectoralis minor
작은가슴근(소흉근)
Anterior View(앞면)
Levator scapulae
어깨올림근(견갑거근)
Rhomboid minor
작은마름모근(소능형근)
Rhomboid major
큰마름모근(대능형근)
Trapezius
등세모근(승모근)
Deltoid
어깨세모근(삼각근)
Teres minor
작은원근(소원근)
Teres major
큰원근(대원근)
Serratus aneterior
앞톱니근(전거근)
Infraspinatus
가시아래근(극하근)
Triceps brachii
위팔세갈래근(상완삼두근)
Posterior View(뒷면)

족태양방광경 8

(足太陽膀胱經, Bladder Meridian : BL)

BL 55 합양

위 치 장딴지근 가쪽갈래와 안쪽갈래 사이의 오금주름에서 수직 아래로 2치 되는 곳

BL 56 승근

위 치 장딴지근 힘살의 중앙으로 오금주름에서 아래로 5치 되는 곳

BL 57 승산

위 치 오금주름에서 먼쪽(아래쪽)으로 8치 되는 곳으로 아킬레스힘줄과 장딴지근의 힘줄이 만나는 곳

BL 58 비양

위 치 장딴지근 가쪽갈래의 아래모서리와 아킬레스힘줄 사이로 승산혈(BL 57)에서 아래 가쪽으로 1치 되는 곳

BL 59 부양

위 치 종아리뼈와 아킬레스힘줄 사이로 곤륜혈(BL 60)에서 위로 3치 되는 곳

BL 60 곤륜

위 치 가쪽복사융기와 아킬레스힘줄 사이의 오목부위

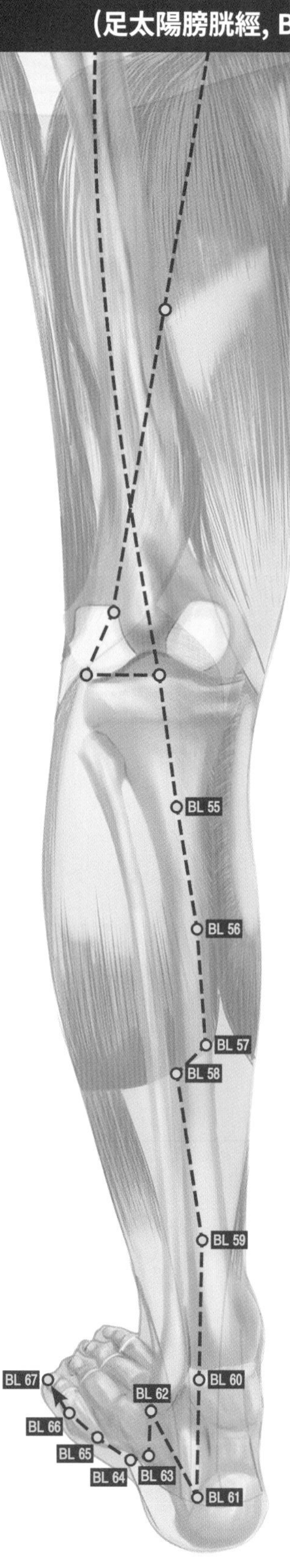

BL 55
BL 56
BL 57
BL 58
BL 59
BL 67
BL 62
BL 60
BL 66
BL 65
BL 64
BL 63
BL 61

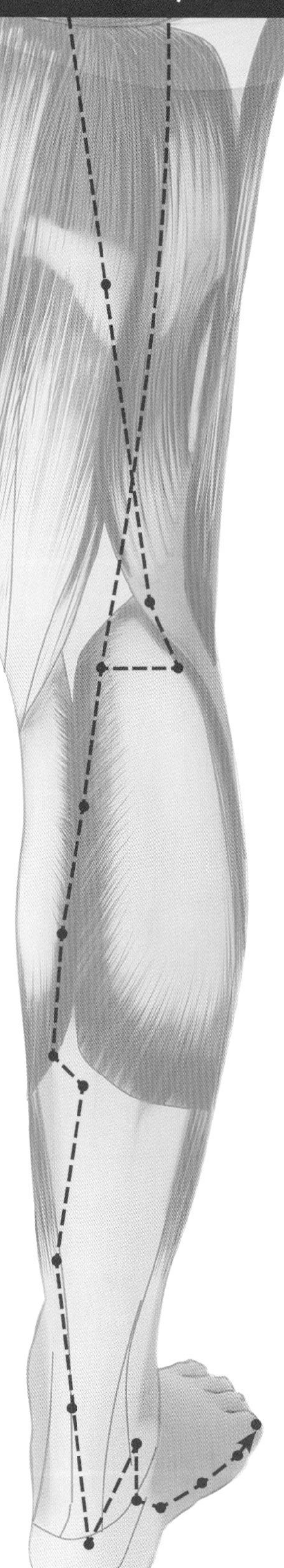

BL 61 복삼

위 치 발꿈치뼈 가쪽으로 발등과 발꿈치의 경계면

BL 62 신맥

위 치 가쪽복사융기의 수직 아래쪽으로 가쪽복사 아래모서리와 발꿈치뼈 사이의 오목부위

BL 63 금문

위 치 발의 가쪽면으로 가쪽복사 앞모서리의 아래쪽이고 다섯째발허리뼈거친면 뒤쪽으로 입방뼈 아래의 오목부위

BL 64 경골

위 치 발 가쪽면으로 다섯째발허리뼈거친면의 먼쪽 적백육제

BL 65 속골

위 치 발 가쪽면의 다섯째발허리발가락관절 몸쪽 오목부위의 적백육제

BL 66 족통곡

위 치 다섯째발허리발가락관절 아래가쪽의 오목부위(적백육제)

BL 67 지음

위 치 새끼발가락끝마디뼈의 가쪽으로 새끼발톱 가쪽모서리에서 몸쪽으로 0.1치 되는 곳

몸통의 근육
Muscles of Trunk

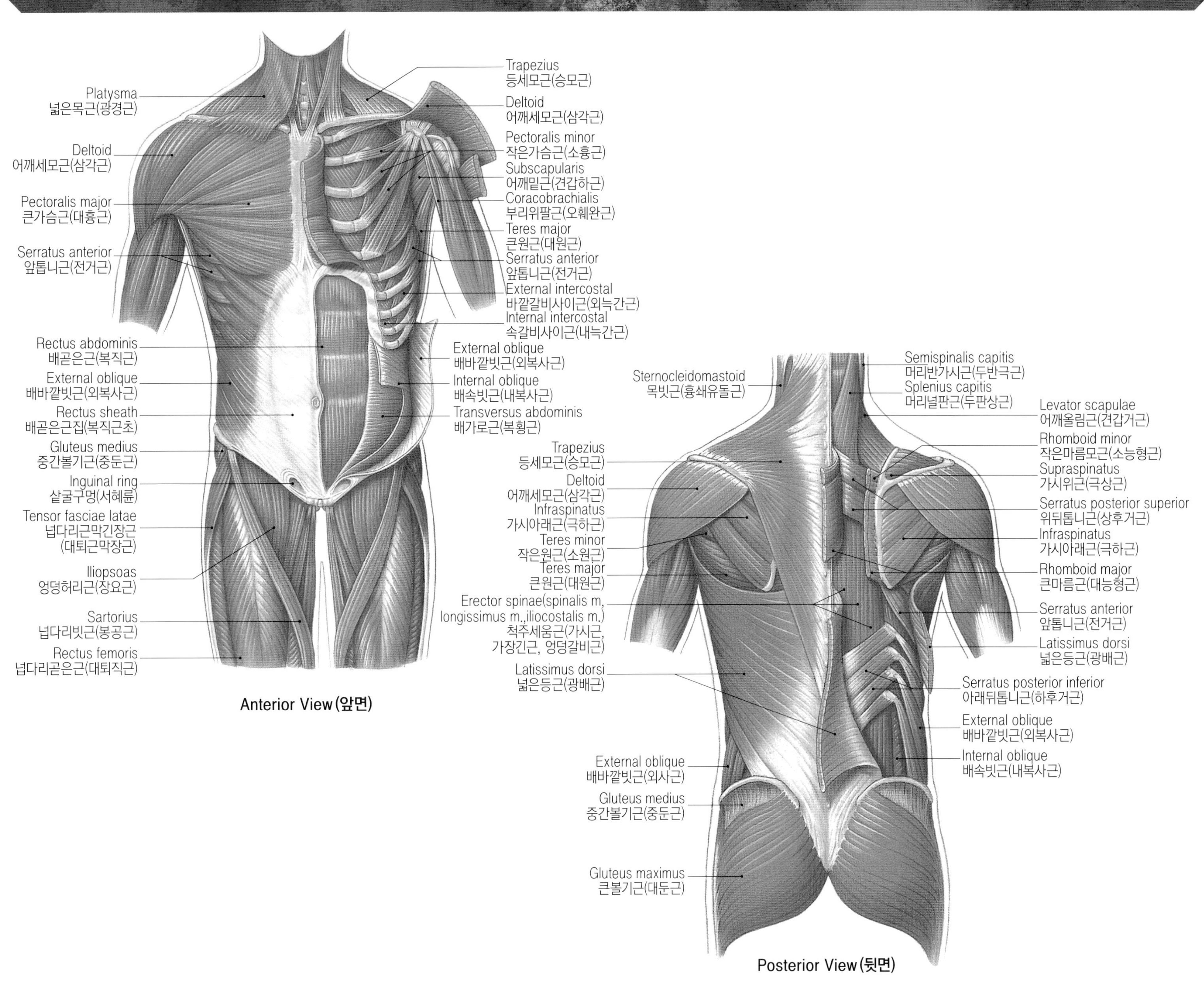
Trapezius
등세모근(승모근)
Platysma
넓은목근(광경근)
Deltoid
어깨세모근(삼각근)
Deltoid
어깨세모근(삼각근)
Pectoralis minor
작은가슴근(소흉근)
Subscapularis
어깨밑근(견갑하근)
Pectoralis major
큰가슴근(대흉근)
Coracobrachialis
부리위팔근(오훼완근)
Teres major
큰원근(대원근)
Serratus anterior
앞톱니근(전거근)
Serratus anterior
앞톱니근(전거근)
External intercostal
바깥갈비사이근(외늑간근)
Internal intercostal
속갈비사이근(내늑간근)
Rectus abdominis
배곧은근(복직근)
External oblique
배바깥빗근(외복사근)
External oblique
배바깥빗근(외복사근)
Internal oblique
배속빗근(내복사근)
Rectus sheath
배곧은근집(복직근초)
Transversus abdominis
배가로근(복횡근)
Gluteus medius
중간볼기근(중둔근)
Inguinal ring
샅굴구멍(서혜륜)
Tensor fasciae latae
넙다리근막긴장근
(대퇴근막장근)
Iliopsoas
엉덩허리근(장요근)
Sartorius
넙다리빗근(봉공근)
Rectus femoris
넙다리곧은근(대퇴직근)
Semispinalis capitis
머리반가시근(두반극근)
Sternocleidomastoid
목빗근(흉쇄유돌근)
Splenius capitis
머리널판근(두판상근)
Levator scapulae
어깨올림근(견갑거근)
Rhomboid minor
작은마름모근(소능형근)
Trapezius
등세모근(승모근)
Supraspinatus
가시위근(극상근)
Deltoid
어깨세모근(삼각근)
Serratus posterior superior
위뒤톱니근(상후거근)
Infraspinatus
가시아래근(극하근)
Infraspinatus
가시아래근(극하근)
Teres minor
작은원근(소원근)
Teres major
큰원근(대원근)
Rhomboid major
큰마름근(대능형근)
Erector spinae(spinalis m,
longissimus m.,iliocostalis m.)
척주세움근(가시근,
가장긴근, 엉덩갈비근)
Serratus anterior
앞톱니근(전거근)
Latissimus dorsi
넓은등근(광배근)
Latissimus dorsi
넓은등근(광배근)
Serratus posterior inferior
아래뒤톱니근(하후거근)
External oblique
배바깥빗근(외복사근)
External oblique
배바깥빗근(외사근)
Internal oblique
배속빗근(내복사근)
Gluteus medius
중간볼기근(중둔근)
Gluteus maximus
큰볼기근(대둔근)

Anterior View(앞면)

Posterior View(뒷면)

족소음신경 1

(足少陰腎經, Kidney Meridian : KI)

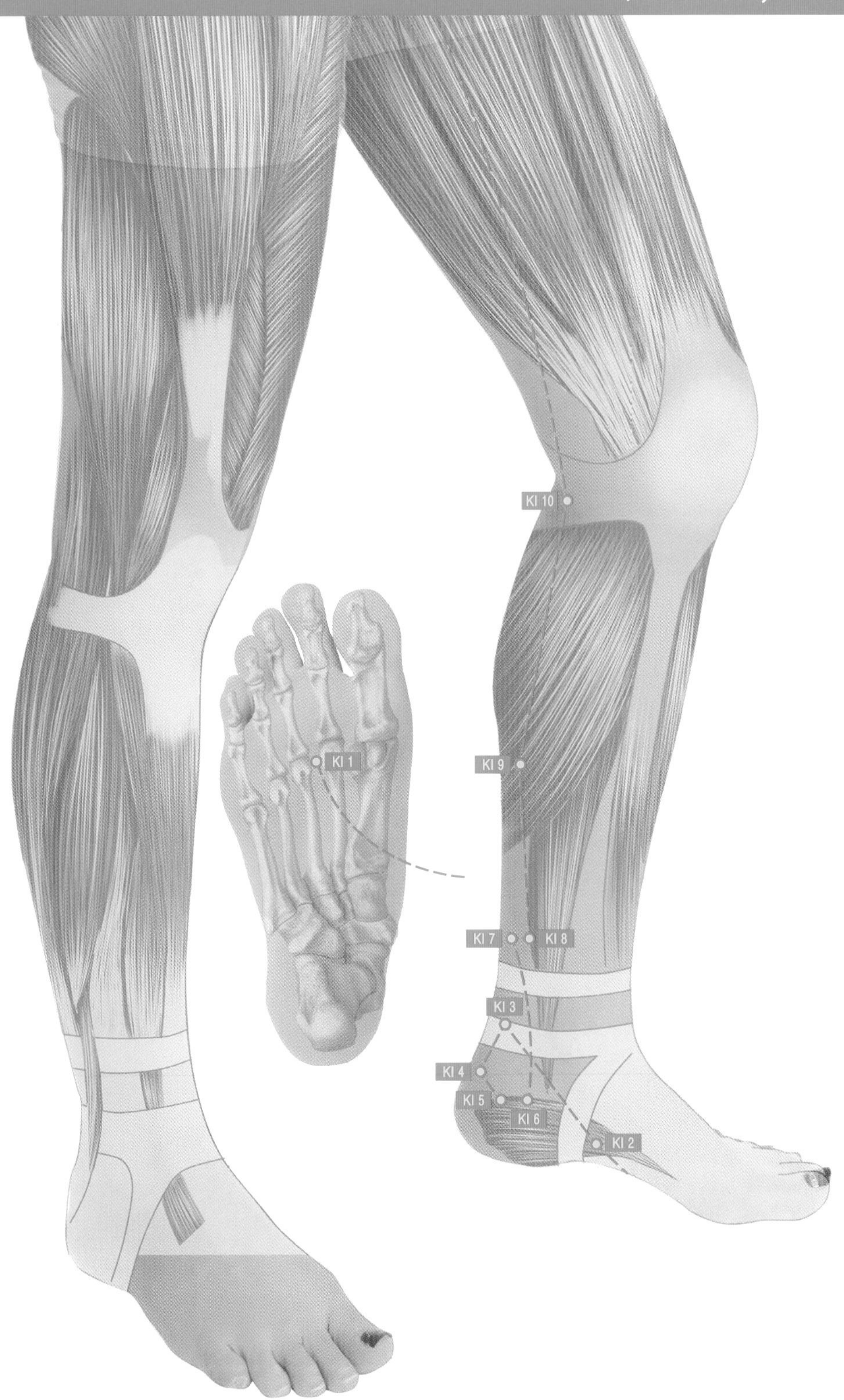

KI 10
KI 1
KI 9
KI 7
KI 8
KI 3
KI 4
KI 5
KI 6
KI 2

족소음신경은 족태양방광경의 맥기(脈氣)를 받아 새끼발가락 밑에서 시작하여 대각선의 발바닥중앙부(용천혈)를 주행하여 발배뼈 거친면(주상골 조면) 아래로 나와 안쪽복사의 뒤쪽(태계혈)을 돌아 지맥(支脈)이 나누어진다. 지맥은 발목부위(족근부)에서 상행하여 종아리 뒤안쪽을 지나 무릎 안쪽으로 나와 넙다리 뒤안쪽으로 오른다. 몸통으로 오면 배(복부)에서는 앞정중선에서 가쪽으로 0.5치 되는 곳, 가슴에서는 앞정중선에서 가쪽으로 2치 되는 곳을 지나 본경과 합류한다.

본경은 넙다리 뒤안쪽에 깊은부위(심부)로 들어가 위쪽으로 가서 척주를 통과하여 신에 속하고, 방광에 낙(絡)한다. 신에서 위쪽으로 가서 간과 가로막(횡격막)을 통과하여 폐로 들어가 기관을 따라 상행하고, 혀뿌리(설근)를 사이에 두고 끝난다.

가슴에서 나누어진 지맥은 가슴 속에서 수궐음심포경에 이어진다.

KI 1 용천

위 치 발바닥에서 가장 오목한 곳

KI 2 연곡

위 치 발 안쪽면의 안쪽복사 앞아래쪽으로 발배뼈거친면(舟狀骨粗面) 아래 오목부위의 적백육제

KI 3 태계

위 치 발 안쪽면의 안쪽복사융기와 아킬레스힘줄 사이의 오목부위

KI 4 태종

위 치 발 안쪽면의 안쪽복사 뒤아래쪽으로 발꿈치뼈 위쪽, 아킬레스힘줄 안쪽부착점 앞의 오목부위

KI 5 수천

위 치 발 안쪽면의 안쪽복사 뒤아래쪽으로 복사융기 앞쪽의 오목부위

KI 6 조해

위 치 발 안쪽면의 안쪽복사융기에서 아래로 1치 되는 오목부위

KI 7 복류

위 치 종아리 뒤안쪽면의 아킬레스힘줄 앞안쪽의 복사융기에서 위로 2치 되는 곳

KI 8 교신

위 치 정강뼈 안쪽모서리 뒤쪽이고 안쪽복사융기에서 위로 2치 되는 오목부위

KI 9 축빈

위 치 종아리 뒤안쪽면의 가자미근과 아킬레스힘줄 사이로 안쪽복사융기에서 위로 5치 되는 곳

KI 10 음곡

위 치 무릎 뒤안쪽의 오금주름 위쪽 반힘줄근힘줄의 가쪽(종아리뼈쪽)

척주의 근육
Muscles of Spine

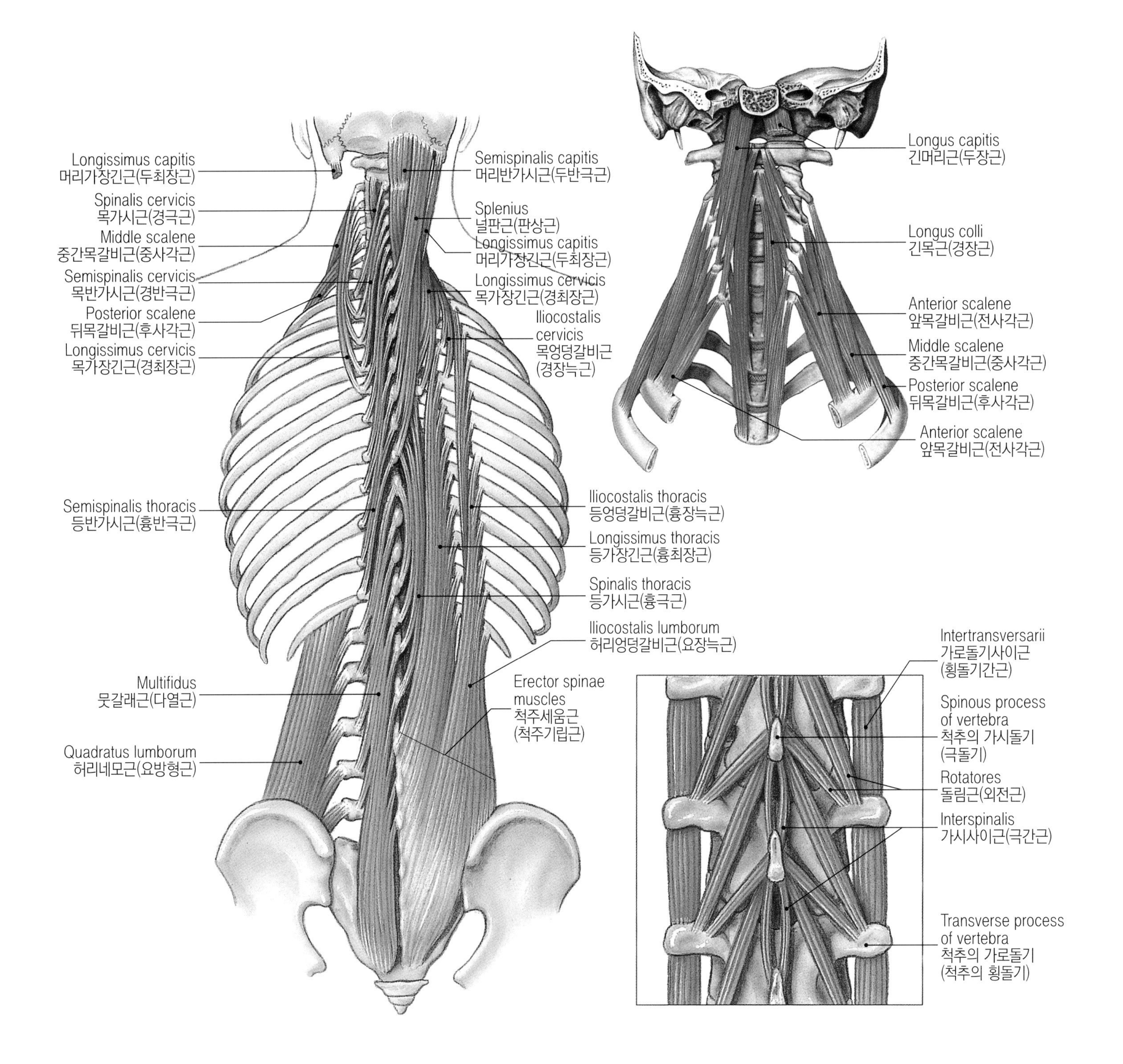

Longissimus capitis
머리가장긴근(두최장근)
Spinalis cervicis
목가시근(경극근)
Middle scalene
중간목갈비근(중사각근)
Semispinalis cervicis
목반가시근(경반극근)
Posterior scalene
뒤목갈비근(후사각근)
Longissimus cervicis
목가장긴근(경최장근)
Semispinalis capitis
머리반가시근(두반극근)
Splenius
널판근(판상근)
Longissimus capitis
머리가장긴근(두최장근)
Longissimus cervicis
목가장긴근(경최장근)
Iliocostalis cervicis
목엉덩갈비근
(경장늑근)
Semispinalis thoracis
등반가시근(흉반극근)
Iliocostalis thoracis
등엉덩갈비근(흉장늑근)
Longissimus thoracis
등가장긴근(흉최장근)
Spinalis thoracis
등가시근(흉극근)
Iliocostalis lumborum
허리엉덩갈비근(요장늑근)
Multifidus
뭇갈래근(다열근)
Erector spinae
muscles
척주세움근
(척주기립근)
Quadratus lumborum
허리네모근(요방형근)
Longus capitis
긴머리근(두장근)
Longus colli
긴목근(경장근)
Anterior scalene
앞목갈비근(전사각근)
Middle scalene
중간목갈비근(중사각근)
Posterior scalene
뒤목갈비근(후사각근)
Anterior scalene
앞목갈비근(전사각근)
Intertransversarii
가로돌기사이근
(횡돌기간근)
Spinous process
of vertebra
척추의 가시돌기
(극돌기)
Rotatores
돌림근(외전근)
Interspinalis
가시사이근(극간근)
Transverse process
of vertebra
척추의 가로돌기
(척추의 횡돌기)

족소음신경 2

(足少陰腎經, Kidney Meridian : KI)

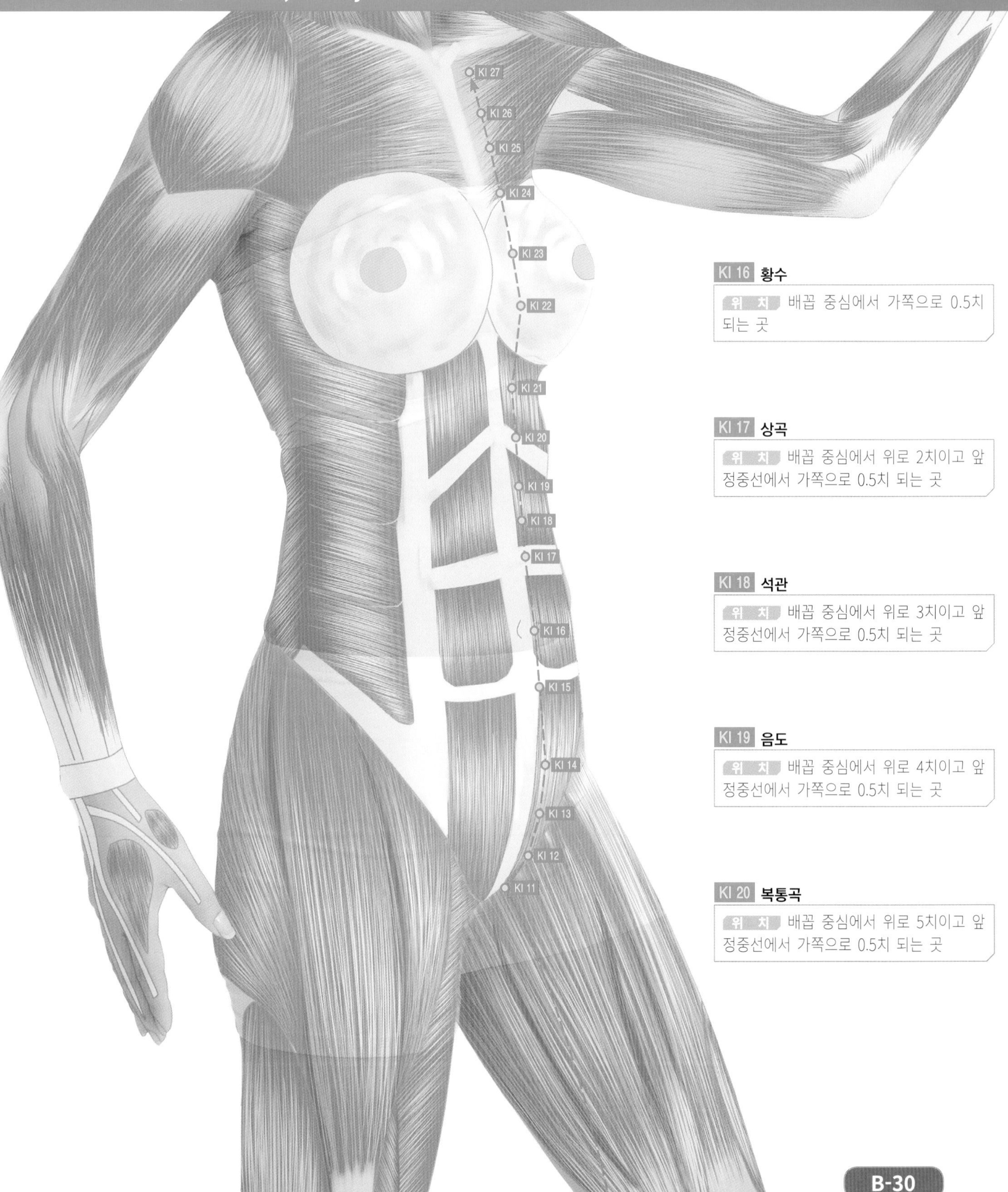
KI 27
KI 26
KI 25
KI 24
KI 23
KI 22
KI 21
KI 20
KI 19
KI 18
KI 17
KI 16
KI 15
KI 14
KI 13
KI 12
KI 11

KI 11 횡골

위 치 배꼽 중심에서 아래로 5치이고 앞정중선에서 가쪽으로 0.5치 되는 곳

KI 12 대혁

위 치 배꼽 중심에서 아래로 4치이고 앞정중선에서 가쪽으로 0.5치 되는 곳

KI 13 기혈

위 치 배꼽 중심에서 아래로 3치이고 앞정중선에서 가쪽으로 0.5치 되는 곳

KI 14 사만

위 치 배꼽 중심에서 아래로 2치이고 앞정중선에서 가쪽으로 0.5치 되는 곳

KI 15 중주

위 치 배꼽 중심에서 아래로 1치이고 앞정중선에서 가쪽으로 0.5치 되는 곳

KI 16 황수

위 치 배꼽 중심에서 가쪽으로 0.5치 되는 곳

KI 17 상곡

위 치 배꼽 중심에서 위로 2치이고 앞정중선에서 가쪽으로 0.5치 되는 곳

KI 18 석관

위 치 배꼽 중심에서 위로 3치이고 앞정중선에서 가쪽으로 0.5치 되는 곳

KI 19 음도

위 치 배꼽 중심에서 위로 4치이고 앞정중선에서 가쪽으로 0.5치 되는 곳

KI 20 복통곡

위 치 배꼽 중심에서 위로 5치이고 앞정중선에서 가쪽으로 0.5치 되는 곳

목 앞쪽의 근육
Anterior Muscles of Neck

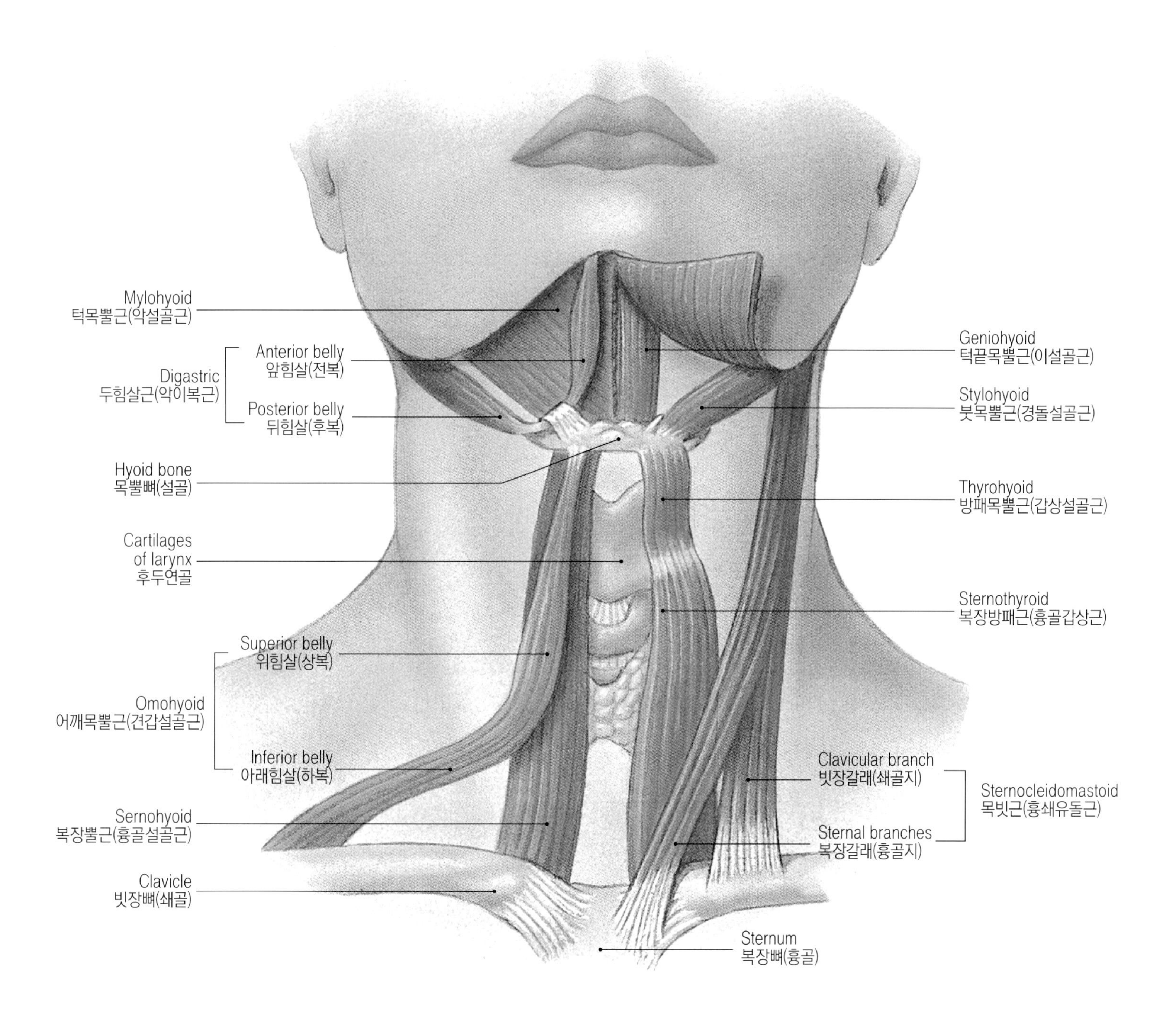
Mylohyoid
턱목뿔근(악설골근)
Anterior belly
앞힘살(전복)
Digastric
두힘살근(악이복근)
Posterior belly
뒤힘살(후복)
Hyoid bone
목뿔뼈(설골)
Cartilages
of larynx
후두연골
Superior belly
위힘살(상복)
Omohyoid
어깨목뿔근(견갑설골근)
Inferior belly
아래힘살(하복)
Sernohyoid
복장뿔근(흉골설골근)
Clavicle
빗장뼈(쇄골)
Geniohyoid
턱끝목뿔근(이설골근)
Stylohyoid
붓목뿔근(경돌설골근)
Thyrohyoid
방패목뿔근(갑상설골근)
Sternothyroid
복장방패근(흉골갑상근)
Clavicular branch
빗장갈래(쇄골지)
Sternocleidomastoid
목빗근(흉쇄유돌근)
Sternal branches
복장갈래(흉골지)
Sternum
복장뼈(흉골)

족소음신경 3

(足少陰腎經, Kidney Meridian : KI)

KI 21 유문

위 치 배꼽 중심에서 위로 6치이고 앞정중선에서 가쪽으로 0.5치 되는 곳

KI 22 보랑

위 치 앞정중선에서 가쪽으로 2치 되는 곳으로 앞가슴부위의 다섯째갈비사이공간

KI 23 신봉

위 치 앞정중선에서 가쪽으로 2치 되는 곳으로 앞가슴부위의 넷째갈비사이공간

KI 24 영허

위 치 앞정중선에서 가쪽으로 2치 되는 곳으로 앞가슴부위의 셋째갈비사이공간

KI 25 신장

위 치 앞정중선에서 가쪽으로 2치 되는 곳으로 앞가슴부위의 둘째갈비사이공간

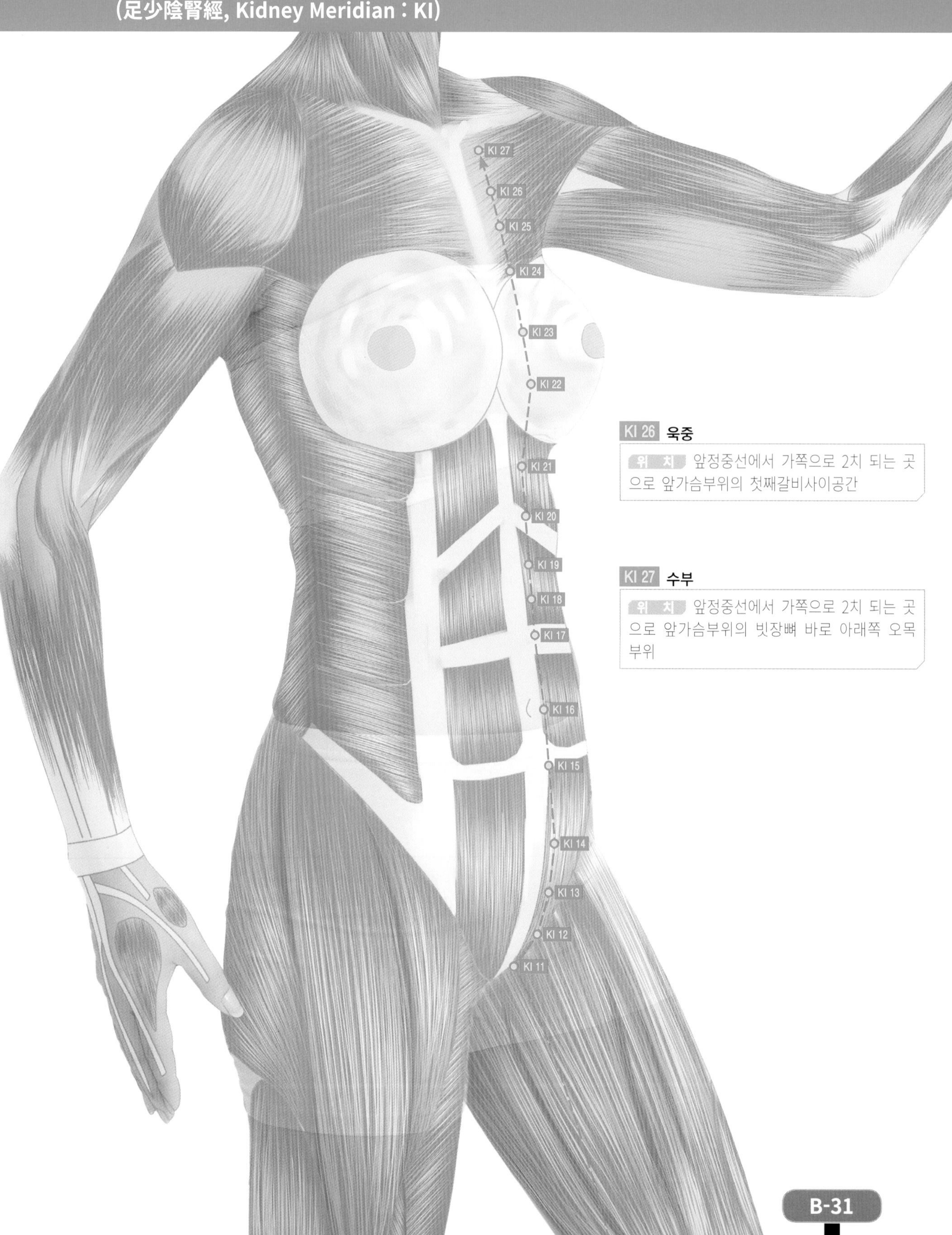
KI 27
KI 26
KI 25
KI 24
KI 23
KI 22
KI 21
KI 20
KI 19
KI 18
KI 17
KI 16
KI 15
KI 14
KI 13
KI 12
KI 11

KI 26 욱중

위 치 앞정중선에서 가쪽으로 2치 되는 곳으로 앞가슴부위의 첫째갈비사이공간

KI 27 수부

위 치 앞정중선에서 가쪽으로 2치 되는 곳으로 앞가슴부위의 빗장뼈 바로 아래쪽 오목부위

씹기근육과 혀·인두의 근육

Muscles of Mastication, Tongue and Pharynx

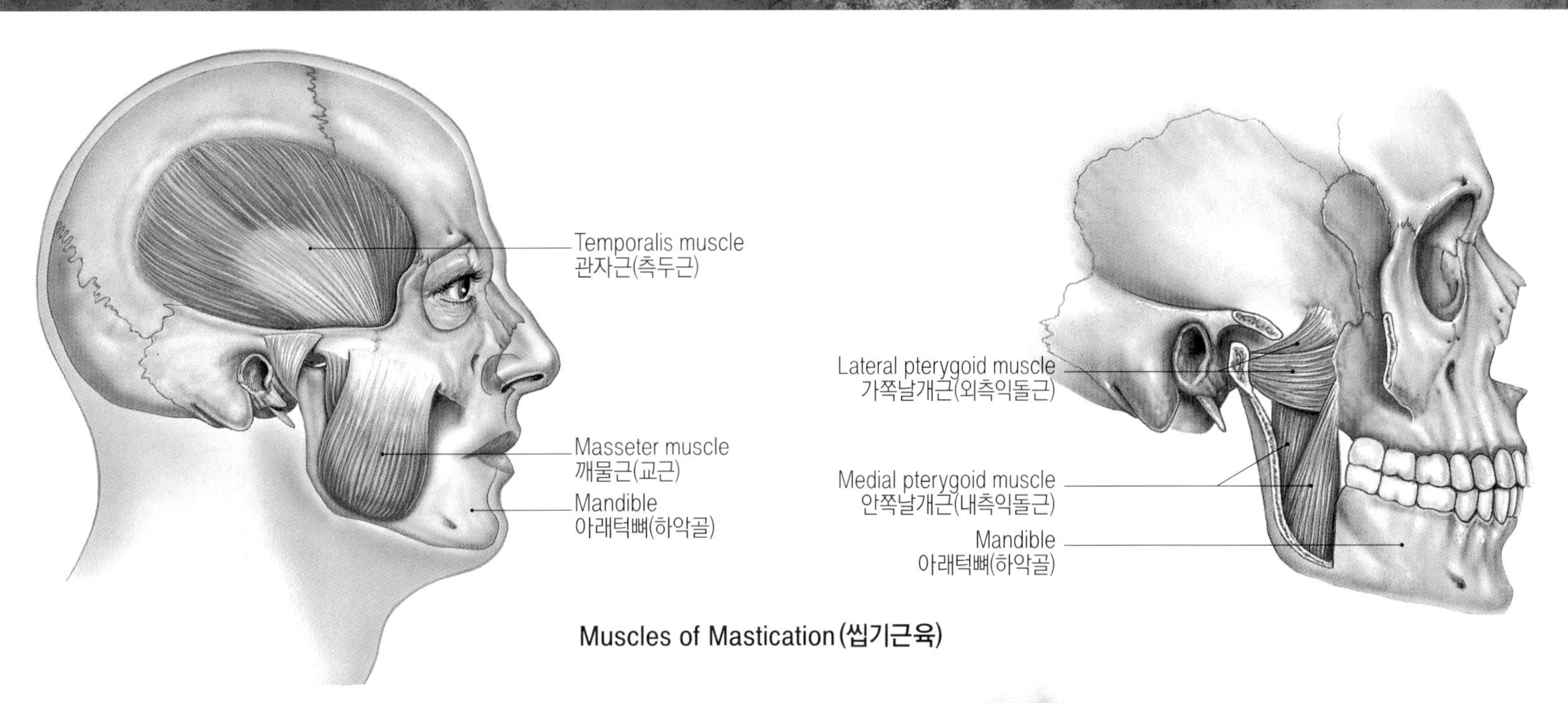
Temporalis muscle
관자근(측두근)
Masseter muscle
깨물근(교근)
Mandible
아래턱뼈(하악골)
Lateral pterygoid muscle
가쪽날개근(외측익돌근)
Medial pterygoid muscle
안쪽날개근(내측익돌근)
Mandible
아래턱뼈(하악골)

Muscles of Mastication(씹기근육)

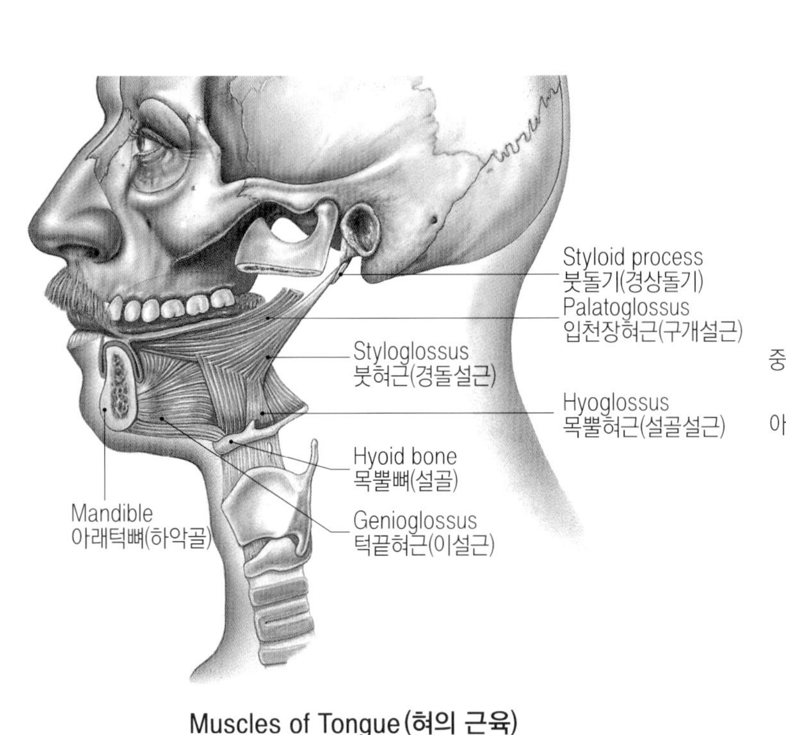
Styloid process
붓돌기(경상돌기)
Palatoglossus
입천장혀근(구개설근)
Styloglossus
붓혀근(경돌설근)
Hyoglossus
목뿔혀근(설골설근)
Hyoid bone
목뿔뼈(설골)
Genioglossus
턱끝혀근(이설근)
Mandible
아래턱뼈(하악골)

Muscles of Tongue(혀의 근육)

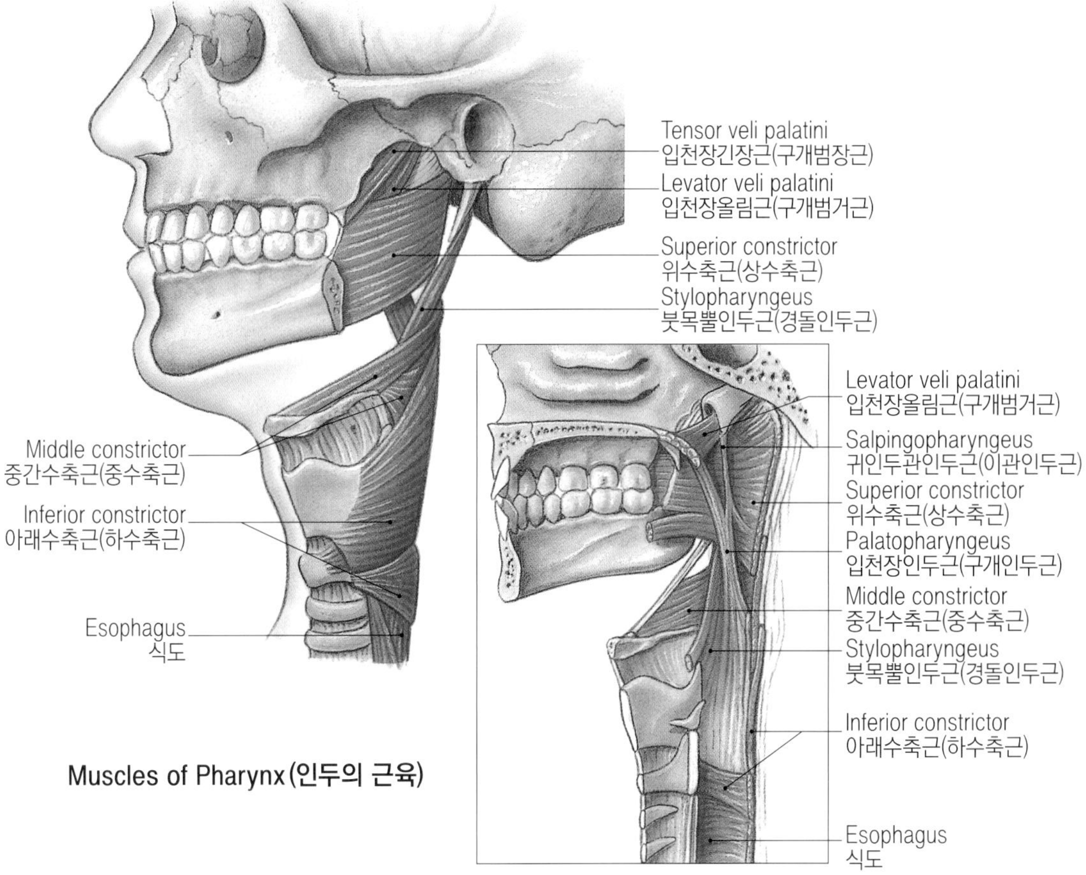
Tensor veli palatini
입천장긴장근(구개범장근)
Levator veli palatini
입천장올림근(구개범거근)
Superior constrictor
위수축근(상수축근)
Stylopharyngeus
붓목뿔인두근(경돌인두근)
Middle constrictor
중간수축근(중수축근)
Inferior constrictor
아래수축근(하수축근)
Esophagus
식도
Levator veli palatini
입천장올림근(구개범거근)
Salpingopharyngeus
귀인두관인두근(이관인두근)
Superior constrictor
위수축근(상수축근)
Palatopharyngeus
입천장인두근(구개인두근)
Middle constrictor
중간수축근(중수축근)
Stylopharyngeus
붓목뿔인두근(경돌인두근)
Inferior constrictor
아래수축근(하수축근)
Esophagus
식도

Muscles of Pharynx(인두의 근육)

수궐음심포경

(手厥陰心包經, Pericardium Meridian : PC)

수궐음심포경은 족소음신경의 맥기(脈氣)를 받아 가슴 속에서 시작한다. 심포(心包)에 속하고, 아래로 내려가 가로막을 관통하여 삼초(상초·중초·하초)에 낙(絡)한다. 그 지맥은 가슴 속(천지혈)을 돌아 겨드랑이에서 피부 가까이로 나온다. 위팔 아랫면→팔오금(곡택혈)→아래팔 앞면(극문혈, 간사혈, 내관혈)→손바닥(노궁혈)을 지나 셋째손가락 앞쪽끝(중충혈)에서 끝난다.

손바닥 중앙에서 나누어진 지맥(支脈)은 넷째손가락 앞쪽끝에 도달하여 수소양삼초경으로 이어진다.

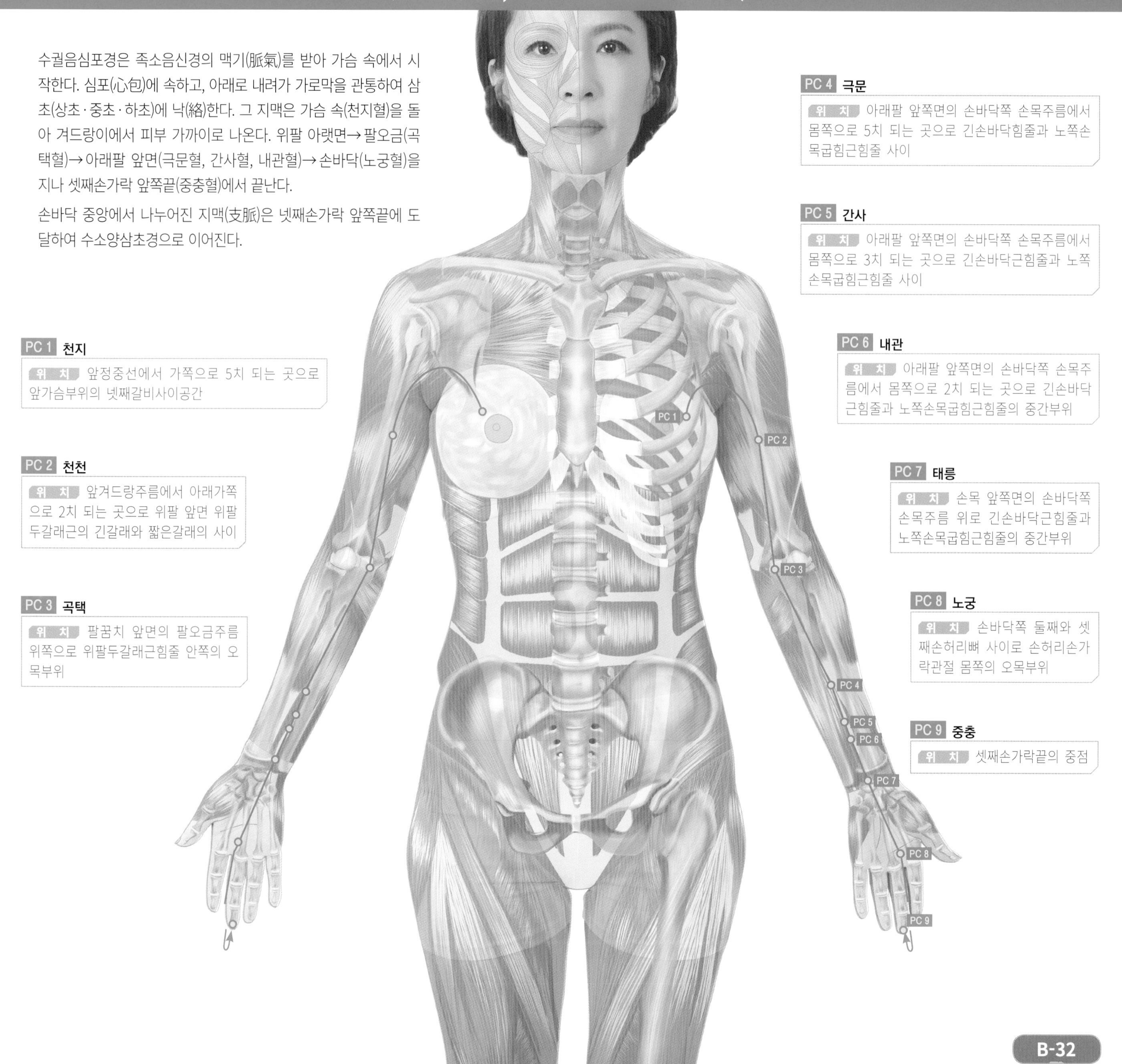

PC 1
PC 2
PC 3
PC 4
PC 5
PC 6
PC 7
PC 8
PC 9

PC 1 천지

위치 앞정중선에서 가쪽으로 5치 되는 곳으로 앞가슴부위의 넷째갈비사이공간

PC 2 천천

위치 앞겨드랑주름에서 아래가쪽으로 2치 되는 곳으로 위팔 앞면 위팔두갈래근의 긴갈래와 짧은갈래의 사이

PC 3 곡택

위치 팔꿈치 앞면의 팔오금주름 위쪽으로 위팔두갈래근힘줄 안쪽의 오목부위

PC 4 극문

위치 아래팔 앞쪽면의 손바닥쪽 손목주름에서 몸쪽으로 5치 되는 곳으로 긴손바닥힘줄과 노쪽손목굽힘근힘줄 사이

PC 5 간사

위치 아래팔 앞쪽면의 손바닥쪽 손목주름에서 몸쪽으로 3치 되는 곳으로 긴손바닥근힘줄과 노쪽손목굽힘근힘줄 사이

PC 6 내관

위치 아래팔 앞쪽면의 손바닥쪽 손목주름에서 몸쪽으로 2치 되는 곳으로 긴손바닥근힘줄과 노쪽손목굽힘근힘줄의 중간부위

PC 7 태릉

위치 손목 앞쪽면의 손바닥쪽 손목주름 위로 긴손바닥근힘줄과 노쪽손목굽힘근힘줄의 중간부위

PC 8 노궁

위치 손바닥쪽 둘째와 셋째손허리뼈 사이로 손허리손가락관절 몸쪽의 오목부위

PC 9 중충

위치 셋째손가락끝의 중점

머리와 목의 근육
Muscles of Head and Neck

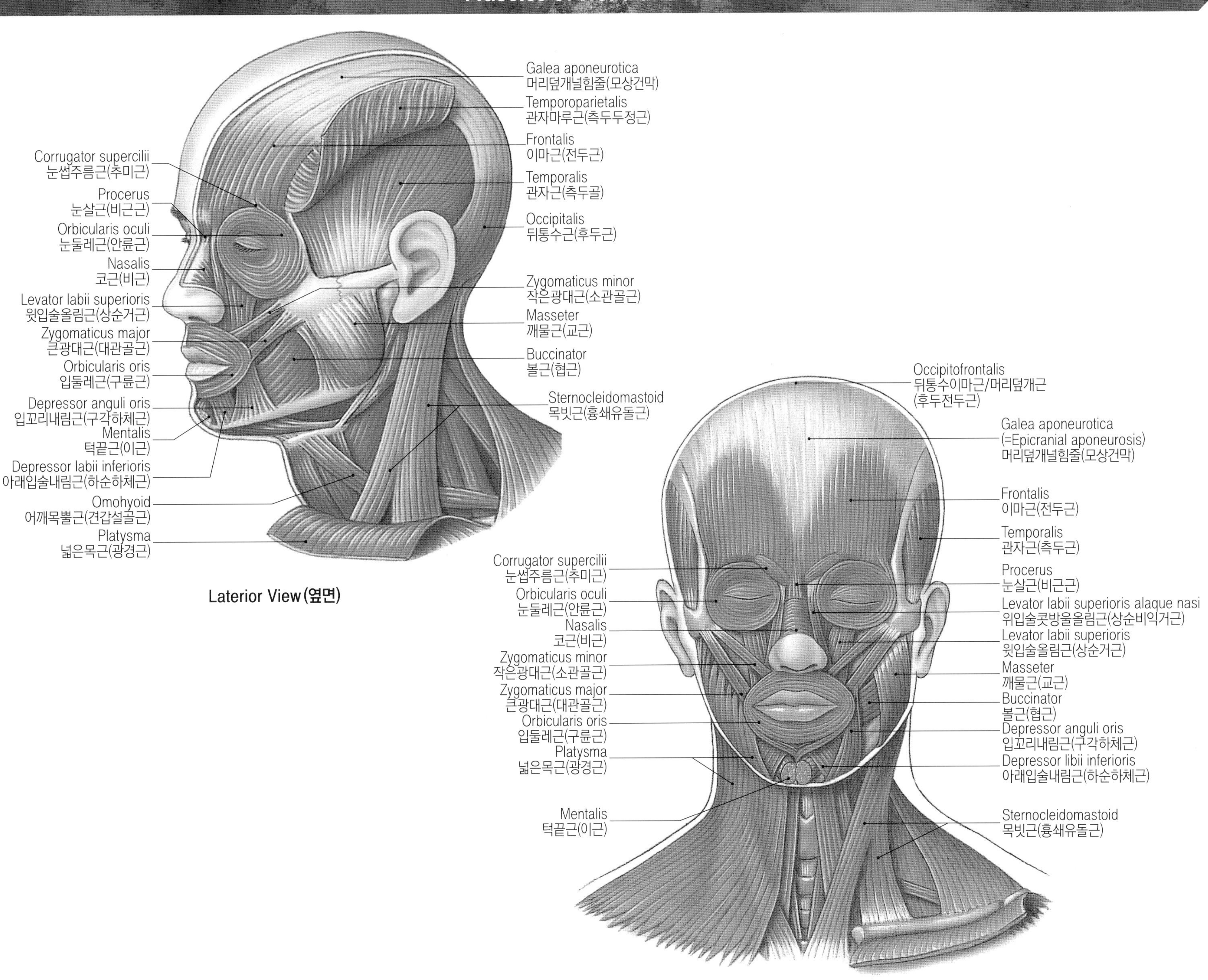

Galea aponeurotica
머리덮개널힘줄(모상건막)
Temporoparietalis
관자마루근(측두두정근)
Frontalis
이마근(전두근)
Temporalis
관자근(측두골)
Occipitalis
뒤통수근(후두근)
Zygomaticus minor
작은광대근(소관골근)
Masseter
깨물근(교근)
Buccinator
볼근(협근)
Sternocleidomastoid
목빗근(흉쇄유돌근)
Corrugator supercilii
눈썹주름근(추미근)
Procerus
눈살근(비근근)
Orbicularis oculi
눈둘레근(안륜근)
Nasalis
코근(비근)
Levator labii superioris
윗입술올림근(상순거근)
Zygomaticus major
큰광대근(대관골근)
Orbicularis oris
입둘레근(구륜근)
Depressor anguli oris
입꼬리내림근(구각하체근)
Mentalis
턱끝근(이근)
Depressor labii inferioris
아래입술내림근(하순하체근)
Omohyoid
어깨목뿔근(견갑설골근)
Platysma
넓은목근(광경근)
Occipitofrontalis
뒤통수이마근/머리덮개근
(후두전두근)
Galea aponeurotica
(=Epicranial aponeurosis)
머리덮개널힘줄(모상건막)
Frontalis
이마근(전두근)
Temporalis
관자근(측두근)
Procerus
눈살근(비근근)
Levator labii superioris alaque nasi
위입술콧방울올림근(상순비익거근)
Levator labii superioris
윗입술올림근(상순거근)
Masseter
깨물근(교근)
Buccinator
볼근(협근)
Depressor anguli oris
입꼬리내림근(구각하체근)
Depressor libii inferioris
아래입술내림근(하순하체근)
Sternocleidomastoid
목빗근(흉쇄유돌근)
Corrugator supercilii
눈썹주름근(추미근)
Orbicularis oculi
눈둘레근(안륜근)
Nasalis
코근(비근)
Zygomaticus minor
작은광대근(소관골근)
Zygomaticus major
큰광대근(대관골근)
Orbicularis oris
입둘레근(구륜근)
Platysma
넓은목근(광경근)
Mentalis
턱끝근(이근)

Laterior View(옆면)

Anterior View(앞면)

수소양삼초경 1

(手少陽三焦經, Triple Energiger Meridian : TE)

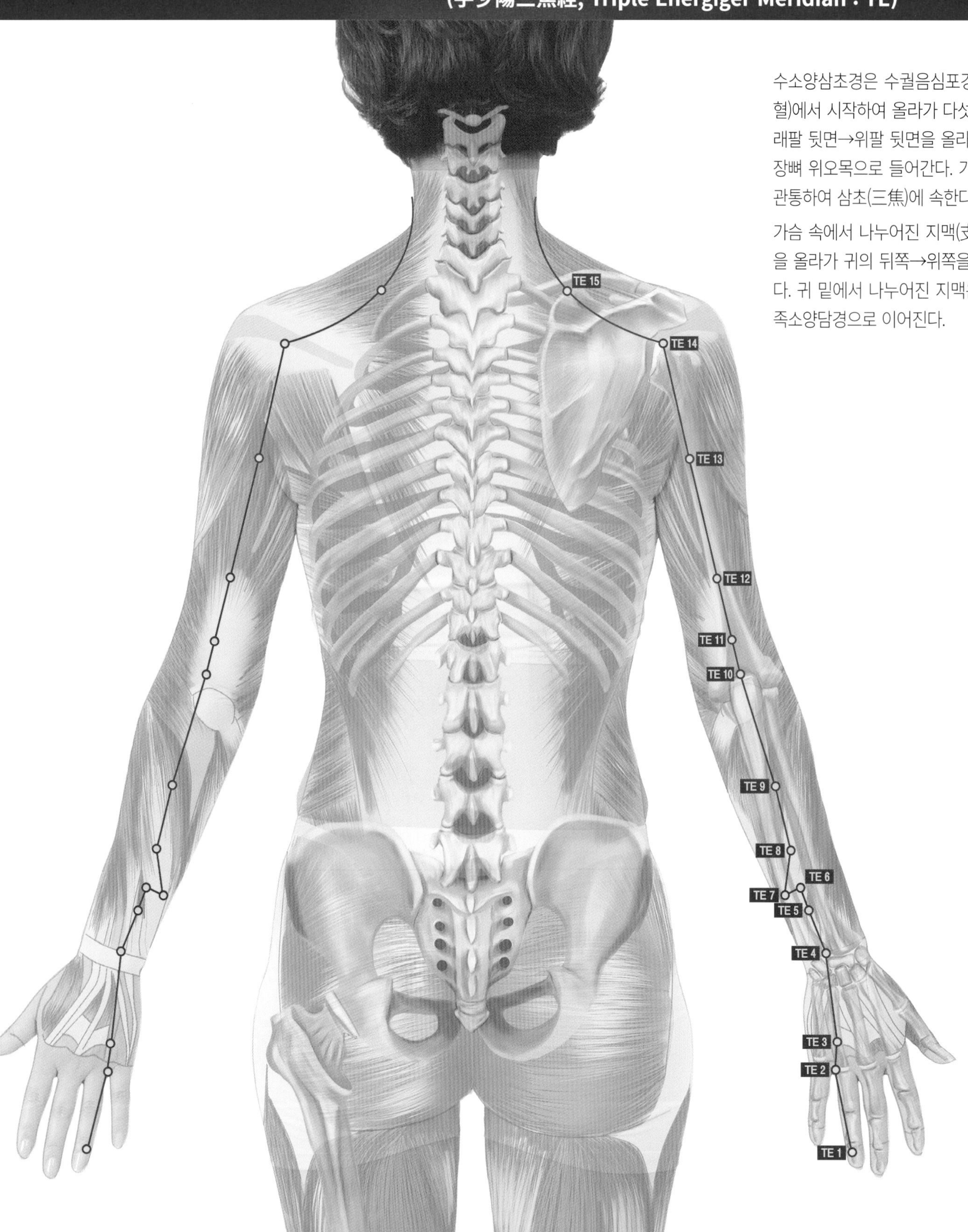

TE 15
TE 14
TE 13
TE 12
TE 11
TE 10
TE 9
TE 8
TE 6
TE 7
TE 5
TE 4
TE 3
TE 2
TE 1

수소양삼초경은 수궐음심포경의 맥기(脈氣)를 받아 넷째손가락 안쪽끝(관충혈)에서 시작하여 올라가 다섯째와 넷째손가락 사이(액문혈)로 나와 손등→아래팔 뒷면→위팔 뒷면을 올라가 족소양담경의 견정혈(GB 21)과 교회하고, 빗장뼈 위오목으로 들어간다. 가슴 속으로 퍼져 심포(心包)에 낙하고, 가로막을 관통하여 삼초(三焦)에 속한다.

가슴 속에서 나누어진 지맥(支脈)은 가슴 속에서 빗장뼈 위오목으로 나와 목을 올라가 귀의 뒤쪽→위쪽을 돌아 관자오목(측두와)에서 눈아래쪽에 도달한다. 귀 밑에서 나누어진 지맥은 귀 뒤에서 귀 속으로 들어가 가쪽눈구석에서 족소양담경으로 이어진다.

TE 1 관충

위 치 넷째손가락끝마디뼈의 손톱각(爪甲角)에서 자쪽으로 0.1치 되는 곳

TE 2 액문

위 치 손등쪽에서 넷째손가락과 다섯째손가락 사이로 손살(finger web) 가장자리 위쪽 오목부위의 적백육제

TE 3 중저

위 치 손등에서 넷째와 다섯째손허리뼈 사이로 넷째손허리손가락관절 위쪽의 오목부위

TE 4 양지

위 치 손등쪽 손목주름 위의 손가락폄근힘줄과 새끼폄근힘줄 사이로 손가락폄근힘줄에서 자쪽으로 오목한 곳

TE 5 외관

위 치 자뼈와 노뼈 사이 공간의 중점으로 손등쪽손목주름에서 위로 2치 되는 곳

TE 6 지구

위 치 자뼈와 노뼈 사이 공간의 중점으로 손등쪽손목주름에서 3치 되는 곳

인체의 근육계통 개관

Introduction of Muscular System

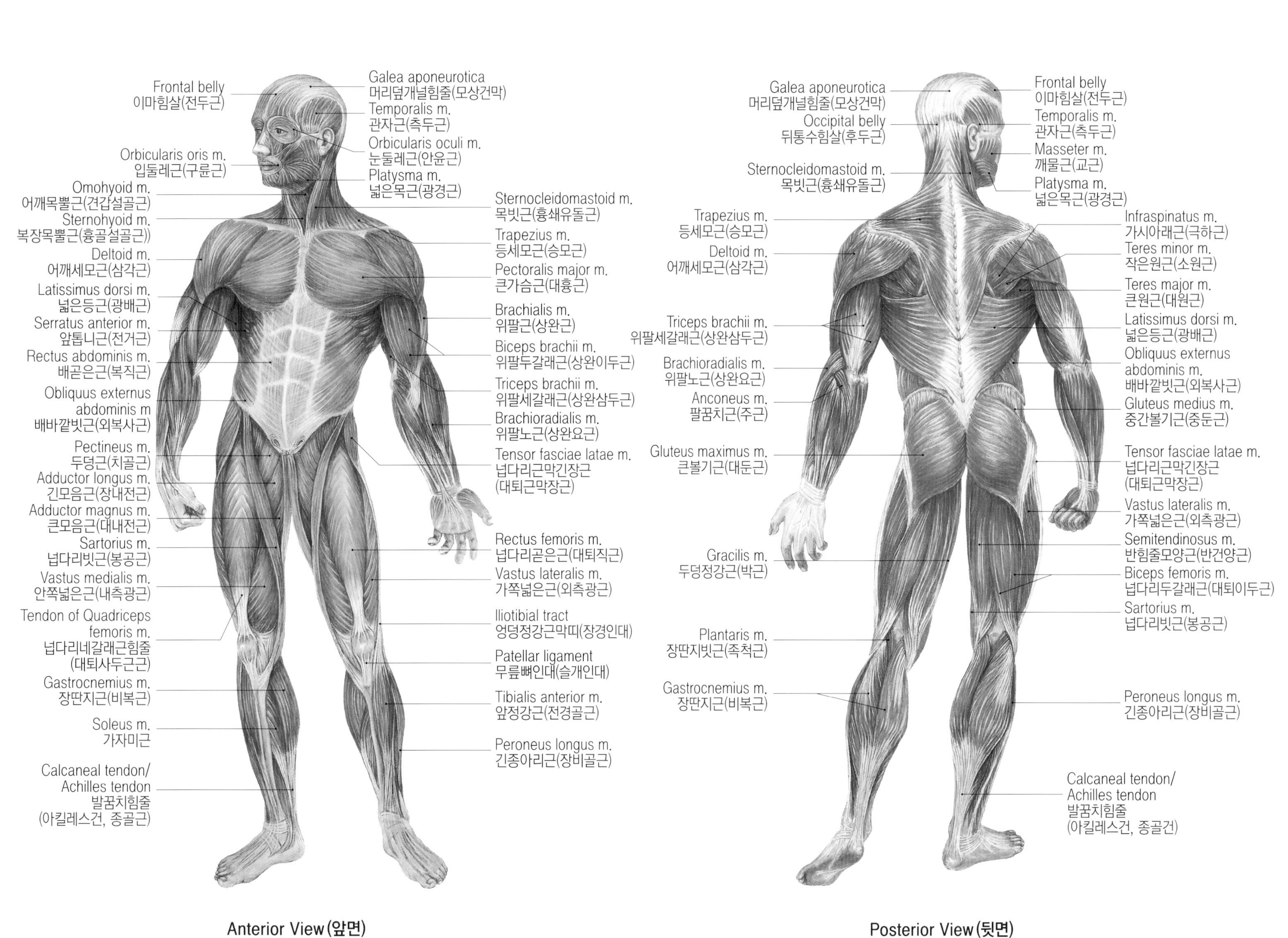
Frontal belly
이마힘살(전두근)
Orbicularis oris m.
입둘레근(구륜근)
Omohyoid m.
어깨목뿔근(견갑설골근)
Sternohyoid m.
복장목뿔근(흉골설골근))
Deltoid m.
어깨세모근(삼각근)
Latissimus dorsi m.
넓은등근(광배근)
Serratus anterior m.
앞톱니근(전거근)
Rectus abdominis m.
배곧은근(복직근)
Obliquus externus
abdominis m
배바깥빗근(외복사근)
Pectineus m.
두덩근(치골근)
Adductor longus m.
긴모음근(장내전근)
Adductor magnus m.
큰모음근(대내전근)
Sartorius m.
넙다리빗근(봉공근)
Vastus medialis m.
안쪽넓은근(내측광근)
Tendon of Quadriceps
femoris m.
넙다리네갈래근힘줄
(대퇴사두근근)
Gastrocnemius m.
장딴지근(비복근)
Soleus m.
가자미근
Calcaneal tendon/
Achilles tendon
발꿈치힘줄
(아킬레스건, 종골근)
Galea aponeurotica
머리덮개널힘줄(모상건막)
Temporalis m.
관자근(측두근)
Orbicularis oculi m.
눈둘레근(안윤근)
Platysma m.
넓은목근(광경근)
Sternocleidomastoid m.
목빗근(흉쇄유돌근)
Trapezius m.
등세모근(승모근)
Pectoralis major m.
큰가슴근(대흉근)
Brachialis m.
위팔근(상완근)
Biceps brachii m.
위팔두갈래근(상완이두근)
Triceps brachii m.
위팔세갈래근(상완삼두근)
Brachioradialis m.
위팔노근(상완요근)
Tensor fasciae latae m.
넙다리근막긴장근
(대퇴근막장근)
Rectus femoris m.
넙다리곧은근(대퇴직근)
Vastus lateralis m.
가쪽넓은근(외측광근)
Iliotibial tract
엉덩정강근막띠(장경인대)
Patellar ligament
무릎뼈인대(슬개인대)
Tibialis anterior m.
앞정강근(전경골근)
Peroneus longus m.
긴종아리근(장비골근)
Galea aponeurotica
머리덮개널힘줄(모상건막)
Occipital belly
뒤통수힘살(후두근)
Sternocleidomastoid m.
목빗근(흉쇄유돌근)
Trapezius m.
등세모근(승모근)
Deltoid m.
어깨세모근(삼각근)
Triceps brachii m.
위팔세갈래근(상완삼두근)
Brachioradialis m.
위팔노근(상완요근)
Anconeus m.
팔꿈치근(주근)
Gluteus maximus m.
큰볼기근(대둔근)
Gracilis m.
두덩정강근(박근)
Plantaris m.
장딴지빗근(족척근)
Gastrocnemius m.
장딴지근(비복근)
Frontal belly
이마힘살(전두근)
Temporalis m.
관자근(측두근)
Masseter m.
깨물근(교근)
Platysma m.
넓은목근(광경근)
Infraspinatus m.
가시아래근(극하근)
Teres minor m.
작은원근(소원근)
Teres major m.
큰원근(대원근)
Latissimus dorsi m.
넓은등근(광배근)
Obliquus externus
abdominis m.
배바깥빗근(외복사근)
Gluteus medius m.
중간볼기근(중둔근)
Tensor fasciae latae m.
넙다리근막긴장근
(대퇴근막장근)
Vastus lateralis m.
가쪽넓은근(외측광근)
Semitendinosus m.
반힘줄모양근(반건양근)
Biceps femoris m.
넙다리두갈래근(대퇴이두근)
Sartorius m.
넙다리빗근(봉공근)
Peroneus longus m.
긴종아리근(장비골근)
Calcaneal tendon/
Achilles tendon
발꿈치힘줄
(아킬레스건, 종골건)

Anterior View(앞면)

Posterior View(뒷면)

수소양삼초경 2

(手少陽三焦經, Triple Energiger Meridian : TE)

TE 7 회종

위 치 손등쪽 손목주름에서 위로 3치 되는 곳으로 자뼈의 노쪽모서리

TE 8 삼양락

위 치 손등쪽 손목주름에서 위로 4치이고 자뼈와 노뼈 사이 공간의 중점

TE 9 사독

위 치 팔꿈치머리융기에서 아래로 5치 되는 곳으로 자뼈와 노뼈 사이의 공간

TE 10 천정

위 치 팔꿈치머리융기에서 위로 1치 되는 곳

TE 11 청랭연

위 치 팔꿈치머리융기에서 위로 2치 되는 곳으로 팔꿈치머리융기와 봉우리각을 잇는 선 위

TE 12 소락

위 치 팔꿈치머리융기에서 몸쪽으로 5치 되는 곳으로 팔꿈치머리융기와 봉우리각(肩峰角)을 잇는 선 위

TE 13 노회

위 치 팔꿈치머리융기와 봉우리각 가쪽끝을 잇는 선상의 봉우리각에서 아래로 3치 되는 곳으로 어깨세모근 뒤아래모서리

TE 14 견료

위 치 팔꿈치머리융기와 봉우리각 가쪽끝을 잇는 선상의 봉우리각에서 아래로 3치 되는 곳으로 어깨세모근 뒤아래모서리

TE 15 천료

위 치 어깨뼈 위쪽각에서 위로 오목한 곳

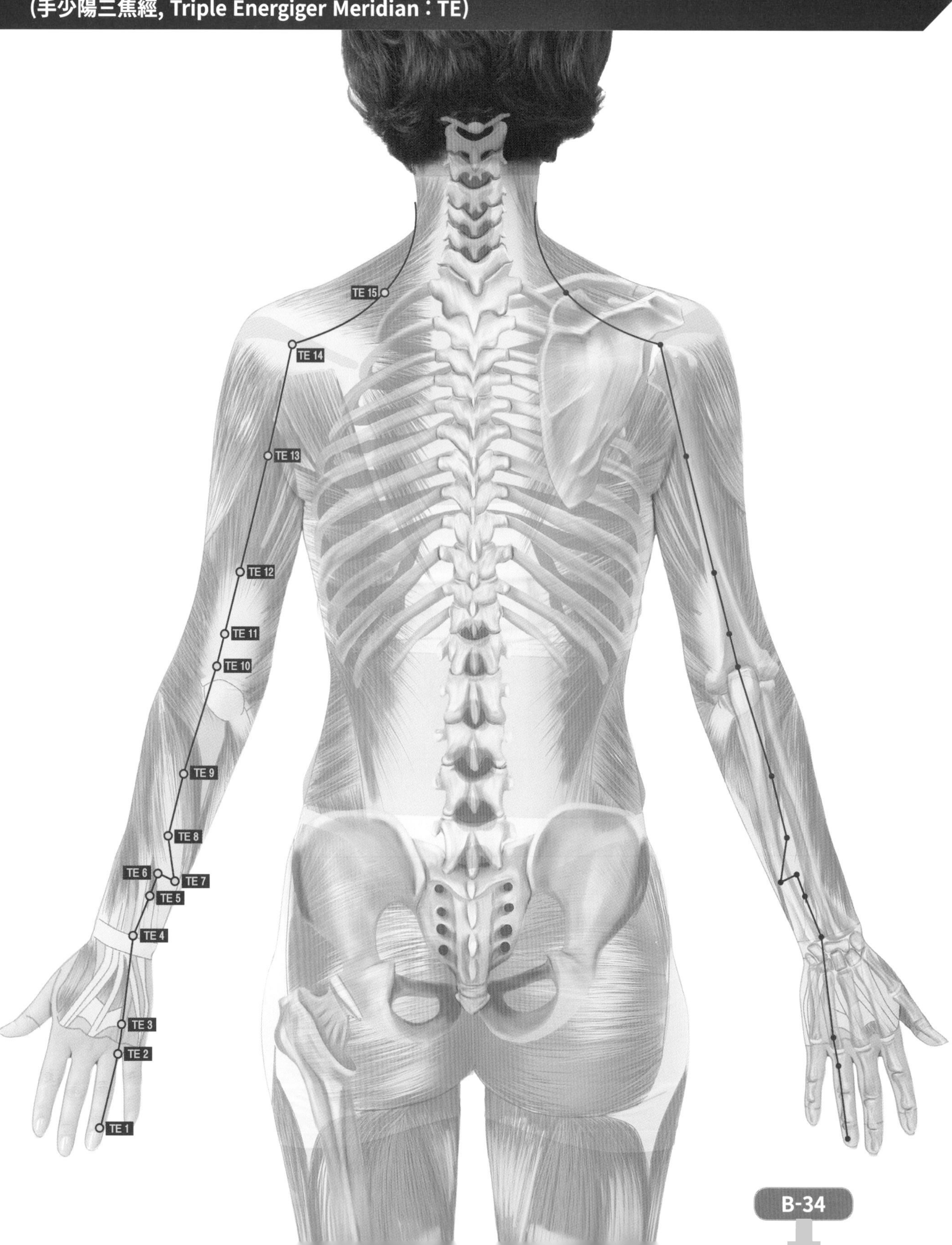

TE 15
TE 14
TE 13
TE 12
TE 11
TE 10
TE 9
TE 8
TE 6
TE 7
TE 5
TE 4
TE 3
TE 2
TE 1

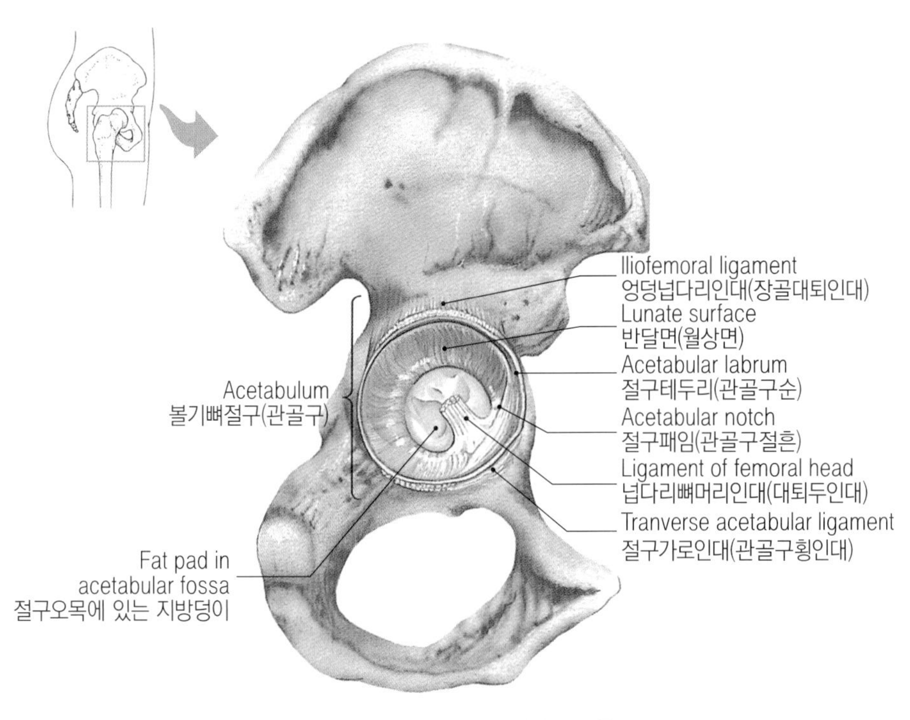

Iliofemoral ligament
엉덩넙다리인대(장골대퇴인대)
Lunate surface
반달면(월상면)
Acetabulum
볼기뼈절구(관골구)
Acetabular labrum
절구테두리(관골구순)
Acetabular notch
절구패임(관골구절흔)
Ligament of femoral head
넙다리뼈머리인대(대퇴두인대)
Tranverse acetabular ligament
절구가로인대(관골구횡인대)
Fat pad in
acetabular fossa
절구오목에 있는 지방덩이

Lateral View of Right Hip Joint without Femur
(넙다리뼈를 떼어낸 오른쪽 엉덩관절의 가쪽)

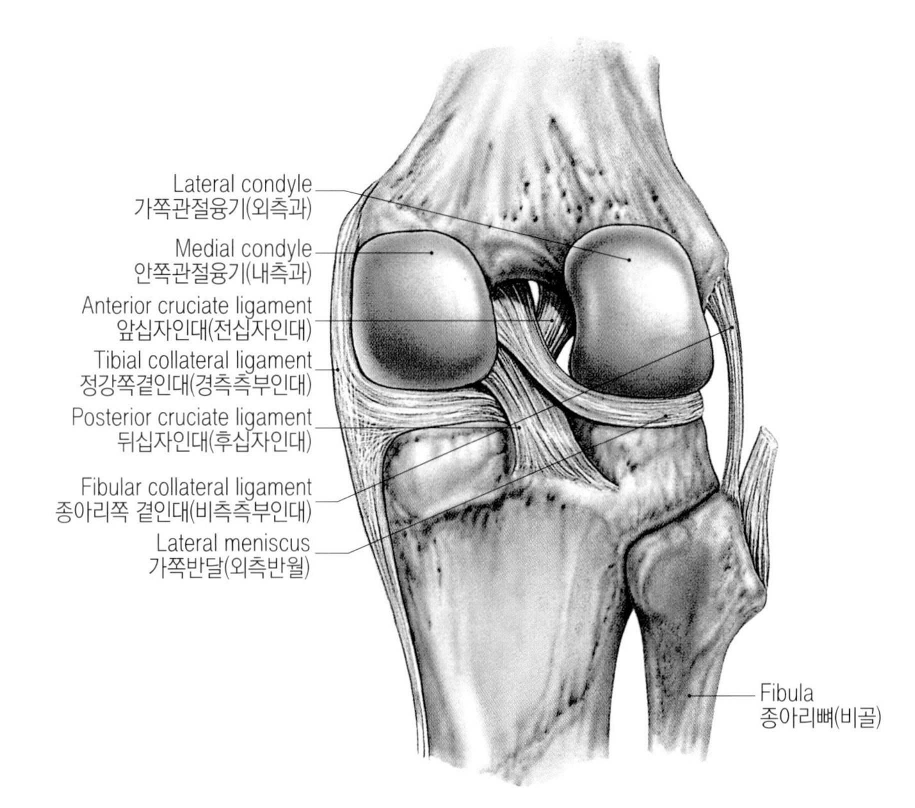

Lateral condyle
가쪽관절융기(외측과)
Medial condyle
안쪽관절융기(내측과)
Anterior cruciate ligament
앞십자인대(전십자인대)
Tibial collateral ligament
정강쪽곁인대(경측측부인대)
Posterior cruciate ligament
뒤십자인대(후십자인대)
Fibular collateral ligament
종아리쪽 곁인대(비측측부인대)
Lateral meniscus
가쪽반달(외측반월)
Fibula
종아리뼈(비골)

Knee Joint, Anterior View
(무릎관절, 앞면)

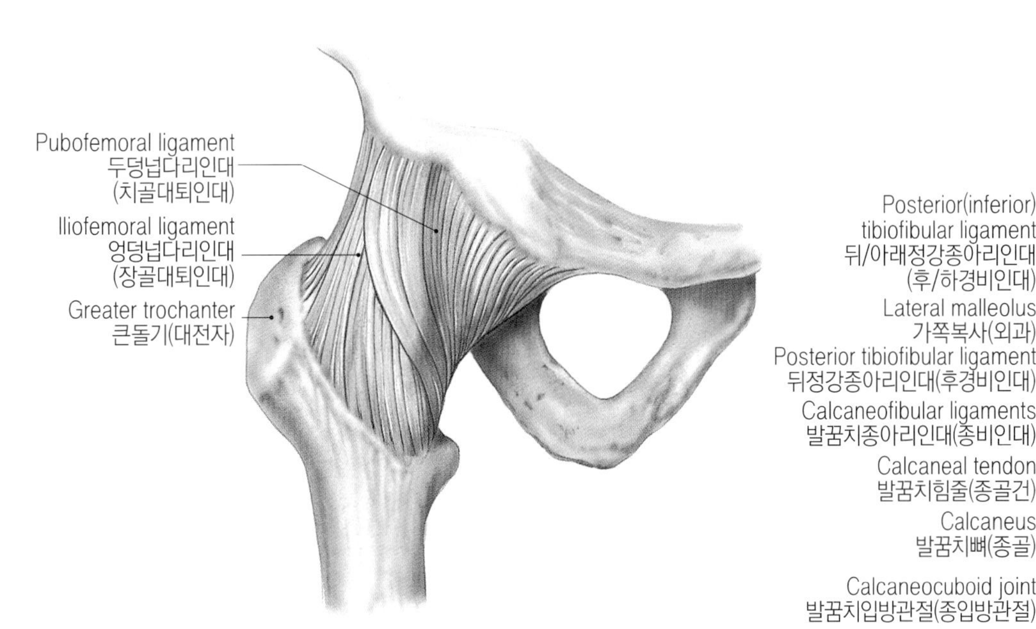

Pubofemoral ligament
두덩넙다리인대
(치골대퇴인대)
Iliofemoral ligament
엉덩넙다리인대
(장골대퇴인대)
Greater trochanter
큰돌기(대전자)

Anterior View of Right Hip Joint
(오른쪽 엉덩관절의 앞쪽)

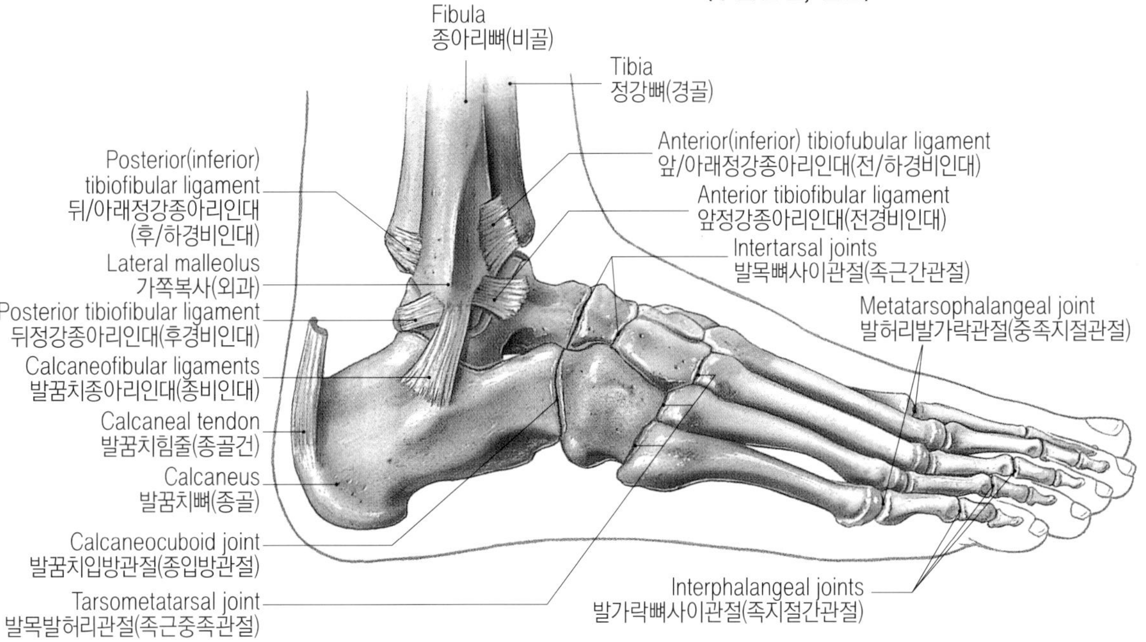

Fibula
종아리뼈(비골)
Tibia
정강뼈(경골)
Posterior(inferior)
tibiofibular ligament
뒤/아래정강종아리인대
(후/하경비인대)
Lateral malleolus
가쪽복사(외과)
Posterior tibiofibular ligament
뒤정강종아리인대(후경비인대)
Calcaneofibular ligaments
발꿈치종아리인대(종비인대)
Calcaneal tendon
발꿈치힘줄(종골건)
Calcaneus
발꿈치뼈(종골)
Calcaneocuboid joint
발꿈치입방관절(종입방관절)
Tarsometatarsal joint
발목발허리관절(족근중족관절)
Anterior(inferior) tibiofubular ligament
앞/아래정강종아리인대(전/하경비인대)
Anterior tibiofibular ligament
앞정강종아리인대(전경비인대)
Intertarsal joints
발목뼈사이관절(족근간관절)
Metatarsophalangeal joint
발허리발가락관절(중족지절관절)
Interphalangeal joints
발가락뼈사이관절(족지절간관절)

Lateral View of Ankle Joint
(발목관절의 옆면)

수소양삼초경 3

(手少陽三焦經, Triple Energiger Meridian : TE)

TE 16 천유

위 치 목 앞쪽의 아래턱뼈각과 같은 높이로 목빗근 뒤쪽의 오목부위

TE 17 예풍

위 치 귓불(耳垂, ear libe) 뒤쪽의 꼭지돌기 아래끝의 앞쪽과 아래턱뼈 사이의 오목부위

TE 18 계맥

위 치 귓바퀴(耳介) 뒤의 꼭지돌기를 중심으로 각손혈(TE 20)과 예풍혈(TE 17)을 잇는 곡선상의 각손혈쪽에서 2/3 되는 곳

TE 19 노식

위 치 귓바퀴 뒤의 꼭지돌기(乳樣突起)를 중심으로 예풍혈(TE 17)과 각손혈(TE 20)을 잇는 곡선상의 각손혈쪽에서 1/3 되는 곳

TE 20 각손

위 치 귓바퀴꼭지(耳尖)의 바로 위쪽

TE 21 이문

위 치 귀구슬(耳珠)사이패임과 아래턱뼈관절돌기 사이의 오목부위

TE 22 화료

위 치 관자뼈(側頭骨) 뒷면으로 귓바퀴뿌리 앞쪽의 얕은관자동맥 뒤쪽

TE 23 사죽공

위 치 눈썹 가쪽끝의 오목한 곳

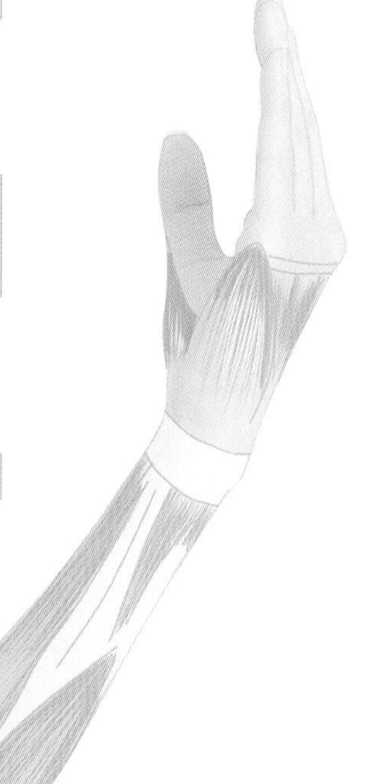

어깨관절, 팔꿉관절, 손목관절
Shoulder Joint, Elbow Joint, Wrist Joint

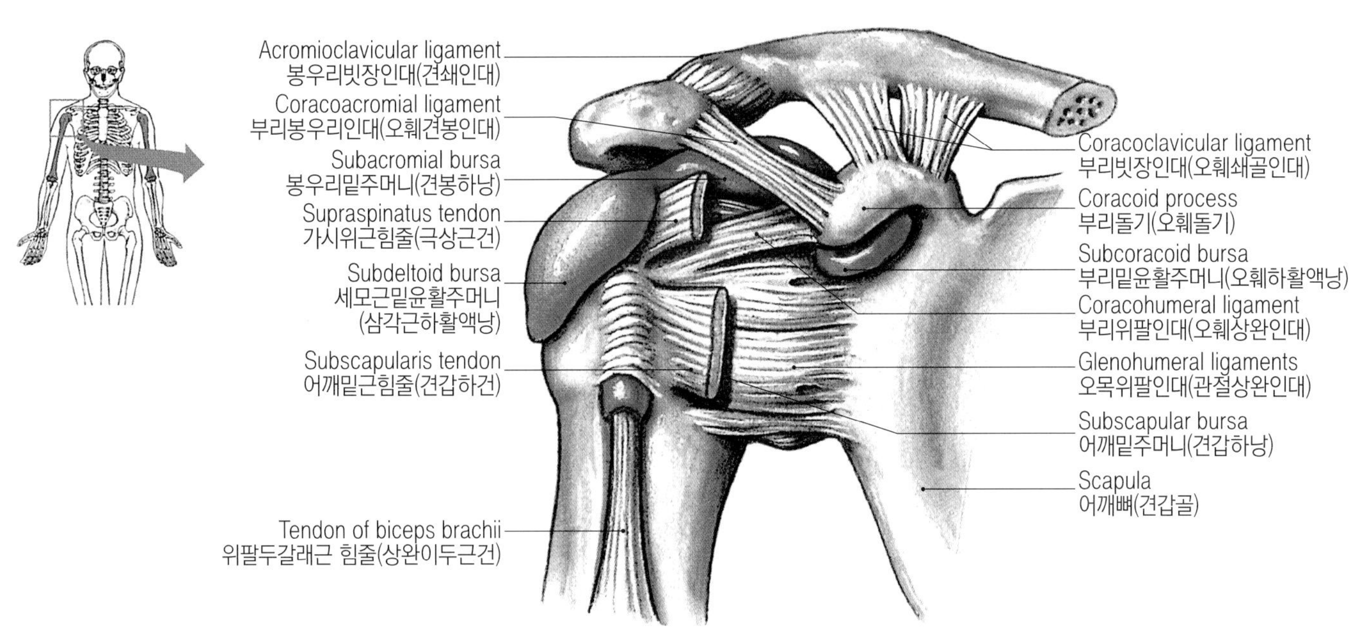

Acromioclavicular ligament
봉우리빗장인대(견쇄인대)
Coracoacromial ligament
부리봉우리인대(오훼견봉인대)
Subacromial bursa
봉우리밑주머니(견봉하낭)
Supraspinatus tendon
가시위근힘줄(극상근건)
Subdeltoid bursa
세모근밑윤활주머니
(삼각근하활액낭)
Subscapularis tendon
어깨밑근힘줄(견갑하건)
Tendon of biceps brachii
위팔두갈래근 힘줄(상완이두근건)
Coracoclavicular ligament
부리빗장인대(오훼쇄골인대)
Coracoid process
부리돌기(오훼돌기)
Subcoracoid bursa
부리밑윤활주머니(오훼하활액낭)
Coracohumeral ligament
부리위팔인대(오훼상완인대)
Glenohumeral ligaments
오목위팔인대(관절상완인대)
Subscapular bursa
어깨밑주머니(견갑하낭)
Scapula
어깨뼈(견갑골)

Right Shoulder Joint, Anterior View(오른쪽 어깨관절, 앞면)

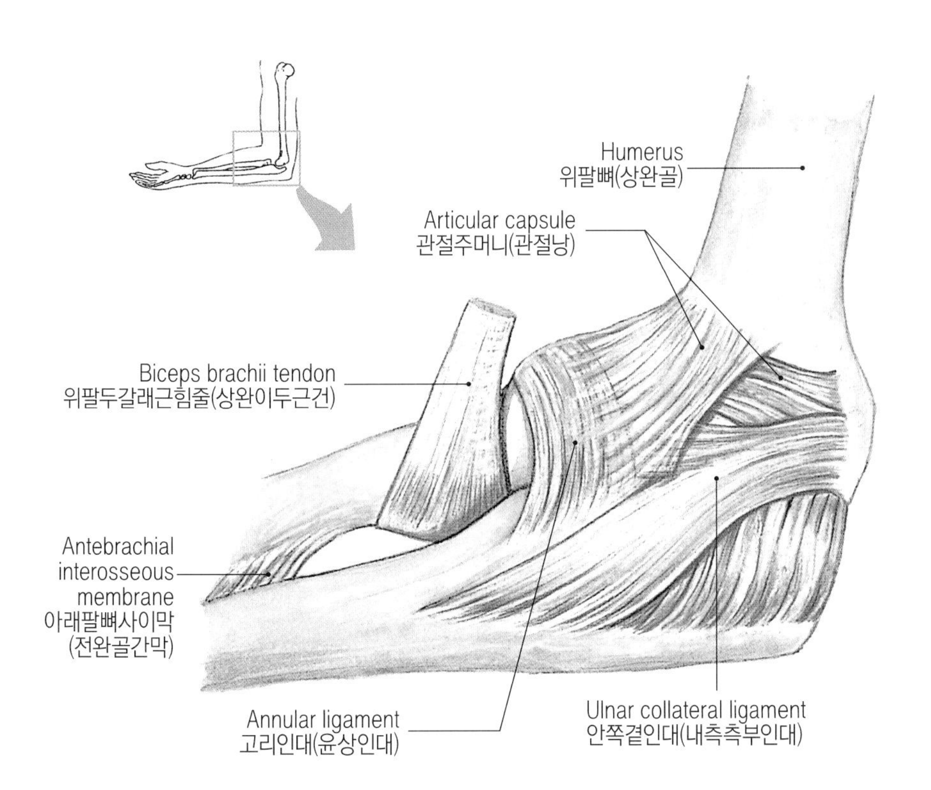

Humerus
위팔뼈(상완골)
Articular capsule
관절주머니(관절낭)
Biceps brachii tendon
위팔두갈래근힘줄(상완이두근건)
Antebrachial
interosseous
membrane
아래팔뼈사이막
(전완골간막)
Annular ligament
고리인대(윤상인대)
Ulnar collateral ligament
안쪽곁인대(내측측부인대)

Right Elbow Joint, Medial View(오른쪽 팔꿉관절, 안쪽)

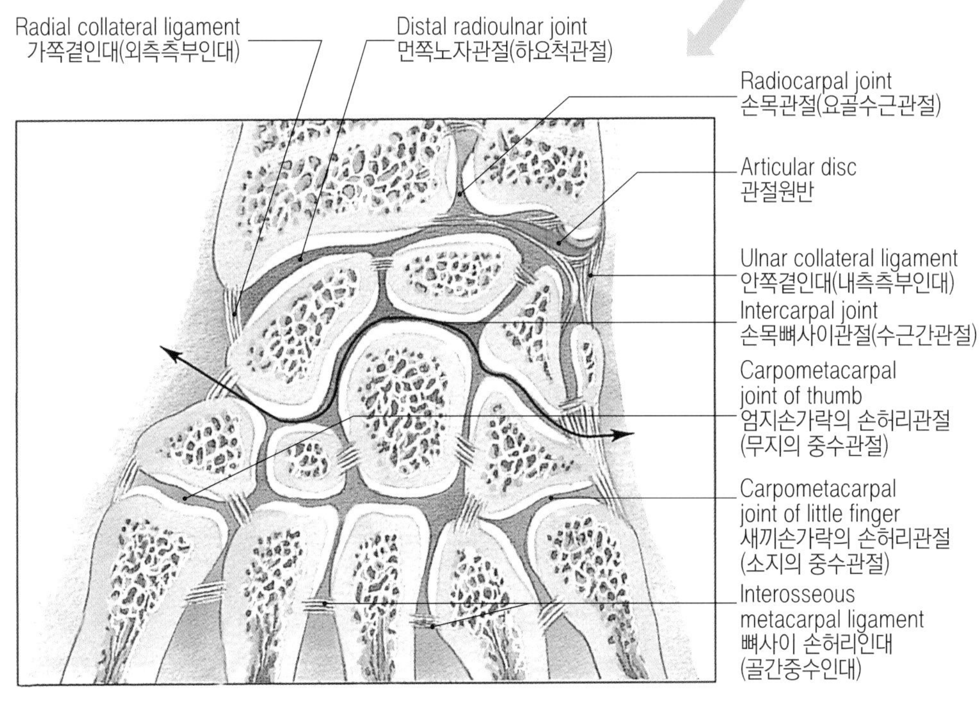

Radial collateral ligament
가쪽곁인대(외측측부인대)
Distal radioulnar joint
먼쪽노자관절(하요척관절)
Radiocarpal joint
손목관절(요골수근관절)
Articular disc
관절원반
Ulnar collateral ligament
안쪽곁인대(내측측부인대)
Intercarpal joint
손목뼈사이관절(수근간관절)
Carpometacarpal
joint of thumb
엄지손가락의 손허리관절
(무지의 중수관절)
Carpometacarpal
joint of little finger
새끼손가락의 손허리관절
(소지의 중수관절)
Interosseous
metacarpal ligament
뼈사이 손허리인대
(골간중수인대)

Radiocarpal joint, Carpometacarpal joint & Carpometacarpal joint
(손목관절, 손목뼈사이관절, 손허리관절)

족소양담경 1

(足少陽膽經, Gallbladder Meridian : GB)

족소양담경은 수소양삼초경의 맥기(脈氣)를 받아 가쪽눈구석(동자료혈)에서 시작하여 올라가 이마각(함염혈)에 도달하고, 관자부위를 내려와 귀 뒤를 돈다. 귀 뒤(완골혈)에서 반전한 후 눈썹 위(양백혈)에서 다시 뒤쪽으로 가서 목을 돌아 수소양삼초경과 교차하여 등쪽어깨부위(견정혈)를 거쳐 빗장뼈 위오목에 도달한다. 귀 뒤에서 나누어진 지맥(支脈)은 귀 안으로 들어가 가쪽눈구석에 도달한다.

그리고 가쪽눈구석에서 나누어진 지맥은 대영혈(ST 5)로 내려가 수소양삼초경과 합류하고, 눈 밑에서 목으로 내려가 빗장뼈 위오목에서 수소양삼초경과 합류한다. 빗장뼈 위오목에서 가슴 속으로 들어가 가로막을 관통하여 간에 낙(絡)하고, 담에 속한다. 그리고 옆구리를 돌아 샅(오추혈, 유도혈)으로 나와 넙다리관절부위(환도혈)에서 지맥과 합류한 다음 넙다리 가쪽→무릎 가쪽→종아리뼈 앞(양릉천혈)을 내려와 종아리뼈 아래쪽끝에 도달한다. 그곳에서 가쪽복사 앞(구허혈)으로 나와 발등을 돌아 넷째발가락 가쪽끝(족규음혈)에서 끝난다. 발등에서 나누어진 지맥은 엄지발가락끝에 도달하여 족궐음간경으로 이어진다.

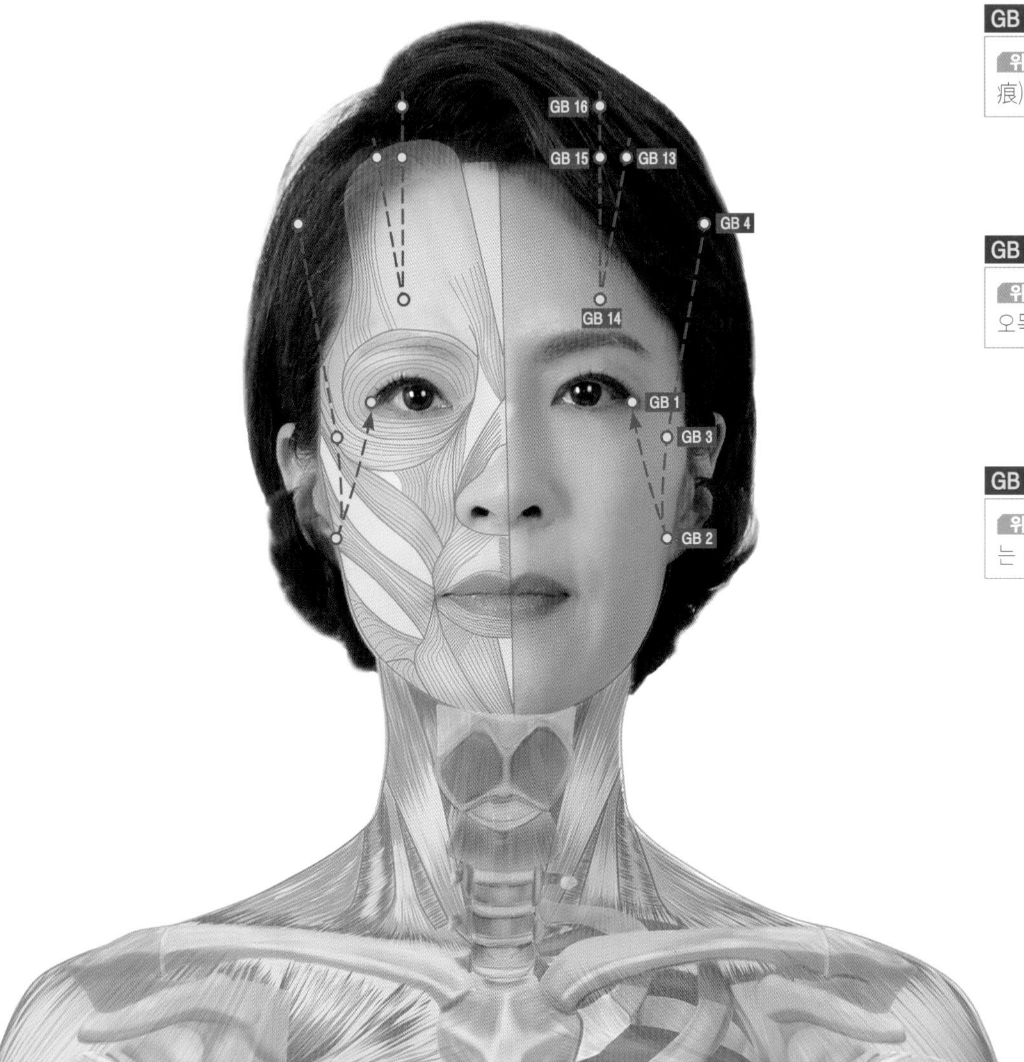

GB 16
GB 15
GB 13
GB 4
GB 14
GB 1
GB 3
GB 2

GB 1 동자료

위 치 목외자(目外眥, 가쪽눈구석)에서 가쪽으로 0.5치 되는 오목한 곳

GB 2 청회

위 치 얼굴의 귀구슬사이패임(耳珠間切痕)과 아래턱관절돌기 사이의 오목부위

GB 3 상관

위 치 머리의 광대활(頰骨弓) 중점 위쪽의 오목부위

GB 4 함염

위 치 두유혈(ST 8)과 곡빈혈(GB 7)을 잇는 곡선상으로 두유혈쪽에서 1/4 되는 곳

발목과 발의 뼈

Bones of Ankle and Foot

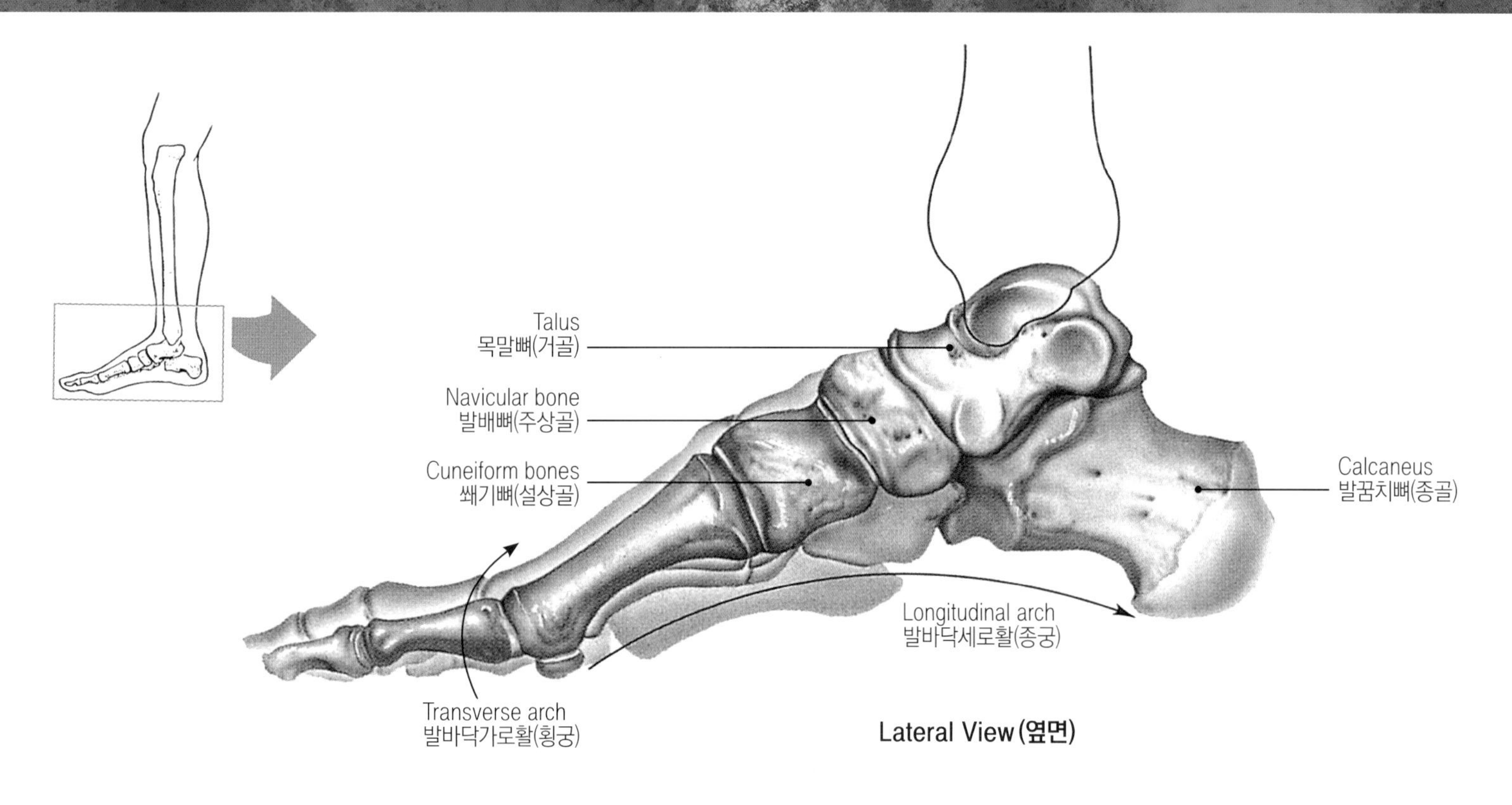
Talus
목말뼈(거골)
Navicular bone
발배뼈(주상골)
Cuneiform bones
쐐기뼈(설상골)
Calcaneus
발꿈치뼈(종골)
Longitudinal arch
발바닥세로활(종궁)
Transverse arch
발바닥가로활(횡궁)

Lateral View(옆면)

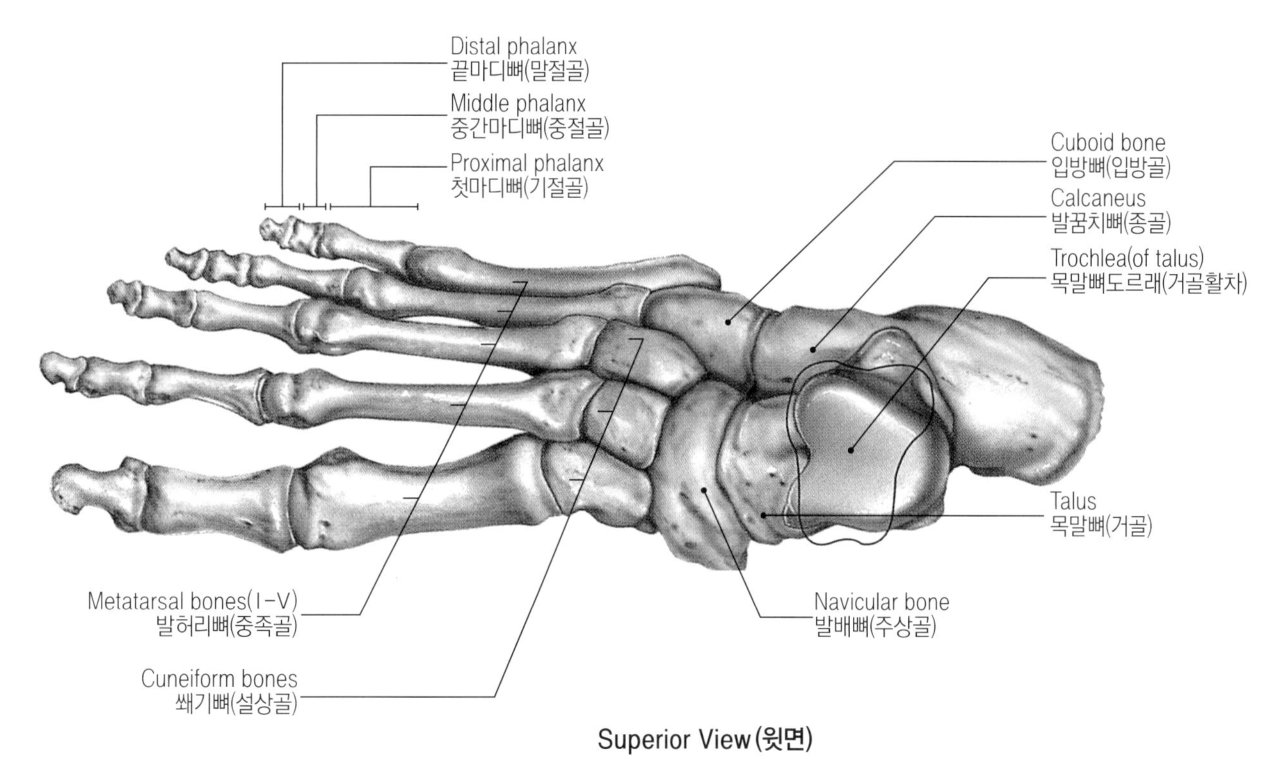
Distal phalanx
끝마디뼈(말절골)
Middle phalanx
중간마디뼈(중절골)
Proximal phalanx
첫마디뼈(기절골)
Cuboid bone
입방뼈(입방골)
Calcaneus
발꿈치뼈(종골)
Trochlea(of talus)
목말뼈도르래(거골활차)
Talus
목말뼈(거골)
Metatarsal bones(I-V)
발허리뼈(중족골)
Navicular bone
발배뼈(주상골)
Cuneiform bones
쐐기뼈(설상골)

Superior View(윗면)

족소양담경 2

(足少陽膽經, Gallbladder Meridian : GB)

GB 5 현로

위 치 관자(側頭)의 발제를 따라 두유혈(ST 8)과 곡빈혈(GB 7)을 잇는 곡선의 중점

GB 6 현리

위 치 관자의 발제를 따라 두유혈(ST 8)과 곡빈혈(GB 7)을 잇는 곡선상으로 두유혈쪽에 3/4 되는 곳

GB 7 곡빈

위 치 귓바퀴꼭지(耳尖)를 지나는 수평선과 관자놀이쪽 발제의 뒤모서리(귀앞쪽)를 지나는 수직선이 만나는 곳

GB 8 솔곡

위 치 귓바퀴꼭지(耳尖) 바로 위쪽 관자의 발제에서 위로 1.5치 되는 곳

GB 9 천충

위 치 귓바퀴꼭지 뒤모서리 위쪽의 발제에서 위로 2치 되는 곳

GB 10 부백

위 치 꼭지돌기(乳樣突起) 위뒤쪽에서 천충혈(GB 9)과 완골혈(GB 12)을 잇는 곡선상으로 천충혈쪽에서 1/3 되는 곳

GB 11 두규음

위 치 꼭지돌기(乳樣突起) 위뒤쪽의 천충혈(GB 9)과 완골혈(GB 12)을 잇는 곡선상으로 천충혈쪽에서 2/3 되는 곳

GB 12 완골

위 치 꼭지돌기 아래뒤쪽의 오목부위

GB 13 본신

위 치 앞정중선상의 전발제에서 아래로 0.5치이고 앞정중선에서 가쪽으로 3치 되는 곳

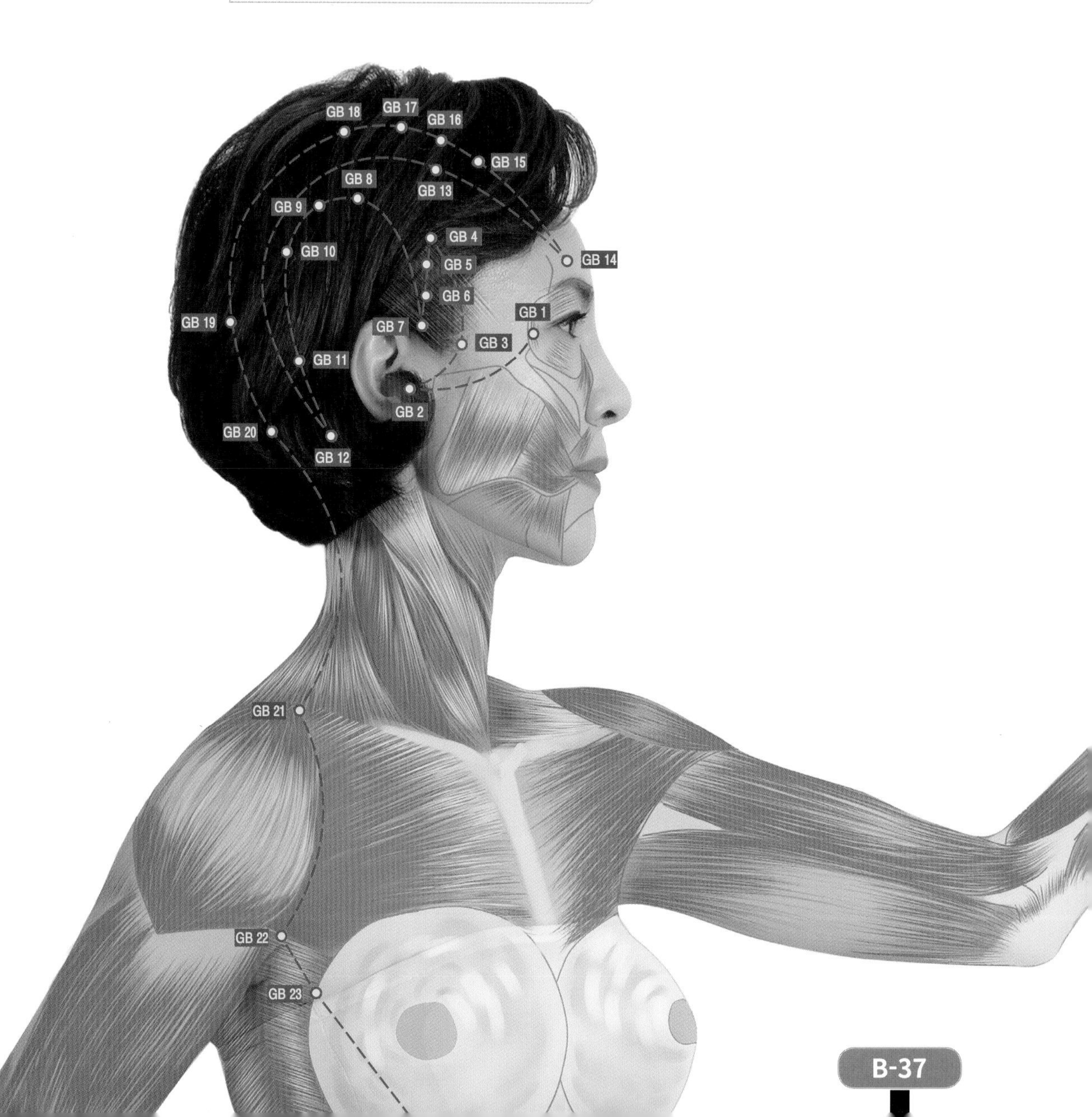
GB 18
GB 17
GB 16
GB 15
GB 8
GB 13
GB 9
GB 4
GB 10
GB 5
GB 14
GB 6
GB 1
GB 19
GB 7
GB 3
GB 11
GB 2
GB 20
GB 12
GB 21
GB 22
GB 23

정강뼈와 종아리뼈

Tibia and Fibula

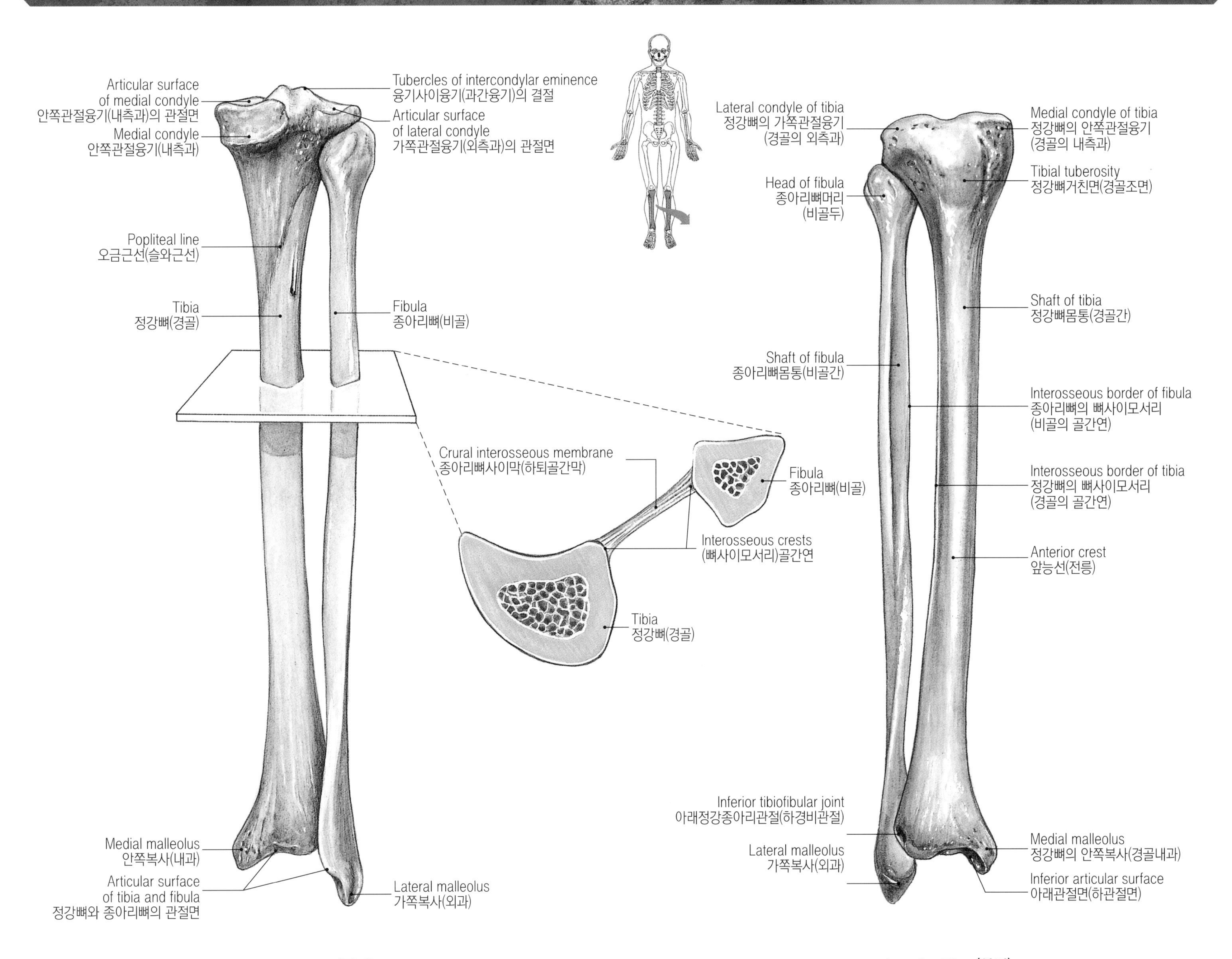

Articular surface
of medial condyle
안쪽관절융기(내측과)의 관절면
Medial condyle
안쪽관절융기(내측과)
Tubercles of intercondylar eminence
융기사이융기(과간융기)의 결절
Articular surface
of lateral condyle
가쪽관절융기(외측과)의 관절면
Popliteal line
오금근선(슬와근선)
Tibia
정강뼈(경골)
Fibula
종아리뼈(비골)
Crural interosseous membrane
종아리뼈사이막(하퇴골간막)
Fibula
종아리뼈(비골)
Interosseous crests
(뼈사이모서리)골간연
Tibia
정강뼈(경골)
Medial malleolus
안쪽복사(내과)
Articular surface
of tibia and fibula
정강뼈와 종아리뼈의 관절면
Lateral malleolus
가쪽복사(외과)
Lateral condyle of tibia
정강뼈의 가쪽관절융기
(경골의 외측과)
Head of fibula
종아리뼈머리
(비골두)
Medial condyle of tibia
정강뼈의 안쪽관절융기
(경골의 내측과)
Tibial tuberosity
정강뼈거친면(경골조면)
Shaft of tibia
정강뼈몸통(경골간)
Shaft of fibula
종아리뼈몸통(비골간)
Interosseous border of fibula
종아리뼈의 뼈사이모서리
(비골의 골간연)
Interosseous border of tibia
정강뼈의 뼈사이모서리
(경골의 골간연)
Anterior crest
앞능선(전릉)
Inferior tibiofibular joint
아래정강종아리관절(하경비관절)
Lateral malleolus
가쪽복사(외과)
Medial malleolus
정강뼈의 안쪽복사(경골내과)
Inferior articular surface
아래관절면(하관절면)

Posterior View(뒷면)

Anterior View(앞면)

족소양담경 3

(足少陽膽經, Gallbladder Meridian : GB)

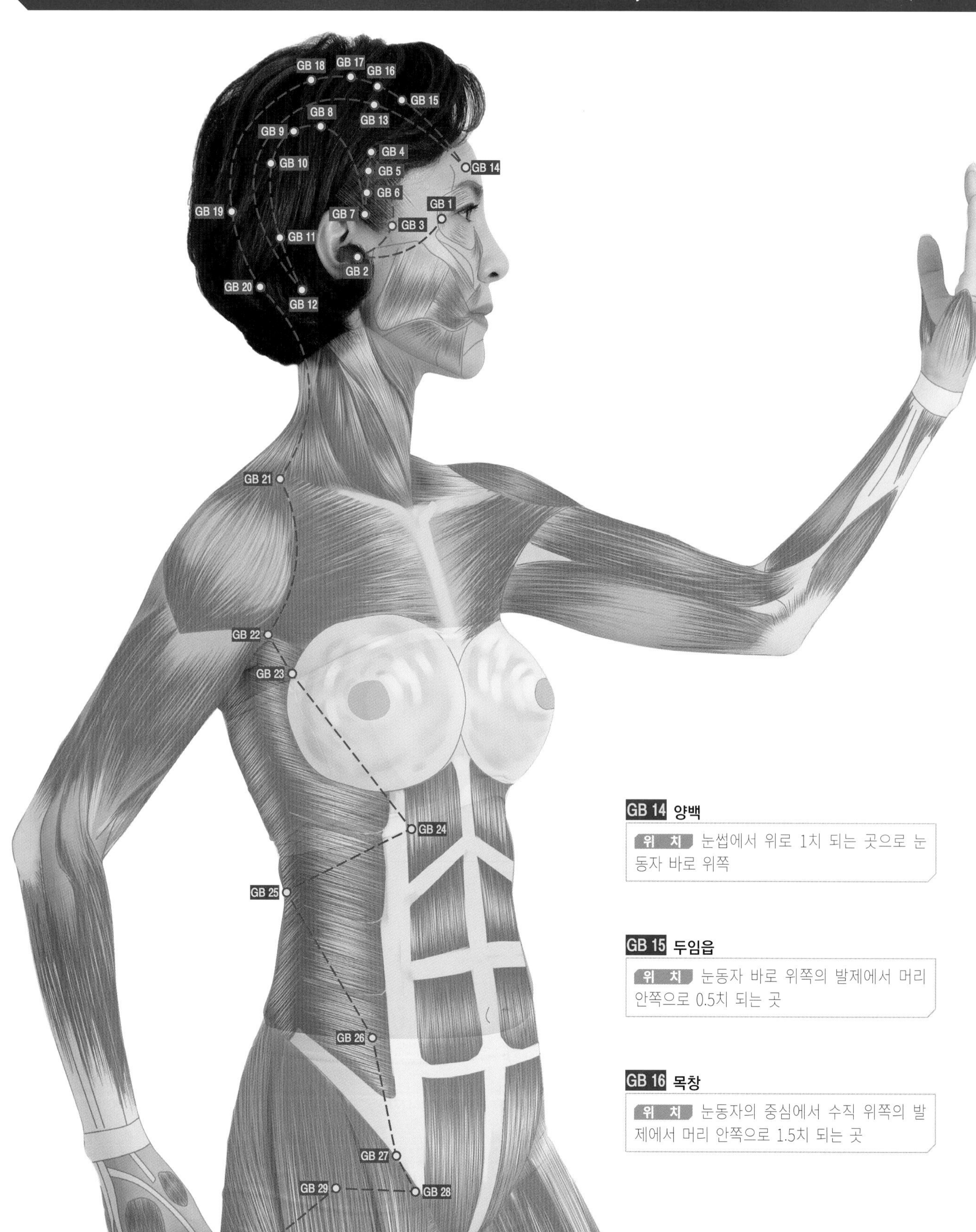

GB 18
GB 17
GB 16
GB 15
GB 8
GB 13
GB 9
GB 4
GB 14
GB 10
GB 5
GB 6
GB 1
GB 19
GB 7
GB 3
GB 11
GB 2
GB 20
GB 12
GB 21
GB 22
GB 23
GB 24
GB 25
GB 26
GB 27
GB 29
GB 28

GB 14 양백

위 치 눈썹에서 위로 1치 되는 곳으로 눈동자 바로 위쪽

GB 15 두임읍

위 치 눈동자 바로 위쪽의 발제에서 머리 안쪽으로 0.5치 되는 곳

GB 16 목창

위 치 눈동자의 중심에서 수직 위쪽의 발제에서 머리 안쪽으로 1.5치 되는 곳

GB 17 정영

위 치 눈동자의 중심에서 수직 위쪽의 발제에서 머리 안쪽으로 2.5치 되는 곳

GB 18 승령

위 치 눈동자의 중심에서 수직 위쪽의 발제에서 머리 안쪽으로 2.5치 되는 곳

GB 19 뇌공

위 치 풍지혈(GB 20)에서 수직 위쪽으로 바깥뒤통수뼈융기 위모서리와 같은 높이의 곳

GB 20 풍지

위 치 뒤통수뼈 아래쪽의 오목부위와 꼭지돌기(乳樣突起) 사이

GB 21 견정

위 치 일곱째목뼈가시돌기(第7頸椎棘突起)와 어깨봉우리가쪽끝을 연결하는 선의 중점

GB 22 연액

위 치 가쪽 가슴부위의 중간겨드랑선 위쪽의 넷째갈비사이공간

GB 23 첩근

위 치 넷째갈비사이공간으로 중간겨드랑선에서 앞으로 1치 되는 곳

GB 24 일월

위 치 일곱째갈비사이공간으로 앞정중선에서 가쪽으로 4치 되는 곳

넙다리뼈와 무릎뼈

Femur and Patella

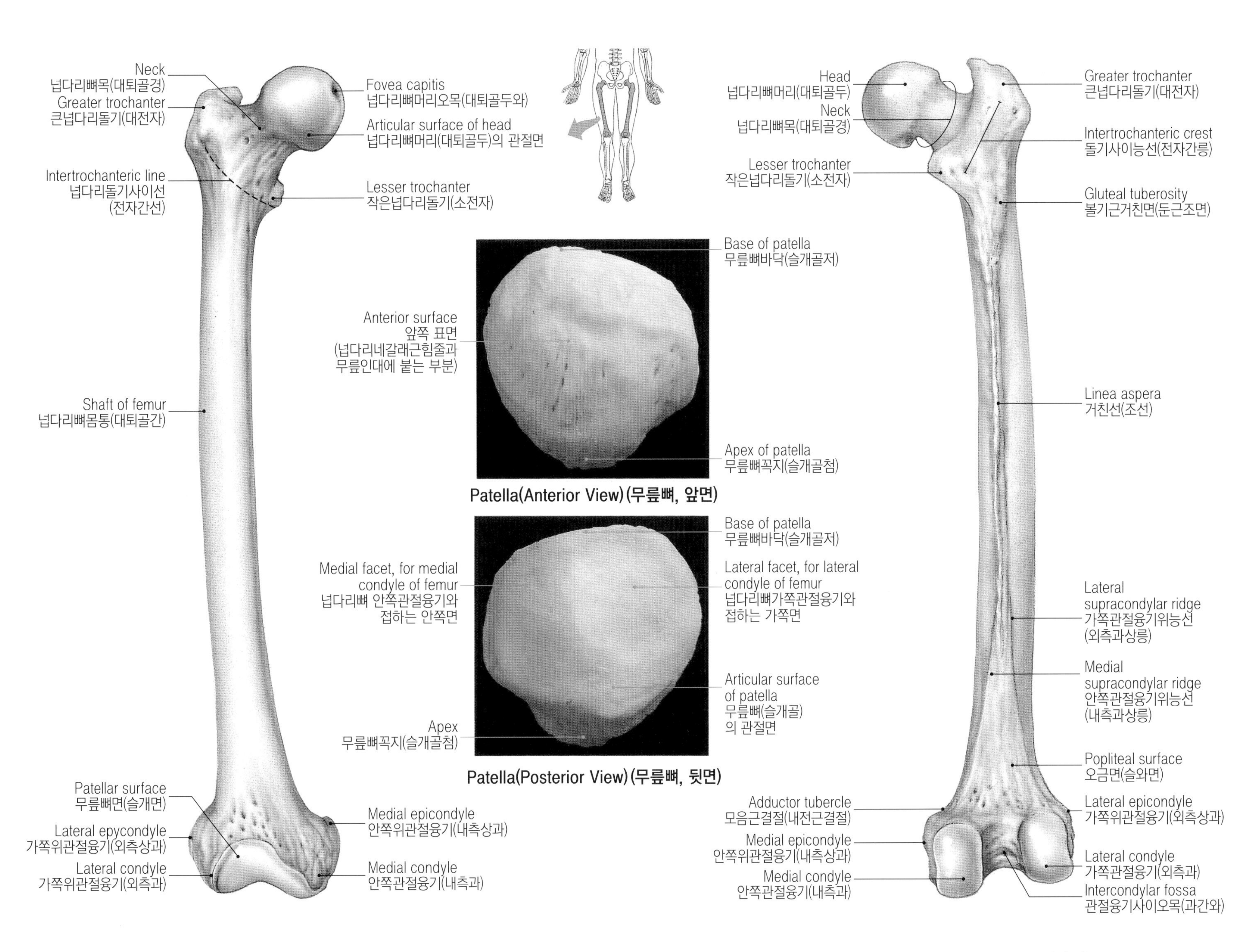
Neck
넙다리뼈목(대퇴골경)
Greater trochanter
큰넙다리돌기(대전자)
Intertrochanteric line
넙다리돌기사이선
(전자간선)
Fovea capitis
넙다리뼈머리오목(대퇴골두와)
Articular surface of head
넙다리뼈머리(대퇴골두)의 관절면
Lesser trochanter
작은넙다리돌기(소전자)
Shaft of femur
넙다리뼈몸통(대퇴골간)
Patellar surface
무릎뼈면(슬개면)
Lateral epycondyle
가쪽위관절융기(외측상과)
Lateral condyle
가쪽위관절융기(외측과)
Medial epicondyle
안쪽위관절융기(내측상과)
Medial condyle
안쪽관절융기(내측과)
Anterior View (안쪽)
Base of patella
무릎뼈바닥(슬개골저)
Anterior surface
앞쪽 표면
(넙다리네갈래근힘줄과
무릎인대에 붙는 부분)
Apex of patella
무릎뼈꼭지(슬개골첨)
Patella(Anterior View) (무릎뼈, 앞면)
Base of patella
무릎뼈바닥(슬개골저)
Medial facet, for medial
condyle of femur
넙다리뼈 안쪽관절융기와
접하는 안쪽면
Lateral facet, for lateral
condyle of femur
넙다리뼈가쪽관절융기와
접하는 가쪽면
Articular surface
of patella
무릎뼈(슬개골)
의 관절면
Apex
무릎뼈꼭지(슬개골첨)
Patella(Posterior View) (무릎뼈, 뒷면)
Head
넙다리뼈머리(대퇴골두)
Neck
넙다리뼈목(대퇴골경)
Lesser trochanter
작은넙다리돌기(소전자)
Greater trochanter
큰넙다리돌기(대전자)
Intertrochanteric crest
돌기사이능선(전자간릉)
Gluteal tuberosity
볼기근거친면(둔근조면)
Linea aspera
거친선(조선)
Lateral
supracondylar ridge
가쪽관절융기위능선
(외측과상릉)
Medial
supracondylar ridge
안쪽관절융기위능선
(내측과상릉)
Popliteal surface
오금면(슬와면)
Adductor tubercle
모음근결절(내전근결절)
Medial epicondyle
안쪽위관절융기(내측상과)
Medial condyle
안쪽관절융기(내측과)
Lateral epicondyle
가쪽위관절융기(외측상과)
Lateral condyle
가쪽관절융기(외측과)
Intercondylar fossa
관절융기사이오목(과간와)
Posterior View (뒤쪽)

족소양담경 4

(足少陽膽經, Gallbladder Meridian : GB)

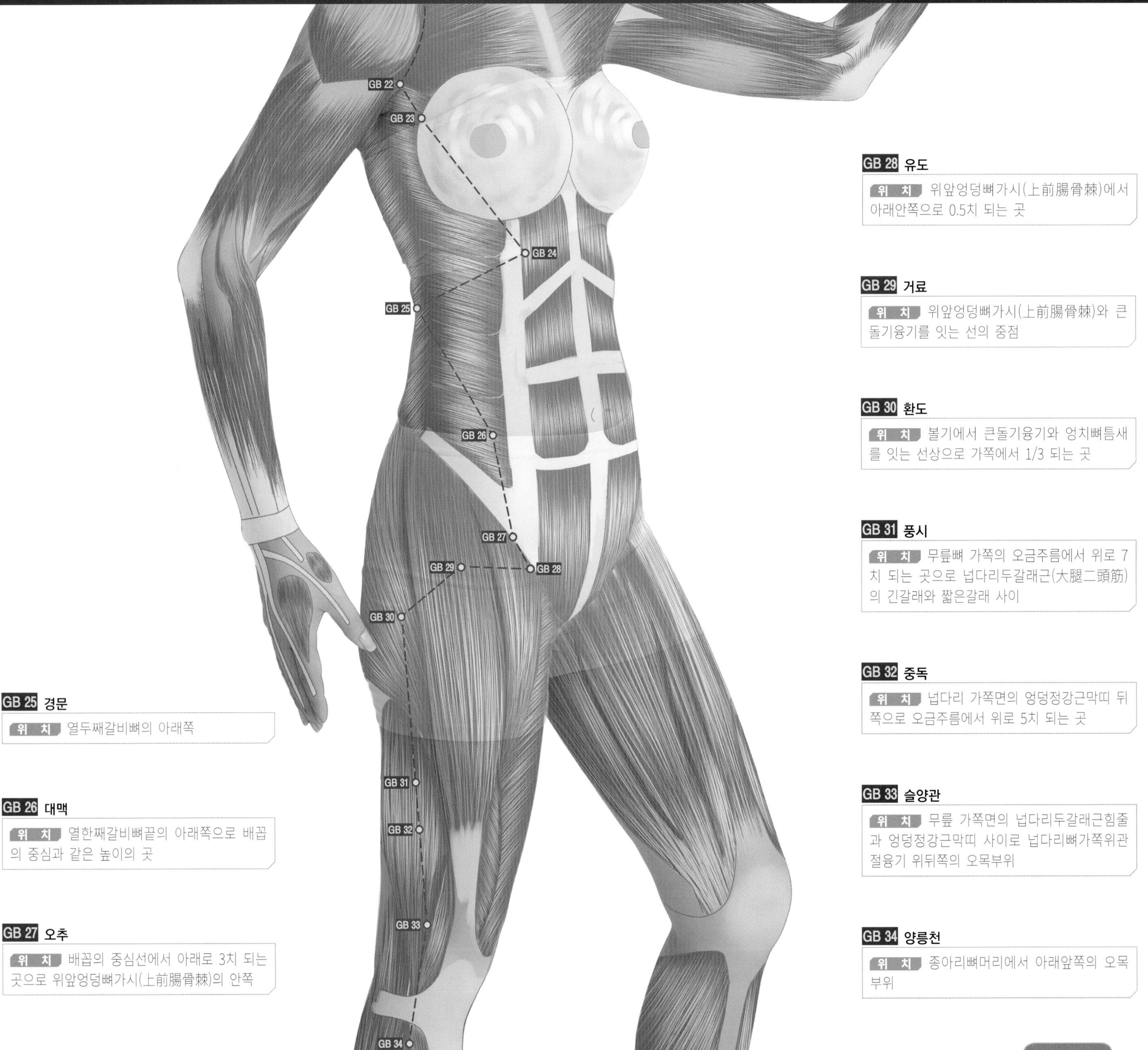
GB 22
GB 23
GB 24
GB 25
GB 26
GB 27
GB 28
GB 29
GB 30
GB 31
GB 32
GB 33
GB 34

GB 25 경문

위 치 열두째갈비뼈의 아래쪽

GB 26 대맥

위 치 열한째갈비뼈끝의 아래쪽으로 배꼽의 중심과 같은 높이의 곳

GB 27 오추

위 치 배꼽의 중심선에서 아래로 3치 되는 곳으로 위앞엉덩뼈가시(上前腸骨棘)의 안쪽

GB 28 유도

위 치 위앞엉덩뼈가시(上前腸骨棘)에서 아래안쪽으로 0.5치 되는 곳

GB 29 거료

위 치 위앞엉덩뼈가시(上前腸骨棘)와 큰돌기융기를 잇는 선의 중점

GB 30 환도

위 치 볼기에서 큰돌기융기와 엉치뼈틈새를 잇는 선상으로 가쪽에서 1/3 되는 곳

GB 31 풍시

위 치 무릎뼈 가쪽의 오금주름에서 위로 7치 되는 곳으로 넙다리두갈래근(大腿二頭筋)의 긴갈래와 짧은갈래 사이

GB 32 중독

위 치 넙다리 가쪽면의 엉덩정강근막띠 뒤쪽으로 오금주름에서 위로 5치 되는 곳

GB 33 슬양관

위 치 무릎 가쪽면의 넙다리두갈래근힘줄과 엉덩정강근막띠 사이로 넙다리뼈가쪽위관절융기 위뒤쪽의 오목부위

GB 34 양릉천

위 치 종아리뼈머리에서 아래앞쪽의 오목부위

볼기뼈와 골반

Bones of Wrist and Hand

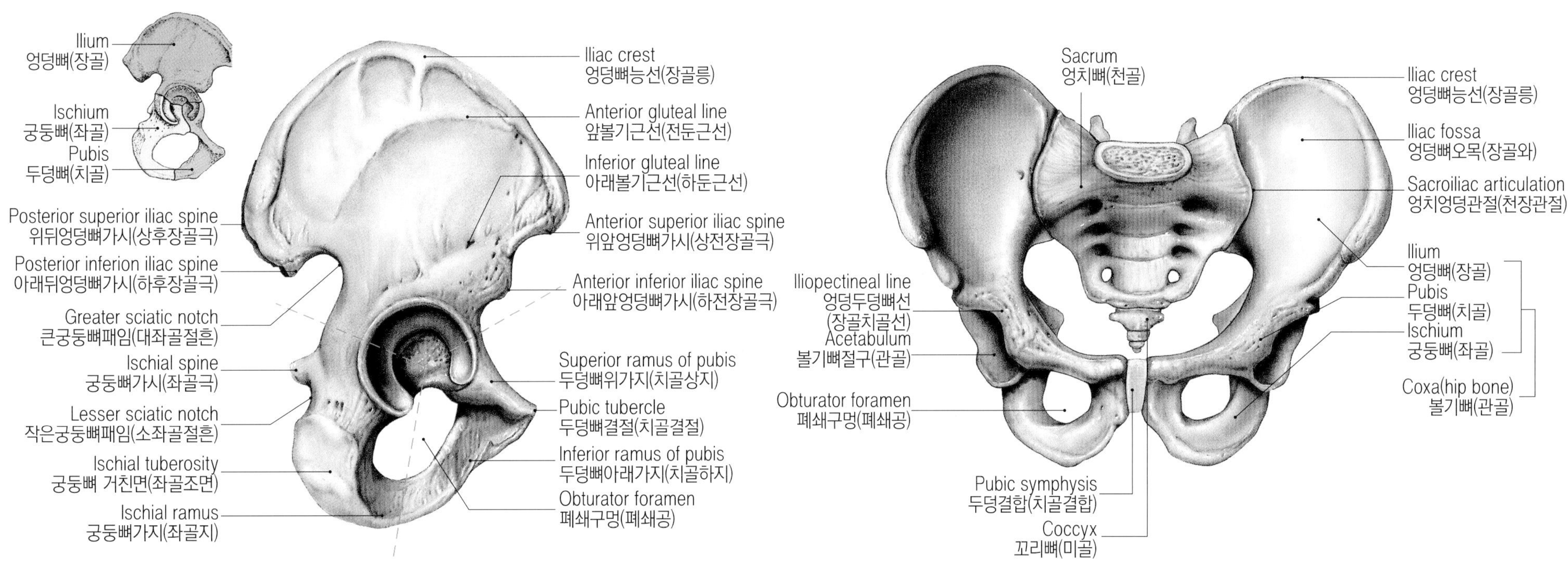

Ilium
엉덩뼈(장골)
Ischium
궁둥뼈(좌골)
Pubis
두덩뼈(치골)
Posterior superior iliac spine
위뒤엉덩뼈가시(상후장골극)
Posterior inferion iliac spine
아래뒤엉덩뼈가시(하후장골극)
Greater sciatic notch
큰궁둥뼈패임(대좌골절흔)
Ischial spine
궁둥뼈가시(좌골극)
Lesser sciatic notch
작은궁둥뼈패임(소좌골절흔)
Ischial tuberosity
궁둥뼈 거친면(좌골조면)
Ischial ramus
궁둥뼈가지(좌골지)
Iliac crest
엉덩뼈능선(장골릉)
Anterior gluteal line
앞볼기근선(전둔근선)
Inferior gluteal line
아래볼기근선(하둔근선)
Anterior superior iliac spine
위앞엉덩뼈가시(상전장골극)
Anterior inferior iliac spine
아래앞엉덩뼈가시(하전장골극)
Superior ramus of pubis
두덩뼈위가지(치골상지)
Pubic tubercle
두덩뼈결절(치골결절)
Inferior ramus of pubis
두덩뼈아래가지(치골하지)
Obturator foramen
폐쇄구멍(폐쇄공)
Sacrum
엉치뼈(천골)
Iliopectineal line
엉덩두덩뼈선
(장골치골선)
Acetabulum
볼기뼈절구(관골)
Obturator foramen
폐쇄구멍(폐쇄공)
Pubic symphysis
두덩결합(치골결합)
Coccyx
꼬리뼈(미골)
Iliac crest
엉덩뼈능선(장골릉)
Iliac fossa
엉덩뼈오목(장골와)
Sacroiliac articulation
엉치엉덩관절(천장관절)
Ilium
엉덩뼈(장골)
Pubis
두덩뼈(치골)
Ischium
궁둥뼈(좌골)
Coxa(hip bone)
볼기뼈(관골)

Coxa/Hip Bone(Lateral View)(볼기뼈, 가쪽)

Male Pelvis(Anterior View)(남성의 골반, 앞쪽)

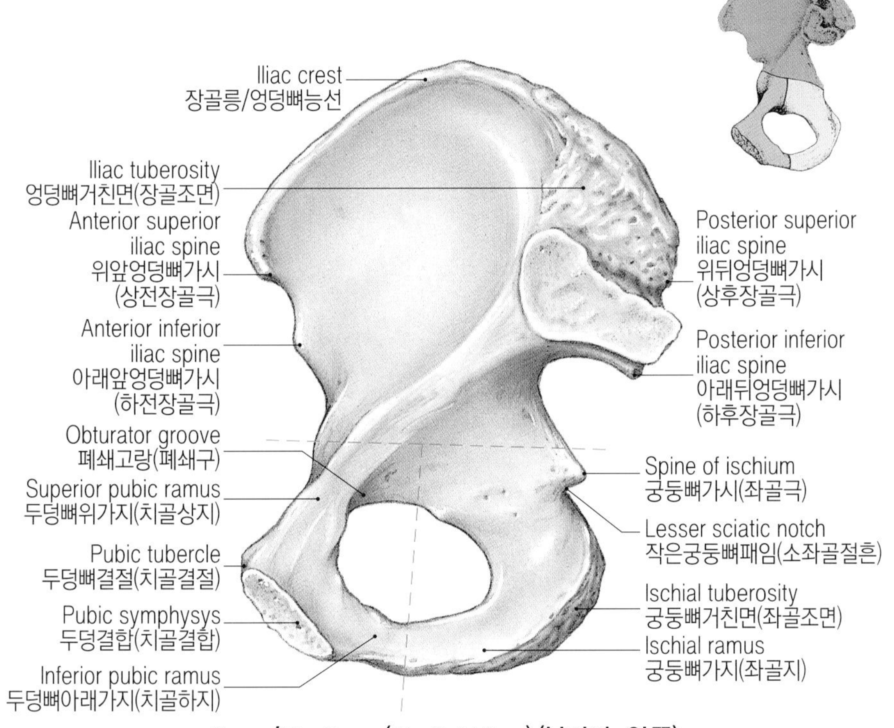

Iliac crest
장골릉/엉덩뼈능선
Iliac tuberosity
엉덩뼈거친면(장골조면)
Anterior superior
iliac spine
위앞엉덩뼈가시
(상전장골극)
Anterior inferior
iliac spine
아래앞엉덩뼈가시
(하전장골극)
Obturator groove
폐쇄고랑(폐쇄구)
Superior pubic ramus
두덩뼈위가지(치골상지)
Pubic tubercle
두덩뼈결절(치골결절)
Pubic symphysys
두덩결합(치골결합)
Inferior pubic ramus
두덩뼈아래가지(치골하지)
Posterior superior
iliac spine
위뒤엉덩뼈가시
(상후장골극)
Posterior inferior
iliac spine
아래뒤엉덩뼈가시
(하후장골극)
Spine of ischium
궁둥뼈가시(좌골극)
Lesser sciatic notch
작은궁둥뼈패임(소좌골절흔)
Ischial tuberosity
궁둥뼈거친면(좌골조면)
Ischial ramus
궁둥뼈가지(좌골지)

Coxa/Hip Bone(Medial View)(볼기뼈, 안쪽)

Dorsal sacral foramina
등쪽엉치뼈구멍(후천골공)
Posterior superior
iliac spine
위뒤엉덩뼈가시
(상후장골극)
Posterior inferior
iliac spine
아래뒤엉덩뼈가시
(하후장골극)
Coccyx
꼬리뼈(미골)
Ischial tuberosity
궁둥뼈거친면(좌골조면)
Median sacral crest
정중엉치뼈능선
(정중천골릉)
Greater sciatic notch
큰궁둥뼈패임(대좌골절흔)
Ischial spine
궁둥뼈가시(좌골극)

Male Pelvis(Posterior View)(남성의 골반, 뒤쪽)

족소양담경 5

(足少陽膽經, Gallbladder Meridian : GB)

GB 35 양교

위 치 종아리뼈 뒤쪽의 가쪽복사융기에서 위로 7치 되는 곳

GB 36 외구

위 치 종아리뼈(腓骨) 앞쪽으로 가쪽복사융기에서 위로 7치 되는 곳

GB 37 광명

위 치 종아리뼈 앞쪽으로 가쪽복사융기에서 위로 5치 되는 곳

GB 38 양보

위 치 종아리뼈 앞쪽으로 가쪽복사융기에서 위로 4치 되는 곳

GB 39 현종

위 치 종아리뼈앞쪽으로 가쪽복사융기에서 위로 3치 되는 곳

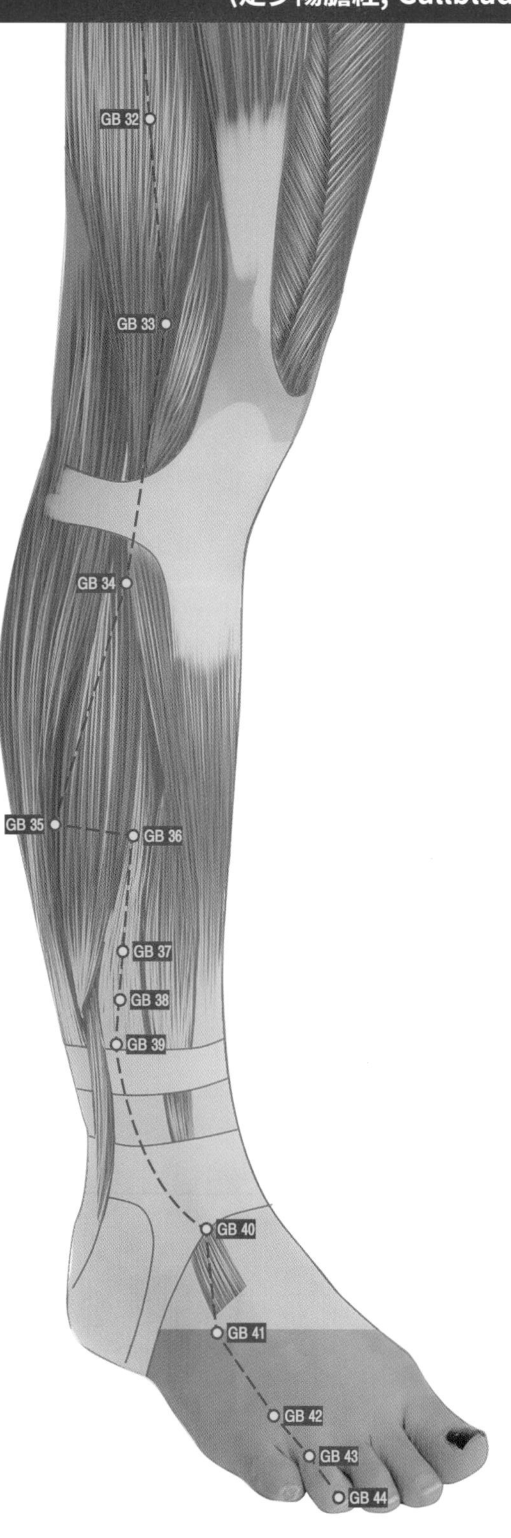
GB 32
GB 33
GB 34
GB 35
GB 36
GB 37
GB 38
GB 39
GB 40
GB 41
GB 42
GB 43
GB 44

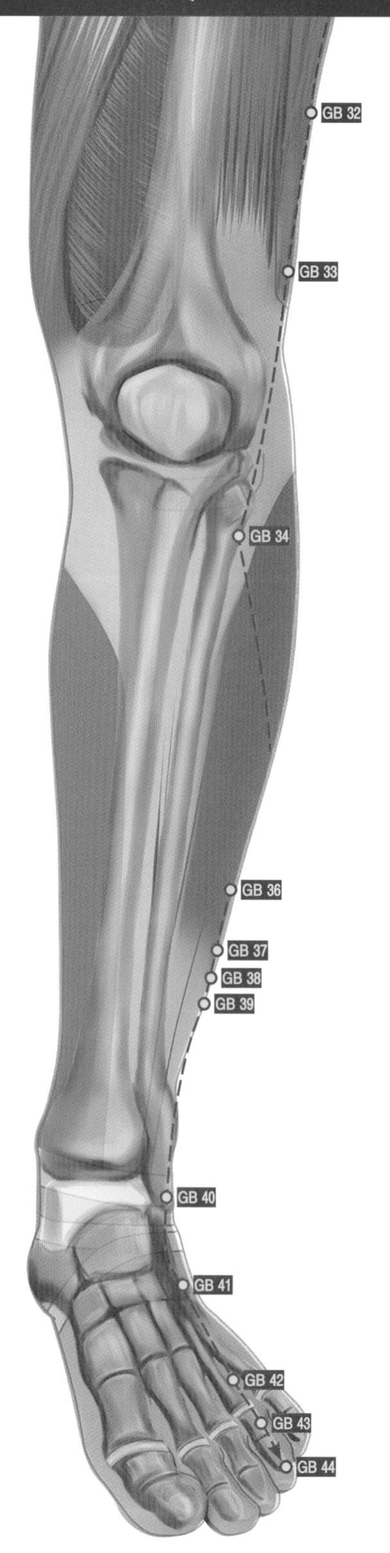
GB 32
GB 33
GB 34
GB 36
GB 37
GB 38
GB 39
GB 40
GB 41
GB 42
GB 43
GB 44

GB 40 구허

위 치 발등 가쪽의 긴발가락폄근힘줄 가쪽으로 가쪽복사 아래앞쪽의 오목부위

GB 41 족임읍

위 치 발등 가쪽으로 넷째와 다섯째발허리뼈밑동 접합부 앞에 있는 오목한 곳

GB 42 지오회

위 치 발등에서 넷째와 다섯째발허리뼈 사이로 넷째발허리발가락관절 위쪽의 오목부위

GB 43 협계

위 치 발등에서 넷째와 다섯째발가락 사이로 발샅(toe web, 발갈퀴막) 가장자리 몸쪽의 적백육제

GB 44 족규음

위 치 넷째발가락끝마디뼈의 가쪽 발톱뿌리각에서 위로 0.1치 되는 곳

손목과 손의 뼈
Bones of Wrist and Hand

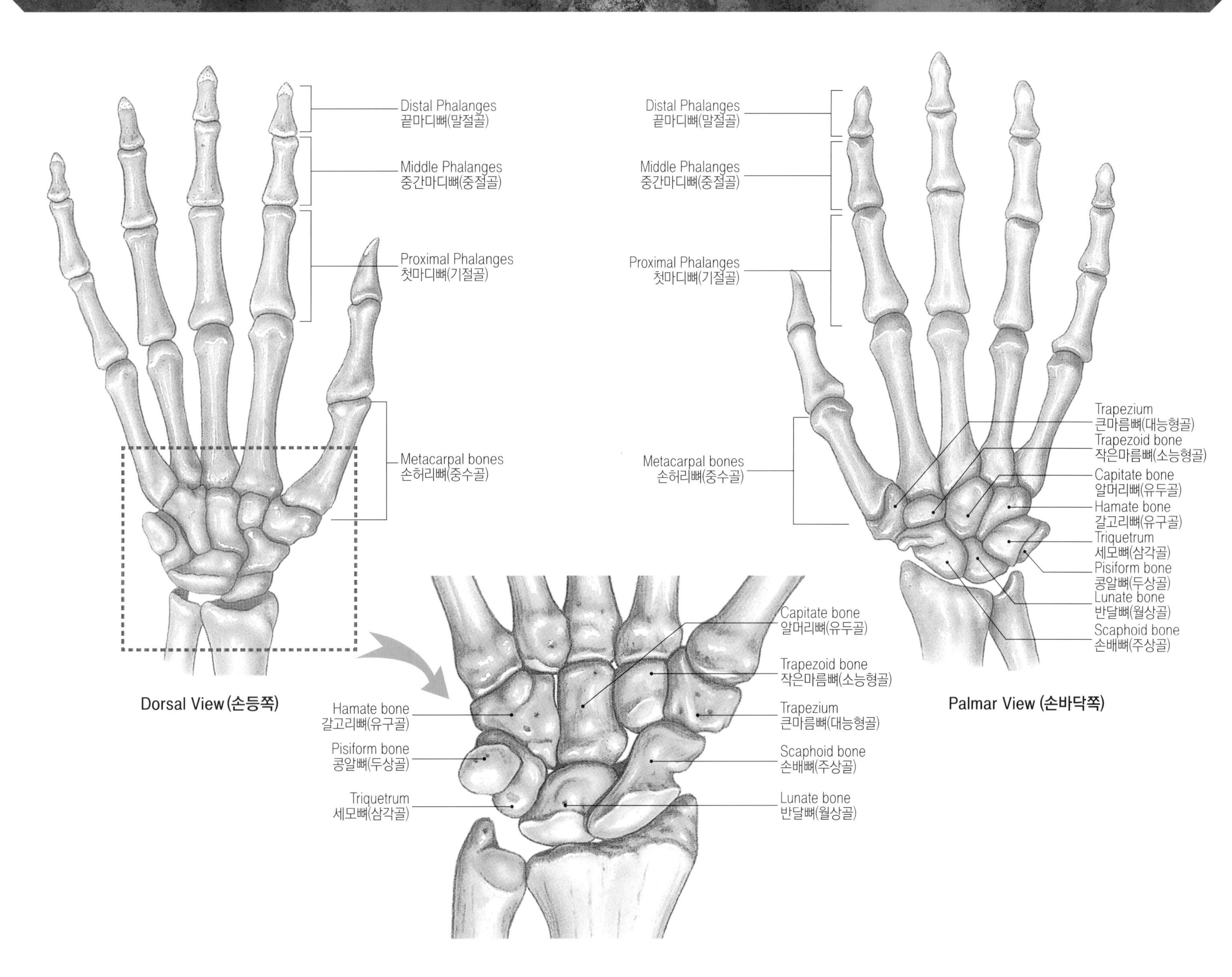

Distal Phalanges
끝마디뼈(말절골)
Middle Phalanges
중간마디뼈(중절골)
Proximal Phalanges
첫마디뼈(기절골)
Metacarpal bones
손허리뼈(중수골)
Dorsal View(손등쪽)
Distal Phalanges
끝마디뼈(말절골)
Middle Phalanges
중간마디뼈(중절골)
Proximal Phalanges
첫마디뼈(기절골)
Metacarpal bones
손허리뼈(중수골)
Trapezium
큰마름뼈(대능형골)
Trapezoid bone
작은마름뼈(소능형골)
Capitate bone
알머리뼈(유두골)
Hamate bone
갈고리뼈(유구골)
Triquetrum
세모뼈(삼각골)
Pisiform bone
콩알뼈(두상골)
Lunate bone
반달뼈(월상골)
Scaphoid bone
손배뼈(주상골)
Palmar View (손바닥쪽)
Capitate bone
알머리뼈(유두골)
Trapezoid bone
작은마름뼈(소능형골)
Hamate bone
갈고리뼈(유구골)
Trapezium
큰마름뼈(대능형골)
Pisiform bone
콩알뼈(두상골)
Scaphoid bone
손배뼈(주상골)
Triquetrum
세모뼈(삼각골)
Lunate bone
반달뼈(월상골)

족궐음간경은 족소양담경의 맥기(脈氣)를 받아 엄지발가락 가쪽끝(대돈혈)에서 시작하여 발등→안쪽복사 앞→종아리의 앞안쪽을 올라가 안쪽복사 위쪽 8치인 곳에서 족태음비경 뒤쪽으로 교차되어 나와 오금 안쪽(곡천혈)에 도달한다. 넙다리 안쪽을 올라가 샅(급맥혈)에서 음모 속으로 들어가 생식기를 지나 아랫배에 도달한다. 옆구리를 통과하여 곡골혈(CV 2), 중극혈(CV 3), 관원혈(CV 4)에서 임맥과 교회하고, 위를 사이에 두고 간에 속하고, 담에 낙(絡)한다. 그리고 가로막을 관통하여 협늑부(脇肋部)에 분포한다. 식도→기관→후두를 따라 올라가 눈부위(안구나 시신경)로 이어져 이마에서 나와 마루부위(백회혈)에서 독맥과 교차한다.

눈부위에서 나누어진 지맥은 볼 뒤를 내려가 입술 안을 돈다. 간에서 나누어진 지맥은 가로막을 관통하여 폐로 흘러들어가 수태음폐경에 이어진다.

LR 1 태돈

위 치 엄지발가락끝마디뼈의 가쪽으로 발톱밑동각에서 위로 0.1치 되는 곳

LR 2 행간

위 치 발등에서 첫째와 둘째발가락 사이로 발샅(toe web, 발갈퀴막) 가장자리에서 몸쪽의 적백육제

LR 3 태충

위 치 발등에서 첫째와 둘째발허리뼈 사이로 두 뼈뿌리결합부 아래쪽의 오목부위로 발등동맥이 뛰는 곳

LR 4 중봉

위 치 안쪽복사에서 아래앞쪽으로 1치 되는 곳으로 앞정강근힘줄 안쪽의 오목부위

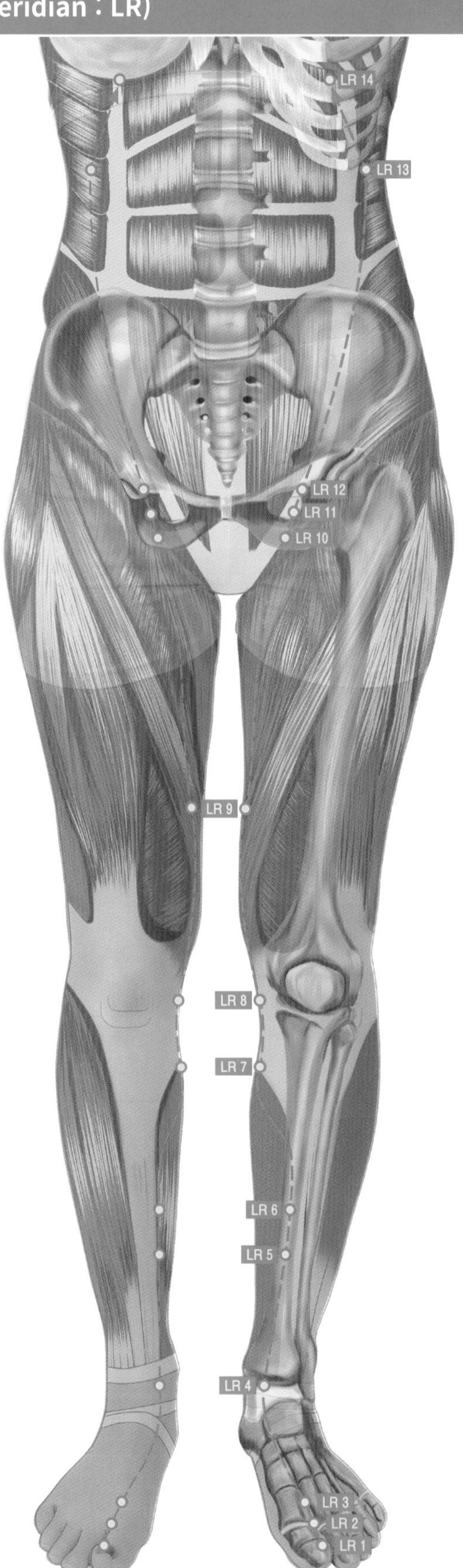
LR 14
LR 13
LR 12
LR 11
LR 10
LR 9
LR 8
LR 7
LR 6
LR 5
LR 4
LR 3
LR 2
LR 1

위팔뼈, 노뼈와 자뼈
Humerus, Radius and Ulna(Anterior View)

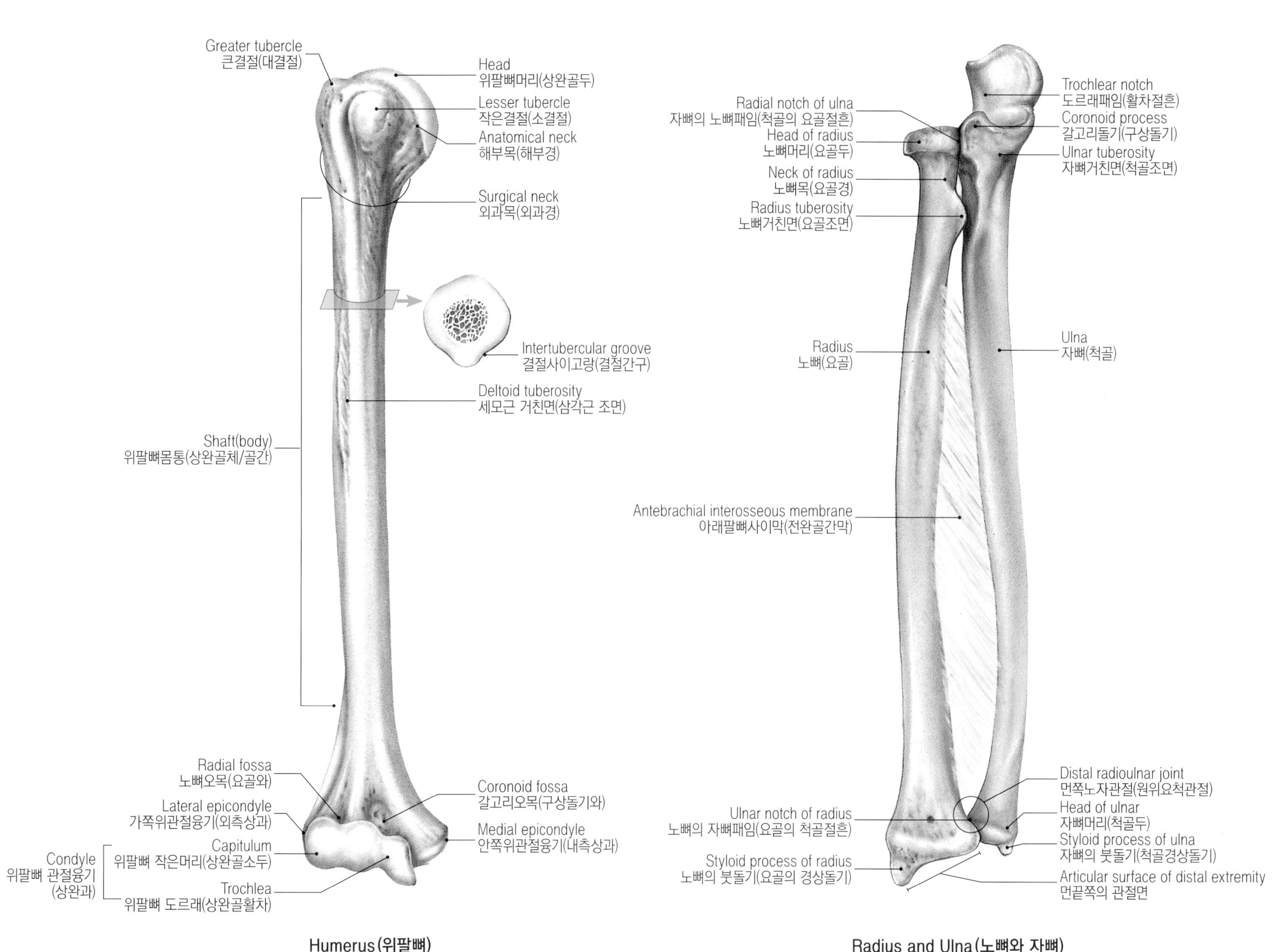

Greater tubercle
큰결절(대결절)
Head
위팔뼈머리(상완골두)
Lesser tubercle
작은결절(소결절)
Anatomical neck
해부목(해부경)
Surgical neck
외과목(외과경)
Intertubercular groove
결절사이고랑(결절간구)
Deltoid tuberosity
세모근 거친면(삼각근 조면)
Shaft(body)
위팔뼈몸통(상완골체/골간)
Radial fossa
노뼈오목(요골와)
Lateral epicondyle
가쪽위관절융기(외측상과)
Coronoid fossa
갈고리오목(구상돌기와)
Medial epicondyle
안쪽위관절융기(내측상과)
Condyle
위팔뼈 관절융기
(상완과)
Capitulum
위팔뼈 작은머리(상완골소두)
Trochlea
위팔뼈 도르래(상완골활차)
Radial notch of ulna
자뼈의 노뼈패임(척골의 요골절흔)
Head of radius
노뼈머리(요골두)
Neck of radius
노뼈목(요골경)
Radius tuberosity
노뼈거친면(요골조면)
Trochlear notch
도르래패임(활차절흔)
Coronoid process
갈고리돌기(구상돌기)
Ulnar tuberosity
자뼈거친면(척골조면)
Radius
노뼈(요골)
Ulna
자뼈(척골)
Antebrachial interosseous membrane
아래팔뼈사이막(전완골간막)
Distal radioulnar joint
먼쪽노자관절(원위요척관절)
Ulnar notch of radius
노뼈의 자뼈패임(요골의 척골절흔)
Head of ulnar
자뼈머리(척골두)
Styloid process of ulna
자뼈의 붓돌기(척골경상돌기)
Styloid process of radius
노뼈의 붓돌기(요골의 경상돌기)
Articular surface of distal extremity
먼끝쪽의 관절면

Humerus(위팔뼈)

Radius and Ulna(노뼈와 자뼈)

족궐음간경 2

(足厥陰肝經, Liver Meridian : LR)

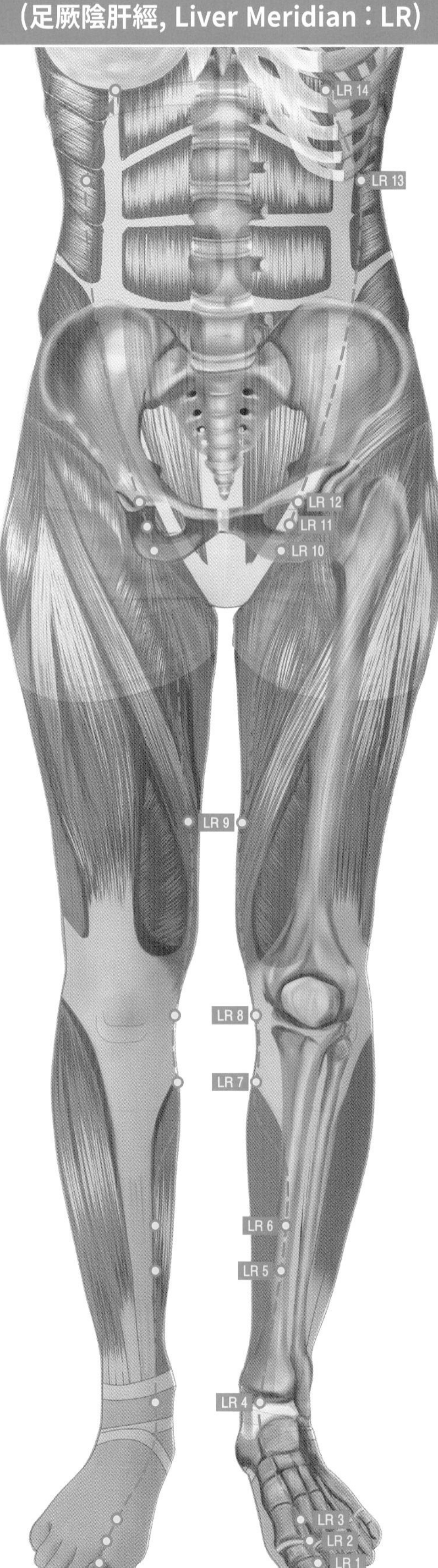

LR 14
LR 13
LR 12
LR 11
LR 10
LR 9
LR 8
LR 7
LR 6
LR 5
LR 4
LR 3
LR 2
LR 1

LR 5 여구

위 치 안쪽복사융기에서 위로 5치 되는 곳으로 정강뼈 안쪽면의 중앙능선과 장딴지근 사이

LR 6 중도

위 치 안쪽복사융기에서 위로 7치 되는 곳으로 정강뼈 안쪽모서리의 중점

LR 7 슬관

위 치 정강뼈안쪽관절융기 아래뒤쪽의 오목부위

LR 8 곡천

위 치 무릎 안쪽면에서 반힘줄근힘줄과 반막근힘줄 안쪽(정강뼈쪽)의 오목부위

LR 9 음포

위 치 두덩정강근과 넙다리빗근 사이로 무릎뼈밑동에서 위로 4치 되는 곳

LR 10 족오리

위 치 넙다리 안쪽면으로 기충혈(ST 30)에서 아래로 3치 되는 곳

LR 11 음렴

위 치 넙다리 안쪽면의 기충혈(ST 30)에서 아래로 2치 되는 곳

LR 12 급맥

위 치 샅굴에서 두덩결합 위모서리와 같은 높이로 앞정중선에서 가쪽으로 2.5치 되는 곳

LR 13 장문

위 치 옆구리쪽에서 열한째갈비뼈끝의 아래쪽으로 하완혈(CV 10)에서 가쪽으로 6치 되는 곳

LR 14 기문

위 치 앞가슴의 앞정중선에서 가쪽으로 4치 되는 곳으로 여섯째갈비사이공간

어깨뼈

Scapula

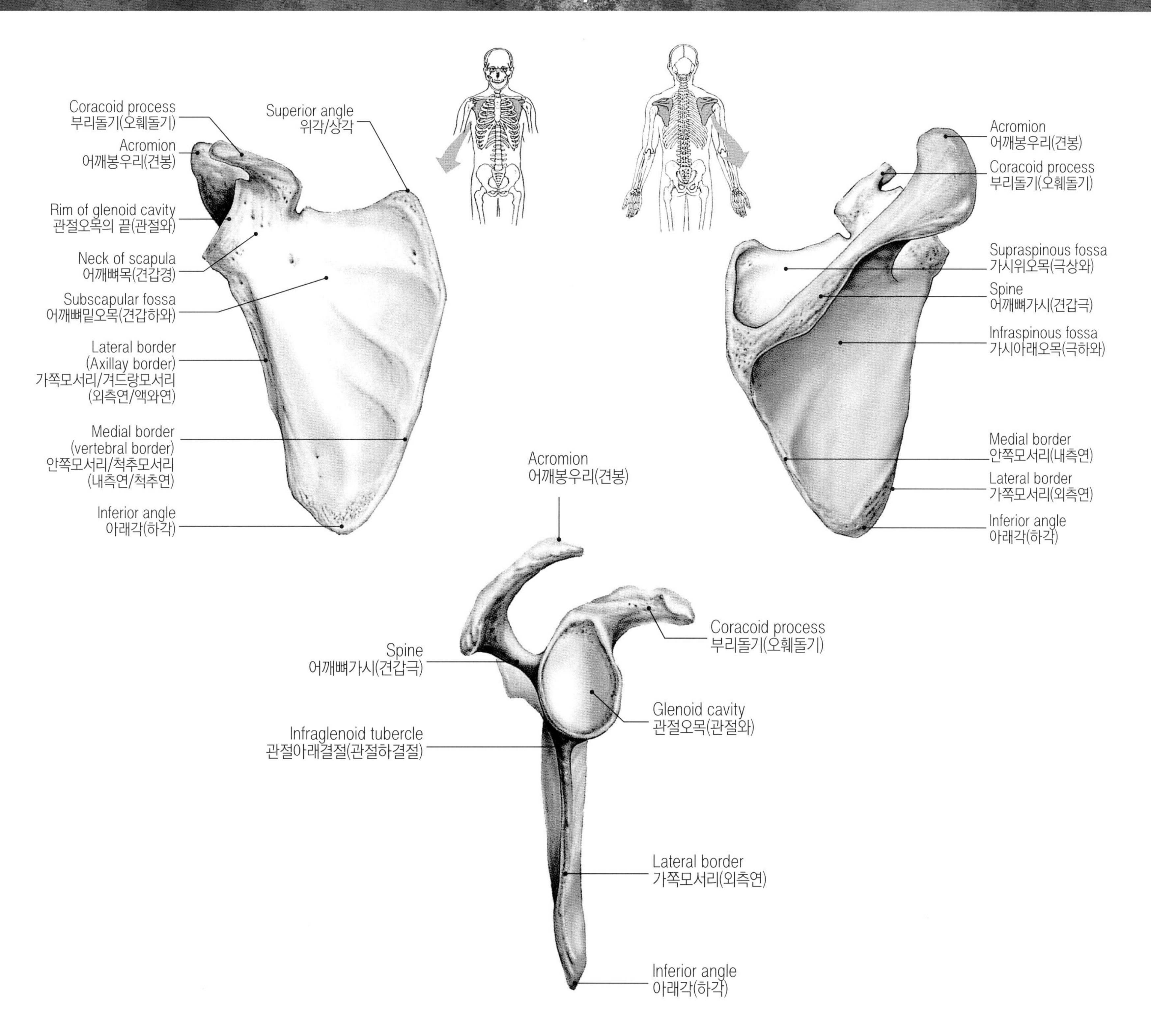
Coracoid process
부리돌기(오훼돌기)
Acromion
어깨봉우리(견봉)
Rim of glenoid cavity
관절오목의 끝(관절와)
Neck of scapula
어깨뼈목(견갑경)
Subscapular fossa
어깨뼈밑오목(견갑하와)
Lateral border
(Axillay border)
가쪽모서리/겨드랑모서리
(외측연/액와연)
Medial border
(vertebral border)
안쪽모서리/척추모서리
(내측연/척추연)
Inferior angle
아래각(하각)
Superior angle
위각/상각
Acromion
어깨봉우리(견봉)
Coracoid process
부리돌기(오훼돌기)
Supraspinous fossa
가시위오목(극상와)
Spine
어깨뼈가시(견갑극)
Infraspinous fossa
가시아래오목(극하와)
Medial border
안쪽모서리(내측연)
Lateral border
가쪽모서리(외측연)
Inferior angle
아래각(하각)
Acromion
어깨봉우리(견봉)
Spine
어깨뼈가시(견갑극)
Infraglenoid tubercle
관절아래결절(관절하결절)
Coracoid process
부리돌기(오훼돌기)
Glenoid cavity
관절오목(관절와)
Lateral border
가쪽모서리(외측연)
Inferior angle
아래각(하각)

독맥 1

(督脈, Governor Vessel : GV)

독맥은 회음부(會陰部)에서 시작하여 배부정중선상을 따라 올라가 견갑부에서 좌우로 나누어졌다가 다시 정중선상에서 합하여 상행하고, 목덜미(項部)에서 마루(頭頂)의 정중선을 통해 앞으로 나와서 상치은부(위잇몸)에서 정지한다.

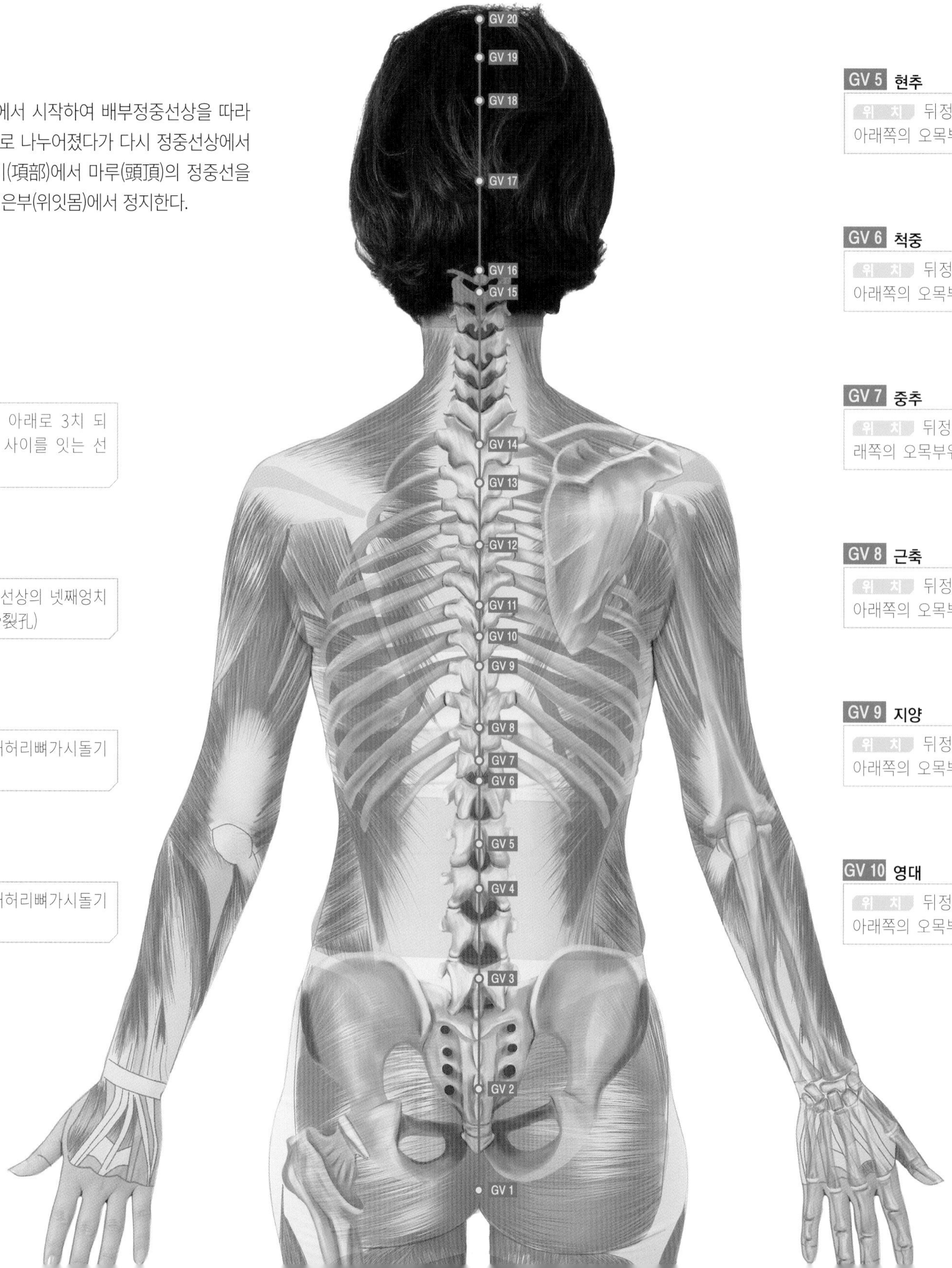

GV 1 장강

위 치 꼬리뼈(尾骨)에서 아래로 3치 되는 곳으로 꼬리뼈끝과 항문 사이를 잇는 선의 중점

GV 2 요수

위 치 엉치부위로 뒤정중선상의 넷째엉치뼈 아래쪽의 엉치뼈틈새(薦骨裂孔)

GV 3 요양관

위 치 뒤정중선상의 넷째허리뼈가시돌기 아래쪽의 오목부위

GV 4 명문

위 치 뒤정중선상의 둘째허리뼈가시돌기 아래쪽의 오목부위

GV 5 현추

위 치 뒤정중선상의 첫째허리뼈가시돌기 아래쪽의 오목부위

GV 6 척중

위 치 뒤정중선상의 열한째등뼈가시돌기 아래쪽의 오목부위

GV 7 중추

위 치 뒤정중선상의 열째등뼈가시돌기 아래쪽의 오목부위

GV 8 근축

위 치 뒤정중선상의 아홉째등뼈가시돌기 아래쪽의 오목부위

GV 9 지양

위 치 뒤정중선상의 일곱째등뼈가시돌기 아래쪽의 오목부위

GV 10 영대

위 치 뒤정중선상의 여섯째등뼈가시돌기 아래쪽의 오목부위

GV 20
GV 19
GV 18
GV 17
GV 16
GV 15
GV 14
GV 13
GV 12
GV 11
GV 10
GV 9
GV 8
GV 7
GV 6
GV 5
GV 4
GV 3
GV 2
GV 1

척주를 구성하는 뼈
Vertebrae

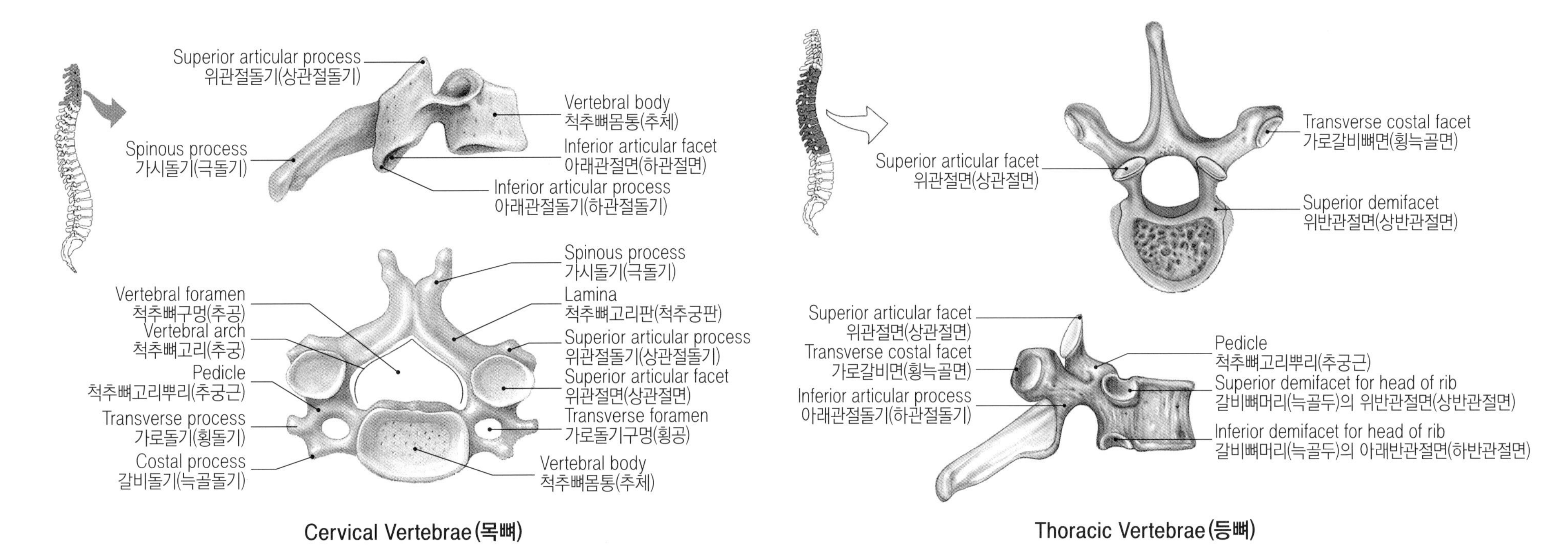

Superior articular process
위관절돌기(상관절돌기)
Vertebral body
척추뼈몸통(추체)
Spinous process
가시돌기(극돌기)
Inferior articular facet
아래관절면(하관절면)
Inferior articular process
아래관절돌기(하관절돌기)
Vertebral foramen
척추뼈구멍(추공)
Vertebral arch
척추뼈고리(추궁)
Pedicle
척추뼈고리뿌리(추궁근)
Transverse process
가로돌기(횡돌기)
Costal process
갈비돌기(늑골돌기)
Spinous process
가시돌기(극돌기)
Lamina
척추뼈고리판(척추궁판)
Superior articular process
위관절돌기(상관절돌기)
Superior articular facet
위관절면(상관절면)
Transverse foramen
가로돌기구멍(횡공)
Vertebral body
척추뼈몸통(추체)
Superior articular facet
위관절면(상관절면)
Transverse costal facet
가로갈비뼈면(횡늑골면)
Superior demifacet
위반관절면(상반관절면)
Superior articular facet
위관절면(상관절면)
Transverse costal facet
가로갈비면(횡늑골면)
Inferior articular process
아래관절돌기(하관절돌기)
Pedicle
척추뼈고리뿌리(추궁근)
Superior demifacet for head of rib
갈비뼈머리(늑골두)의 위반관절면(상반관절면)
Inferior demifacet for head of rib
갈비뼈머리(늑골두)의 아래반관절면(하반관절면)

Cervical Vertebrae (목뼈)

Thoracic Vertebrae (등뼈)

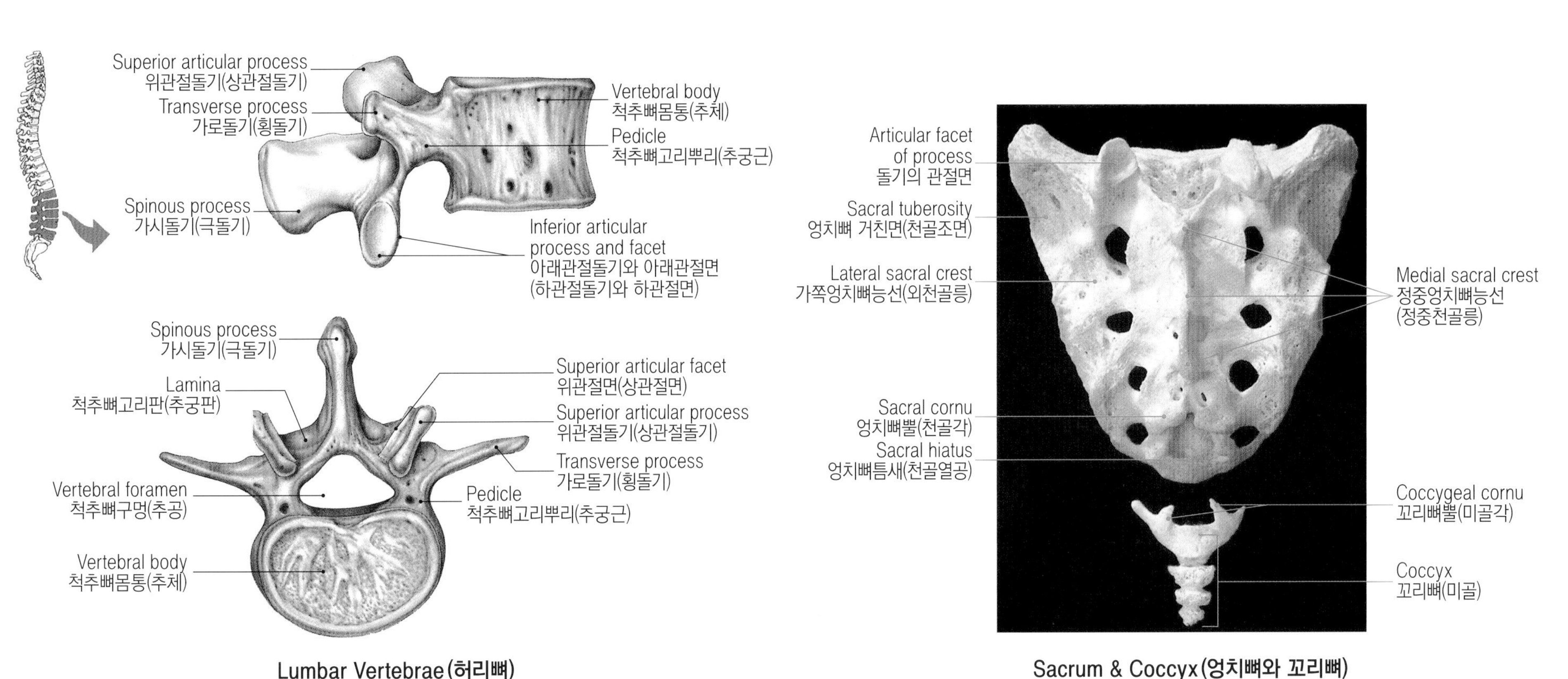

Superior articular process
위관절돌기(상관절돌기)
Transverse process
가로돌기(횡돌기)
Spinous process
가시돌기(극돌기)
Vertebral body
척추뼈몸통(추체)
Pedicle
척추뼈고리뿌리(추궁근)
Inferior articular
process and facet
아래관절돌기와 아래관절면
(하관절돌기와 하관절면)
Spinous process
가시돌기(극돌기)
Lamina
척추뼈고리판(추궁판)
Vertebral foramen
척추뼈구멍(추공)
Vertebral body
척추뼈몸통(추체)
Superior articular facet
위관절면(상관절면)
Superior articular process
위관절돌기(상관절돌기)
Transverse process
가로돌기(횡돌기)
Pedicle
척추뼈고리뿌리(추궁근)
Articular facet
of process
돌기의 관절면
Sacral tuberosity
엉치뼈 거친면(천골조면)
Lateral sacral crest
가쪽엉치뼈능선(외천골릉)
Sacral cornu
엉치뼈뿔(천골각)
Sacral hiatus
엉치뼈틈새(천골열공)
Medial sacral crest
정중엉치뼈능선
(정중천골릉)
Coccygeal cornu
꼬리뼈뿔(미골각)
Coccyx
꼬리뼈(미골)

Lumbar Vertebrae (허리뼈)

Sacrum & Coccyx (엉치뼈와 꼬리뼈)

독맥 2

(督脈, Governor Vessel : GV)

GV 11 신도

위 치 뒤정중선상의 다섯째등뼈가시돌기 아래쪽의 오목부위

GV 12 신주

위 치 뒤정중선상의 셋째등뼈가시돌기 아래쪽의 오목부위

GV 13 도도

위 치 뒤정중선상의 첫째등뼈가시돌기 아래쪽의 오목부위

GV 14 대추

위 치 뒤정중선상의 일곱째목뼈가시돌기 아래쪽의 오목부위

GV 15 아문

위 치 뒤정중선상의 둘째목뼈가시돌기 위쪽의 오목부위

GV 16 풍부

위 치 뒤정중선상의 바깥뒤통수뼈융기에서 수직 아래쪽의 양쪽 등세모근(僧帽筋) 사이의 오목부위

GV 17 뇌호

위 치 뒤정중선상의 바깥뒤통수뼈융기 위쪽의 오목부위

GV 18 강간

위 치 뒤정중선상의 발제에서 위로 4치 되는 곳

GV 19 후정

위 치 뒤정중선상의 발제에서 위로 5.5치 되는 곳

GV 20 백회

위 치 앞정중선상의 발제에서 위로 5치 되는 곳으로 귀끝을 수직으로 연결하는 선과 머리를 지나는 독맥의 정중선이 교차하는 곳

척주와 가슴우리(흉곽)

Vertebral Column and Thoracic Cage

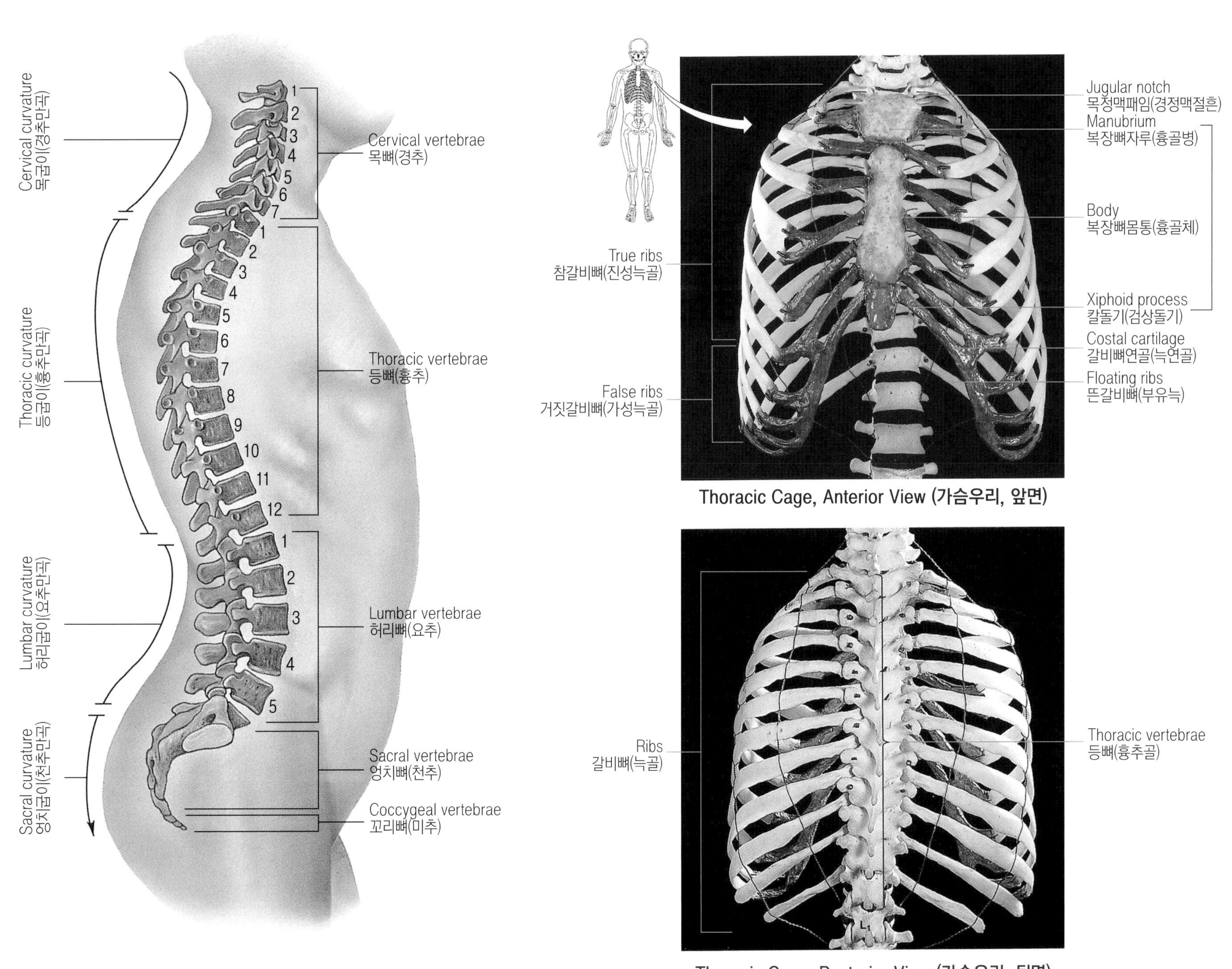

Cervical curvature
목굽이(경추만곡)
Thoracic curvature
등굽이(흉추만곡)
Lumbar curvature
허리굽이(요추만곡)
Sacral curvature
엉치굽이(천추만곡)
1
2
3
4
5
6
7
Cervical vertebrae
목뼈(경추)
1
2
3
4
5
6
7
8
9
10
11
12
Thoracic vertebrae
등뼈(흉추)
1
2
3
4
5
Lumbar vertebrae
허리뼈(요추)
Sacral vertebrae
엉치뼈(천추)
Coccygeal vertebrae
꼬리뼈(미추)
True ribs
참갈비뼈(진성늑골)
False ribs
거짓갈비뼈(가성늑골)
Jugular notch
목정맥패임(경정맥절흔)
Manubrium
복장뼈자루(흉골병)
Body
복장뼈몸통(흉골체)
Xiphoid process
칼돌기(검상돌기)
Costal cartilage
갈비뼈연골(늑연골)
Floating ribs
뜬갈비뼈(부유늑)
Ribs
갈비뼈(늑골)
Thoracic vertebrae
등뼈(흉추골)

Vertebral Column and Curvature(척주와 만곡)

Thoracic Cage, Anterior View (가슴우리, 앞면)

Thoracic Cage, Posterior View (가슴우리, 뒷면)

독맥 3

(督脈, Governor Vessel : GV)

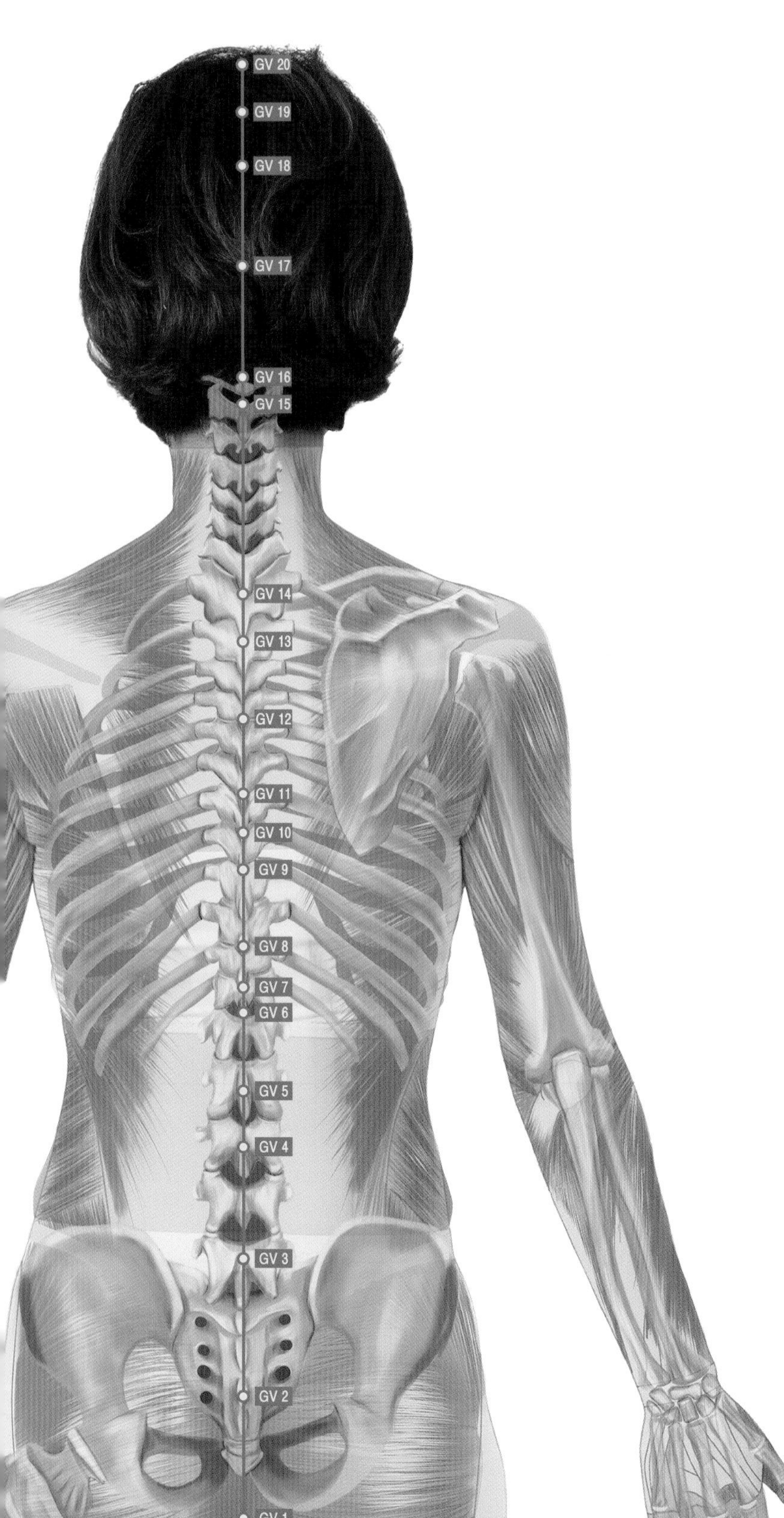

GV 20
GV 19
GV 18
GV 17
GV 16
GV 15
GV 14
GV 13
GV 12
GV 11
GV 10
GV 9
GV 8
GV 7
GV 6
GV 5
GV 4
GV 3
GV 2
GV 1

GV 21 전정

위 치 앞정중선상의 발제에서 위로 3.5치 되는 곳

GV 22 신회

위 치 앞정중선상의 발제에서 위로 2치 되는 곳

GV 23 상성

위 치 앞정중선상의 발제에서 위로 1치 되는 곳

GV 24 신정

위 치 앞정중선상의 발제에서 위로 0.5치 되는 곳

GV 25 소료

위 치 코끝의 정중앙

GV 26 수구

위 치 코 아래쪽의 인중 도랑의 중점

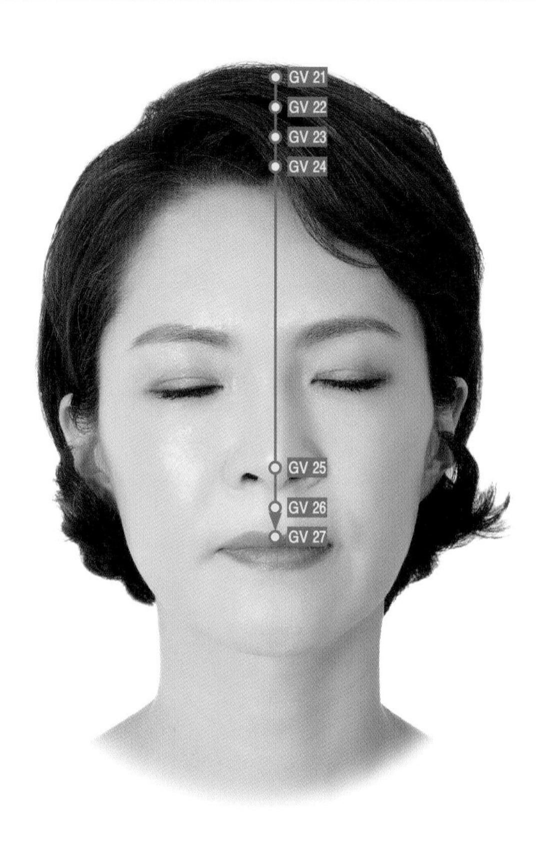

GV 21
GV 22
GV 23
GV 24
GV 25
GV 26
GV 27

GV 27 태단

위 치 얼굴에서 위입술결절의 중점

GV 28 은교

위 치 얼굴에서 위입술주름띠와 윗잇몸이 만나는 곳

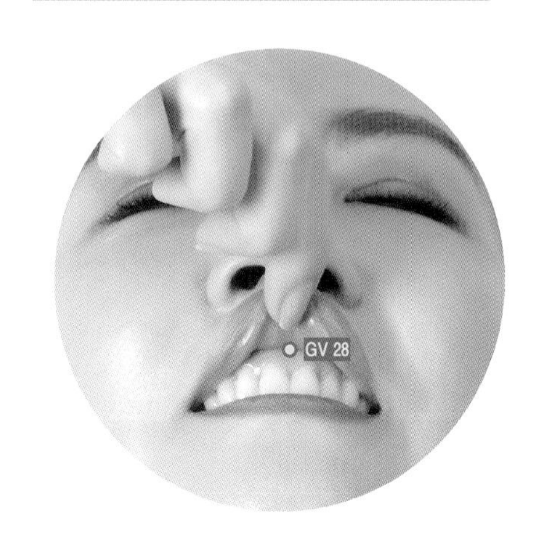

GV 28

머리뼈 : 옆면과 앞면
Skull : Lateral and Anterior View

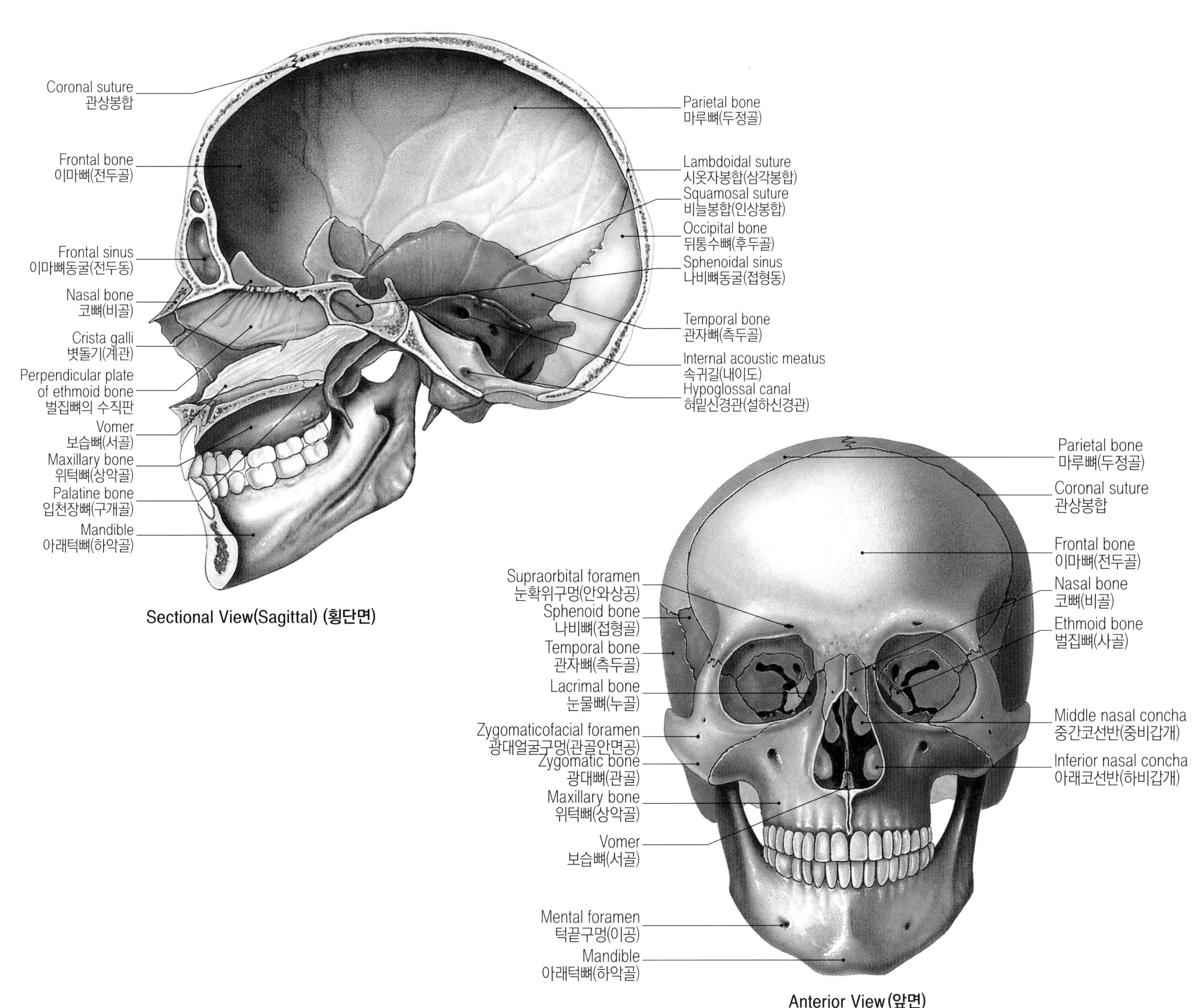

Coronal suture
관상봉합
Frontal bone
이마뼈(전두골)
Frontal sinus
이마뼈동굴(전두동)
Nasal bone
코뼈(비골)
Crista galli
볏돌기(계관)
Perpendicular plate
of ethmoid bone
벌집뼈의 수직판
Vomer
보습뼈(서골)
Maxillary bone
위턱뼈(상악골)
Palatine bone
입천장뼈(구개골)
Mandible
아래턱뼈(하악골)
Parietal bone
마루뼈(두정골)
Lambdoidal suture
시옷자봉합(삼각봉합)
Squamosal suture
비늘봉합(인상봉합)
Occipital bone
뒤통수뼈(후두골)
Sphenoidal sinus
나비뼈동굴(접형동)
Temporal bone
관자뼈(측두골)
Internal acoustic meatus
속귀길(내이도)
Hypoglossal canal
혀밑신경관(설하신경관)

Sectional View(Sagittal) (횡단면)

Parietal bone
마루뼈(두정골)
Coronal suture
관상봉합
Frontal bone
이마뼈(전두골)
Nasal bone
코뼈(비골)
Ethmoid bone
벌집뼈(사골)
Middle nasal concha
중간코선반(중비갑개)
Inferior nasal concha
아래코선반(하비갑개)
Supraorbital foramen
눈확위구멍(안와상공)
Sphenoid bone
나비뼈(접형골)
Temporal bone
관자뼈(측두골)
Lacrimal bone
눈물뼈(누골)
Zygomaticofacial foramen
광대얼굴구멍(관골안면공)
Zygomatic bone
광대뼈(관골)
Maxillary bone
위턱뼈(상악골)
Vomer
보습뼈(서골)
Mental foramen
턱끝구멍(이공)
Mandible
아래턱뼈(하악골)

Anterior View(앞면)

임맥 1

(任脈, Conception Vessel : CV)

임맥은 회음부(會陰部)에서 시작하여 외음부에 들어갔다가 음모제(陰毛際)를 상행하여, 복부정중선상의 배꼽(臍)을 통하여 뒤통수(後頭)까지 올라가 턱(顎)에서 안면으로 나와서 입술(脣)을 돌아서 둘로 나누어져 양쪽 눈의 중앙 하부에서 양교맥과 족양명위경의 2경(二經)과 만나서 끝난다.

CV 1 회음

위 치 남성 : 샅굴(鼠蹊)에서 항문과 음낭모서리를 잇는 선의 중점

CV 2 곡골

위 치 앞정중선상 두덩결합(恥骨結合) 위쪽의 오목부위

CV 3 중극

위 치 앞정중선상의 배꼽 중심에서 아래로 4치 되는 곳

CV 4 관원

위 치 앞정중선상의 배꼽 중심에서 아래로 3치 되는 곳

CV 5 석문

위 치 앞정중선상의 배꼽 중심에서 아래로 2치 되는 곳

CV 6 기해

위 치 앞정중선상의 배꼽 중심에서 아래로 1.5치 되는 곳

CV 7 음교

위 치 앞정중선상의 배꼽 중심에서 아래로 1치 되는 곳

CV 8 신궐

위 치 배꼽의 중심

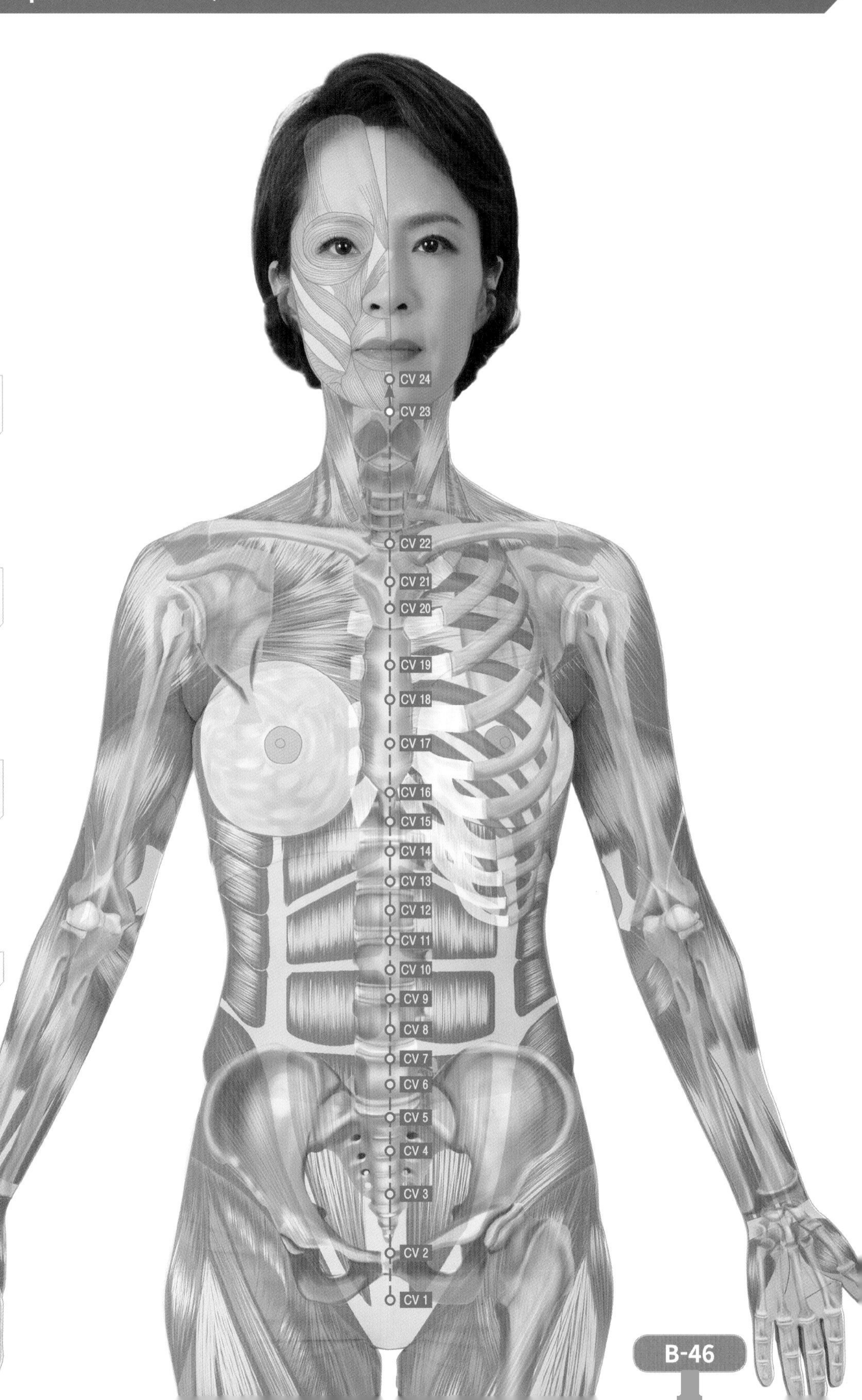
CV 24
CV 23
CV 22
CV 21
CV 20
CV 19
CV 18
CV 17
CV 16
CV 15
CV 14
CV 13
CV 12
CV 11
CV 10
CV 9
CV 8
CV 7
CV 6
CV 5
CV 4
CV 3
CV 2
CV 1

인체의 골격계통 개관
Introduction of Skeletal System

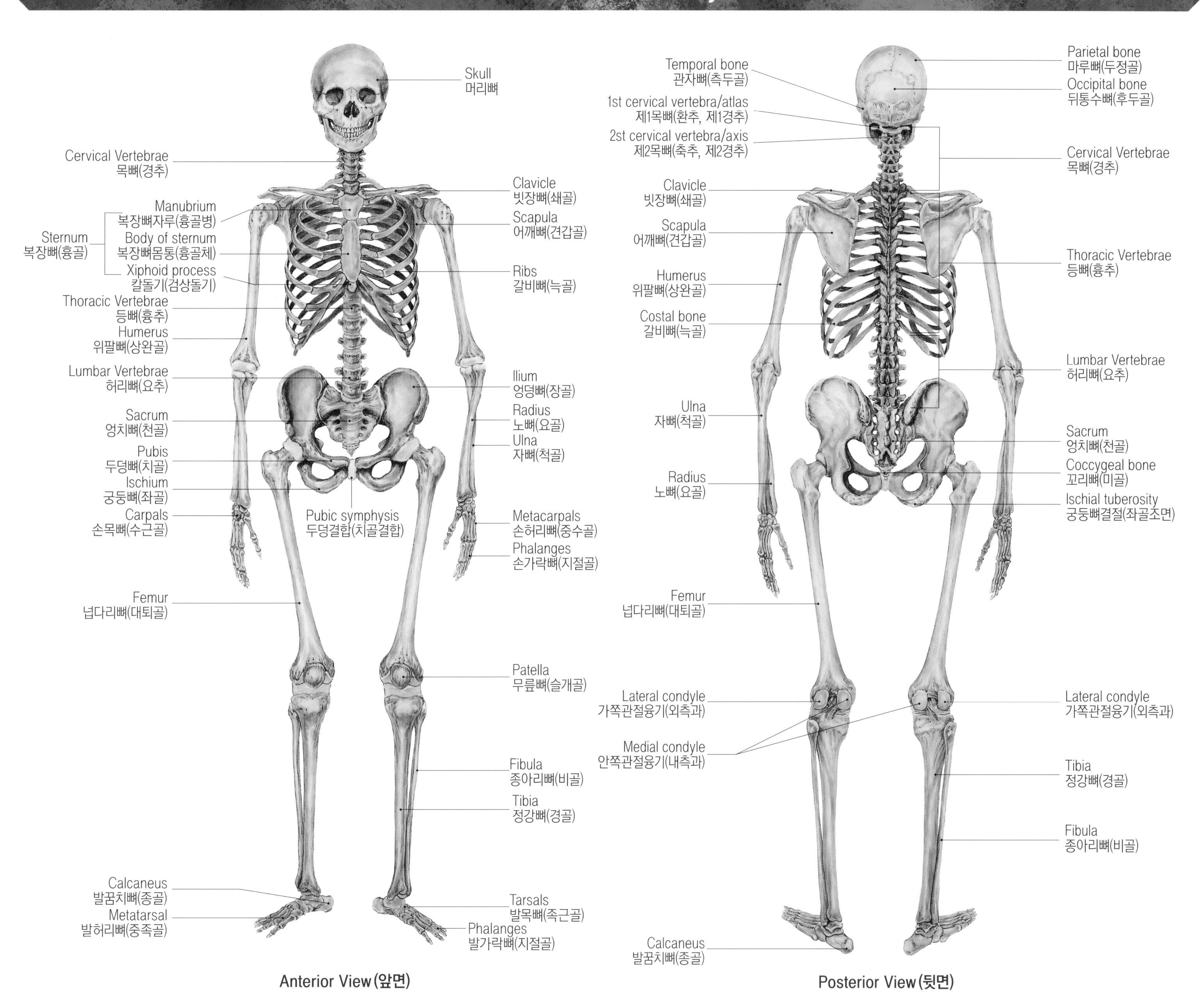
Skull
머리뼈
Cervical Vertebrae
목뼈(경추)
Clavicle
빗장뼈(쇄골)
Manubrium
복장뼈자루(흉골병)
Sternum
복장뼈(흉골)
Body of sternum
복장뼈몸통(흉골체)
Scapula
어깨뼈(견갑골)
Xiphoid process
칼돌기(검상돌기)
Ribs
갈비뼈(늑골)
Thoracic Vertebrae
등뼈(흉추)
Humerus
위팔뼈(상완골)
Lumbar Vertebrae
허리뼈(요추)
Ilium
엉덩뼈(장골)
Sacrum
엉치뼈(천골)
Radius
노뼈(요골)
Ulna
자뼈(척골)
Pubis
두덩뼈(치골)
Ischium
궁둥뼈(좌골)
Carpals
손목뼈(수근골)
Pubic symphysis
두덩결합(치골결합)
Metacarpals
손허리뼈(중수골)
Phalanges
손가락뼈(지절골)
Femur
넙다리뼈(대퇴골)
Patella
무릎뼈(슬개골)
Fibula
종아리뼈(비골)
Tibia
정강뼈(경골)
Calcaneus
발꿈치뼈(종골)
Tarsals
발목뼈(족근골)
Metatarsal
발허리뼈(중족골)
Phalanges
발가락뼈(지절골)
Anterior View(앞면)
Temporal bone
관자뼈(측두골)
Parietal bone
마루뼈(두정골)
Occipital bone
뒤통수뼈(후두골)
1st cervical vertebra/atlas
제1목뼈(환추, 제1경추)
2st cervical vertebra/axis
제2목뼈(축추, 제2경추)
Cervical Vertebrae
목뼈(경추)
Clavicle
빗장뼈(쇄골)
Scapula
어깨뼈(견갑골)
Thoracic Vertebrae
등뼈(흉추)
Humerus
위팔뼈(상완골)
Costal bone
갈비뼈(늑골)
Lumbar Vertebrae
허리뼈(요추)
Ulna
자뼈(척골)
Sacrum
엉치뼈(천골)
Coccygeal bone
꼬리뼈(미골)
Radius
노뼈(요골)
Ischial tuberosity
궁둥뼈결절(좌골조면)
Femur
넙다리뼈(대퇴골)
Lateral condyle
가쪽관절융기(외측과)
Lateral condyle
가쪽관절융기(외측과)
Medial condyle
안쪽관절융기(내측과)
Tibia
정강뼈(경골)
Fibula
종아리뼈(비골)
Calcaneus
발꿈치뼈(종골)
Posterior View(뒷면)

임맥 2

(任脈, Conception Vessel : CV)

CV 9 수분

위 치 앞정중선상의 배꼽 중심에서 위로 1치 되는 곳

CV 10 하완

위 치 앞정중선상의 배꼽 중심에서 위로 2치 되는 곳

CV 11 건리

위 치 앞정중선상의 배꼽 중심에서 위로 3치 되는 곳

CV 12 중완

위 치 앞정중선상의 배꼽 중심에서 위로 4치 되는 곳

CV 13 상완

위 치 앞정중선상의 배꼽 중심에서 위로 5치 되는 곳

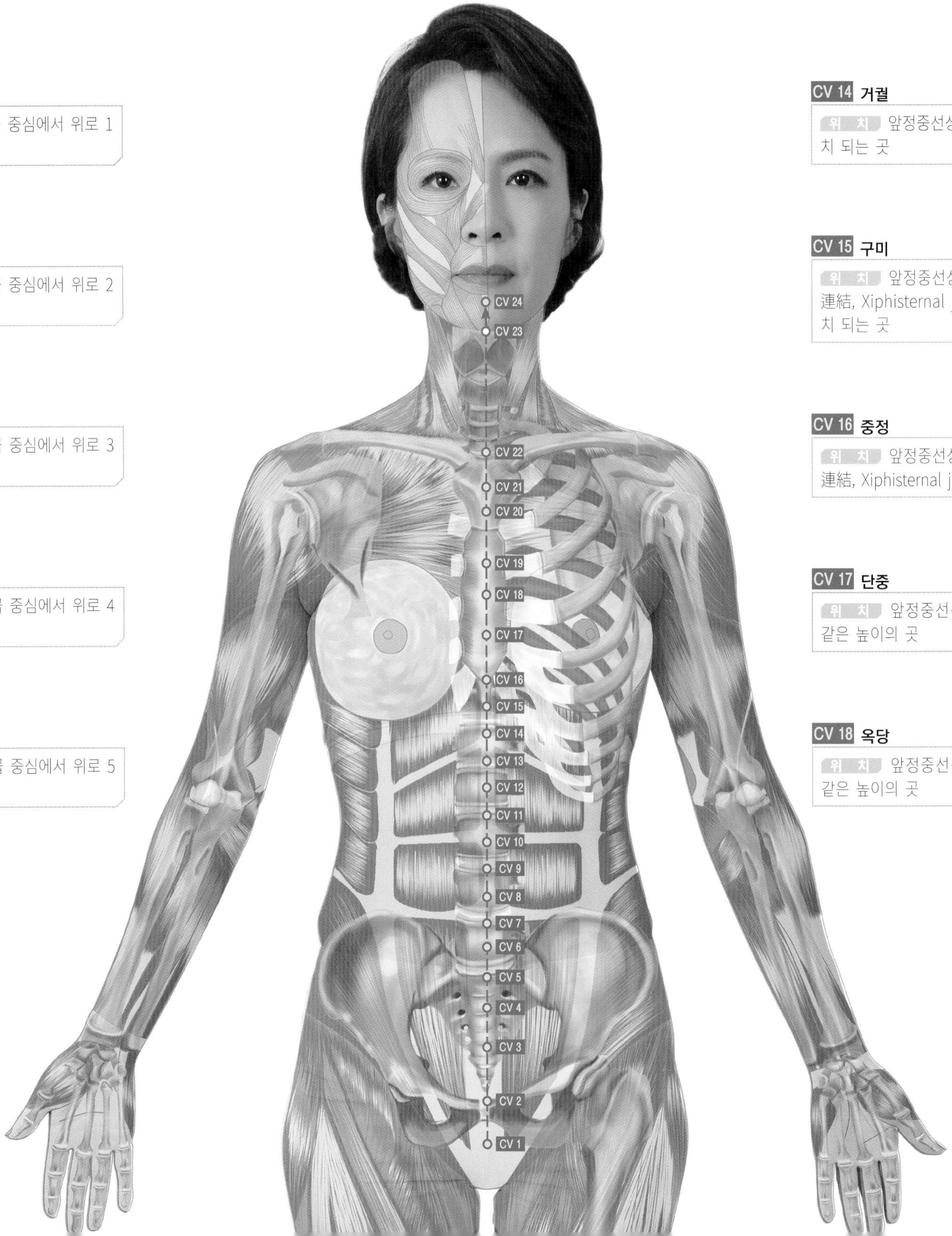

CV 14 거궐

위 치 앞정중선상의 배꼽 중심에서 위로 6치 되는 곳

CV 15 구미

위 치 앞정중선상의 칼돌기연결(劍狀突起連結, Xiphisternal junction)끝에서 아래로 1치 되는 곳

CV 16 중정

위 치 앞정중선상의 칼돌기연결(劍狀突起連結, Xiphisternal junction)의 중점

CV 17 단중

위 치 앞정중선상의 넷째갈비사이공간과 같은 높이의 곳

CV 18 옥당

위 치 앞정중선상의 셋째갈비사이공간과 같은 높이의 곳

CV 24
CV 23
CV 22
CV 21
CV 20
CV 19
CV 18
CV 17
CV 16
CV 15
CV 14
CV 13
CV 12
CV 11
CV 10
CV 9
CV 8
CV 7
CV 6
CV 5
CV 4
CV 3
CV 2
CV 1

Human Anatomy C·O·N·T·E·N·T·S

감|수 신 원 범(경기대학교 교수) · **홍 지 유**(열린사이버대학교 교수)

인체의 해부학적 구조와 경락경혈

초판발행/2018년 4월 25일 · 초판2쇄/2019년 9월 20일 · 발행인/민유정 · 발행처/대경북스
ISBN 978-89-5676-925-6 · 정가 · 50,000원

dkb
대경북스

등록번호 제 1-1003호
서울시 강동구 천중로42길 45(길동 379-15) 2F · 전화:(02)485-1988, 485-2586~87
팩스:(02)485-1488 · e-mail:dkbooks@chol.com · http://www.dkbooks.co.kr

임맥 3

(任脈, Conception Vessel : CV)

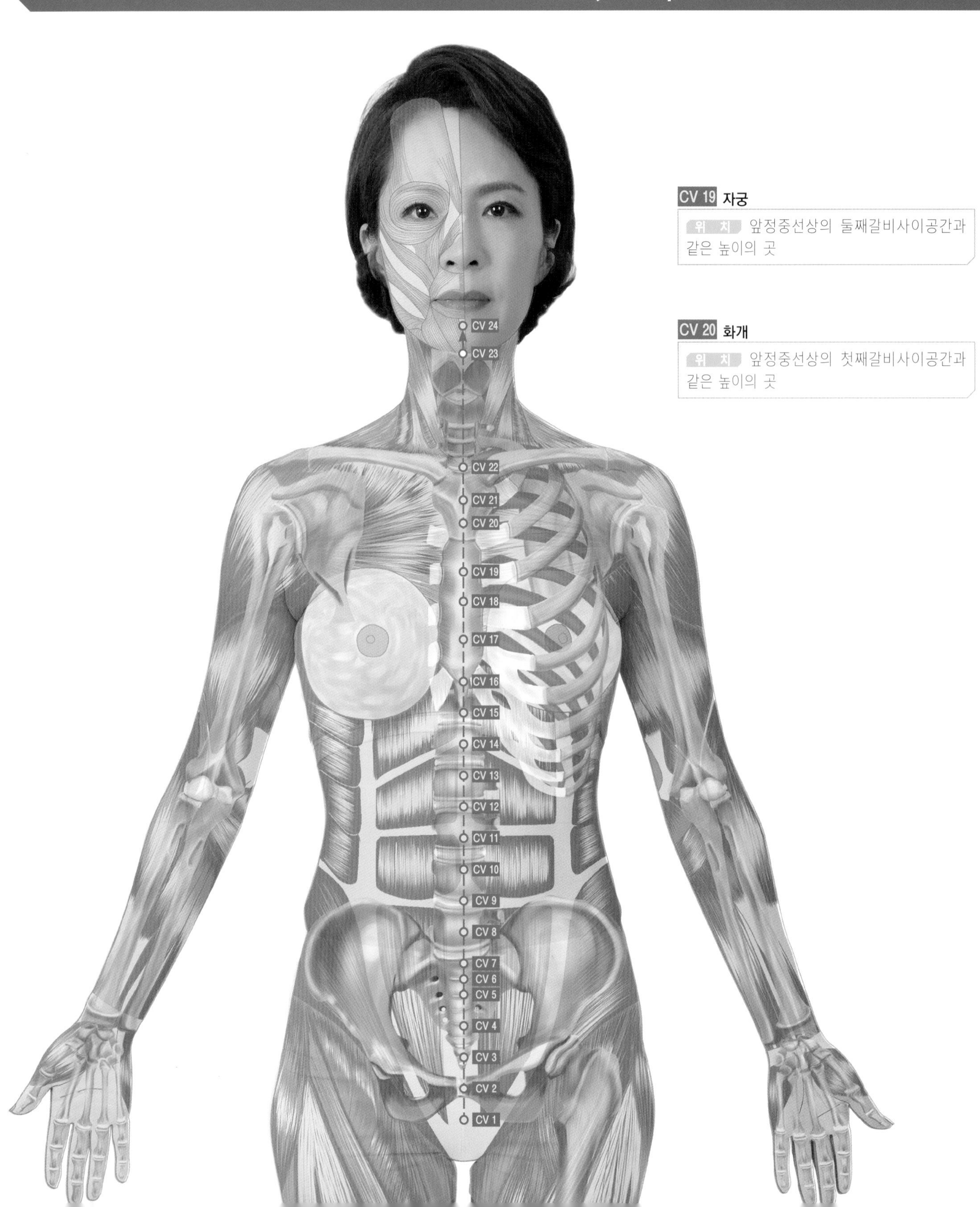

CV 24
CV 23
CV 22
CV 21
CV 20
CV 19
CV 18
CV 17
CV 16
CV 15
CV 14
CV 13
CV 12
CV 11
CV 10
CV 9
CV 8
CV 7
CV 6
CV 5
CV 4
CV 3
CV 2
CV 1

CV 19 자궁

위 치 앞정중선상의 둘째갈비사이공간과 같은 높이의 곳

CV 20 화개

위 치 앞정중선상의 첫째갈비사이공간과 같은 높이의 곳

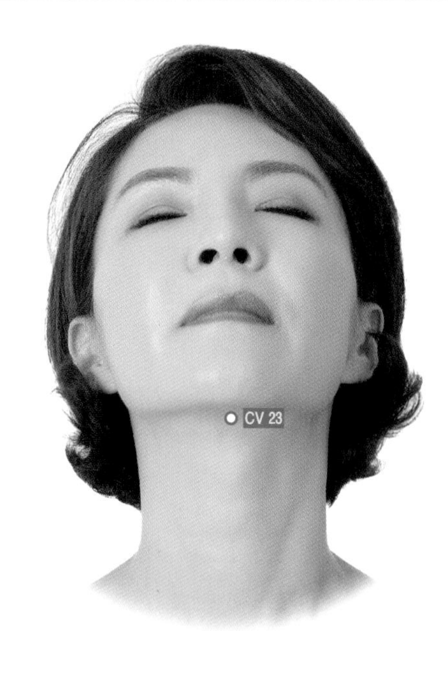

CV 23

CV 21 선기

위 치 앞정중선상의 목아래오목에서 아래로 1치 되는 곳

CV 22 천돌

위 치 앞정중선상의 목아래오목 중심

CV 23 염천

위 치 앞정중선상의 방패연골(甲狀軟骨) 위모서리위쪽으로 목뿔뼈(舌骨) 위모서리의 오목한 곳

CV 24 승장

위 치 턱끝입술고랑 중심의 오목한 곳

인체의 해부학적 구조

Human Anatomy

신원범·홍지유 감수

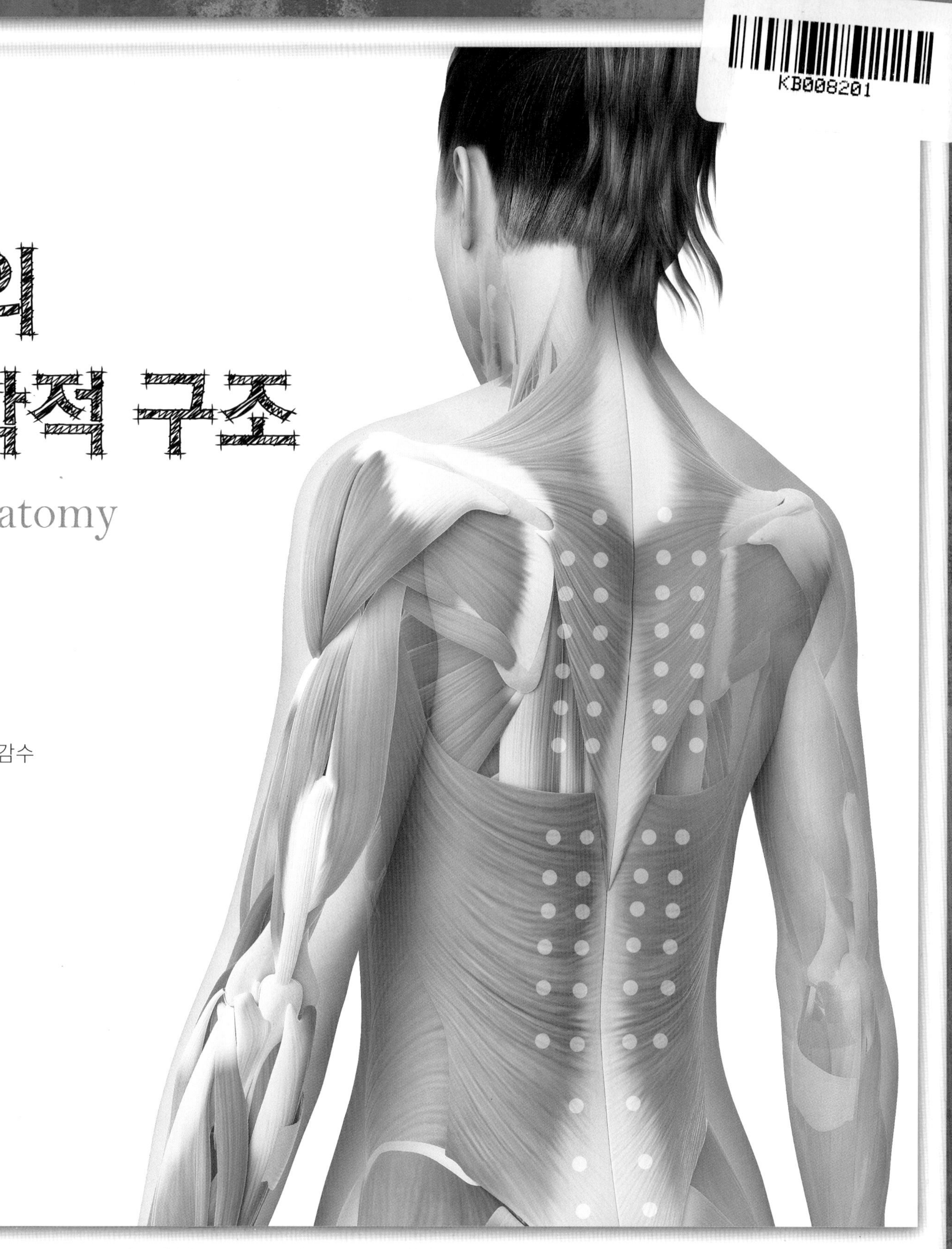

대경북스